D1498740

Collection folio junior

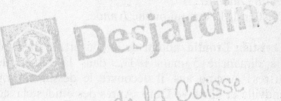

Poète et romancier écossais, **Walter Scott** est né à Edimbourg en 1771, et mort à Abbosford en 1832. Il se destinait à la magistrature ; mais bien qu'ayant exercé les fonctions de shérif, puis de chancelier à la Cour d'Edimbourg, l'amour qu'il portait à son pays, l'Ecosse, et aux légendes qui s'y rattachaient, le poussèrent vite vers la carrière littéraire. Des poésies furent ses premières œuvres ; des romans lui donnèrent la gloire (*Waverley, Rob-Roy, Quentin Durward...*)

C'est en 1819 que fut publié *Ivanoé*.

Christian Broutin, auteur de la couverture du livre, est né le dimanche 5 mars 1933... dans la cathédrale de Chartres ! À cinq ans, il découvre le dessin en copiant Grandville et Gustave Doré. Après des études classiques, il entre à l'École nationale supérieure des métiers d'art dont il sort en 1951.

Professeur de dessin, peintre, illustrateur, il a réalisé de nombreuses campagnes de publicité, ainsi qu'une centaine d'affiches de films. Il a également illustré des romans, collabore à plusieurs magazines et expose en France et à l'étranger. Son œuvre a reçu le grand prix de l'Affiche française en 1983.

Walter Scott

Ivanhoé
Deuxième partie

*Traduit de l'anglais
par Defauconpret*

Illustrations de Lix, Adrien Marie,
Riou, H. Scott

CHAPITRE XXIV

Je la courtiserai comme le lion
courtise sa lionne.
J. HOME, *Douglas*, tragédie.

Tandis que les scènes que nous venons de décrire se passaient à l'intérieur du donjon, la juive Rébecca attendait son sort dans une tourelle écartée et solitaire.

Sous la conduite de deux de ses ravisseurs déguisés, elle avait été amenée dans une chambrette, où se trouvait déjà une vieille matrone, qui filait, en chantonnant une ballade saxonne, comme pour accompagner le tournoiement de son fuseau. À l'entrée de Rébecca, la fileuse leva la tête et lança sur la belle juive ce regard de méchanceté envieuse que la vieillesse et la laideur, lorsqu'elles s'associent à une mauvaise nature, réservent d'ordinaire à la jeunesse et à la beauté.

– Lève-toi et décampe, vieux grillon, dit un des hommes ; c'est l'ordre du maître. Il faut céder la place à une plus belle.

– Oui, marmotta la vieille, voilà comme on récompense les services ! Il fut un temps où un seul mot de moi aurait fait chasser du château le plus brave des hommes d'armes, et maintenant il faut me lever et déguerpir sur l'ordre d'un palefrenier comme toi.

– Bonne dame Urfried, dit l'autre homme, ne reste pas là à raisonner... Debout et dehors, vite ! Il faut dresser l'oreille, quand le maître commande. Tu as eu ton jour, la vieille, et ton soleil est couché depuis longtemps. À présent tu ressembles à ces vieux chevaux de bataille qu'on relègue dans la bruyère : tu as eu tes allures dans le temps, et c'est tout au plus si tu peux trotter aujourd'hui. Allons, trotte vers la porte !

– Chiens de mauvais augure, répliqua la vieille, qu'un chenil vous serve de fosse à tous deux ! Que Zernebock, le grand diable, m'arrache les membres, si je sors de ma chambre avant d'avoir filé tout le chanvre de ma quenouille !

– Tu en répondras au maître, damnée sorcière, dit l'homme.

Ils se retirèrent, et Rébecca resta seule avec la vieille, dont elle était devenue contre son gré la commensale.

– Quelle œuvre diabolique machinent-ils à cette heure ? grommela Urfried entre ses dents, tout en jetant à la dérobée des regards malveillants sur la jeune fille. Hum ! c'est aisé à deviner... Des yeux brillants, des cheveux noirs, un teint aussi blanc que le parchemin avant que le clerc l'ait sali de sa drogue noire... Oui, oui, il est aisé de deviner pourquoi ils l'ont envoyée dans cette tour solitaire, d'où un cri ne s'entendrait pas plus que s'il sortait de cinq cents pieds sous terre. Tu auras des hiboux pour voisins, ma belle, et on ne démêlera pas leurs cris des tiens. Étrangère par-dessus le marché ! ajouta-t-elle en remarquant la robe et le turban de Rébecca. De quel pays es-tu ? Sarrasine ou Égyptienne ? Pourquoi ne réponds-tu pas ? Tu pleures... Est-ce que tu ne sais pas parler ?

– Ne vous fâchez pas, bonne mère, dit Rébecca.

– Cela suffit, va ; l'on reconnaît un renard à la queue et une juive à la langue.

– Oh ! par pitié, dites-moi ce que j'ai à craindre ! Où veut-on en venir en me traînant ici de force ? Est-ce ma vie qu'on demande, en haine de ma religion ? Je la donnerai sans regret.

– Ta vie, mignonne ? Quel plaisir trouveraient-ils à te l'ôter ? Non, non, ta vie n'est pas en péril. On te réserve le traitement qui jadis fut jugé assez bon pour une noble fille saxonne. Et une juive, comme toi, se plaindra-t-elle de son lot ? Regarde-moi. J'étais aussi jeune que toi, et deux fois plus belle, lorsque Front de Bœuf, le père de Réginald, prit d'assaut ce manoir, avec ses Normands. Mon père et mes sept frères défendirent leur demeure d'étage en étage, de chambre en chambre ; il n'y eut pas une salle, pas un escalier qui ne fût dégouttant de leur sang. Ils périrent, ils périrent jusqu'au dernier, et leurs corps n'étaient pas encore refroidis, leur sang n'était pas encore figé, que j'étais devenue la proie et la risée du vainqueur !

– N'y a-t-il pas de remède ? un moyen de fuir ? Venez à mon secours, et je vous ferai riche, très riche.

– Ôte-toi cela de l'idée. Pour fuir d'ici il n'y a qu'une porte, la mort, et avant qu'elle s'ouvre, ajouta-t-elle en secouant sa tête grise, il sera tard, bien tard... Mais c'est une consolation de penser que nous laissons derrière nous sur la terre des créatures non moins misérables. Adieu, juive ! Juive ou chrétienne, ton sort serait le même, car tu as affaire à des gens qui n'ont ni scrupules ni pitié. Adieu, te dis-je ! ma quenouille est filée... Tu vas commencer ta tâche.

– Restez ! restez, pour l'amour du ciel ! Dussiez-vous me maudire, m'accabler d'injures, restez ! Votre présence m'est encore une sorte de protection.

– La présence de la mère de Dieu n'en serait pas une. Tiens, la voilà, dit-elle en lui montrant une grossière image de la Vierge ; vois si elle peut détourner le sort qui t'attend.

À ces mots, la vieille sortit, les traits contractés en une espèce de ricanement moqueur, qui les rendait plus hideux encore que leur maussaderie habituelle. Elle ferma la porte à clef, et Rébecca l'entendit descendre à grand-peine l'escalier de la tour, en maudissant les marches, trop raides pour son pas alourdi.

Rébecca devait s'attendre à courir plus de dangers que Rowena. Avec une héritière saxonne on pouvait user d'égards et de ménagements ; mais envers la fille d'une race exécrée quelle apparence y avait-il qu'on en conservât l'ombre ? Quoi qu'il en soit, il restait à la juive un avantage, celui d'être mieux préparée, par l'habitude de réfléchir et par une fermeté naturelle, à lutter contre les périls qui la menaçaient. Grâce à un caractère énergique et observateur, même dès ses plus jeunes ans, le luxe et la richesse que déployait son père dans l'intérieur de sa maison, ou dont elle était témoin chez des Hébreux opulents, n'avaient pu l'aveugler sur la situation qui leur était faite. Ainsi que Damoclès à la table de Denys le tyran, Rébecca voyait sans cesse, parmi les splendeurs de la fortune, l'épée suspendue par un cheveu sur la tête de son peuple. Ces réflexions avaient assoupli et ramené à un jugement plus sain un caractère qui, en d'autres circonstances, se serait montré hautain, dédaigneux et opiniâtre.

L'exemple et les conseils de son père avaient appris à Rébecca à traiter avec civilité tous ceux qui l'approchaient. Elle ne poussa point, il est vrai, la condescendance jusqu'à l'excès, parce qu'elle était au-dessus de la bassesse d'âme, et de cet état continuel de lâches appréhensions, qui en était la cause ; mais elle se comporta avec une fierté modeste, et, tout en acceptant sa part des rigueurs exercées contre une race méprisée, elle n'en garda pas moins conscience de son propre mérite, qui, sans le despotisme arbitraire des préjugés religieux, lui aurait permis d'aspirer à un rang supérieur.

Ainsi prémunie contre les accidents de la fortune, elle avait acquis la fermeté nécessaire pour les supporter. La situation actuelle exigeait toute sa présence d'esprit, et elle ne manqua point d'y faire appel.

Son premier soin fut d'examiner sa prison ; mais elle n'en retira qu'un bien faible espoir de fuir ou de se défendre. Il n'y avait ni trappe ni passage secret ; la porte par où elle était entrée, sans barres ni verrous en dedans, communiquait avec le corps du donjon, et le reste de la chambre occupait la surface de la tourelle. L'unique fenêtre donnait sur une *bretèche* ou balcon crénelé, qui flanquait la muraille. Rébecca crut y voir une voie de salut, puis elle s'aperçut que c'était une plate-forme isolée, ne se reliant d'aucune manière avec les remparts : protégée, comme à l'ordinaire, par un parapet à embrasures, et pouvant servir de poste à des archers pour défendre la tourelle et inquiéter l'ennemi de flanc.

Il n'y avait donc pour Rébecca d'autre espoir de salut que le courage passif et cette confiance dans le ciel naturelle aux âmes grandes et généreuses. Bien qu'élevée dans une fausse interprétation des promesses de l'Écriture au peuple choisi de Dieu, elle ne se trompait pas en croyant qu'il traversait un temps d'épreuves, en espérant qu'il serait admis un jour à partager tous les droits des chrétiens. En attendant, tout annonçait autour d'elle que ses coreligionnaires étaient en ce moment exposés à un état de châtiment et d'affliction, et qu'ils devaient s'y soumettre avec honneur. Cette tendance à se regarder comme une victime de la fatalité l'amena de bonne heure à réfléchir sur sa propre situation et accoutuma son esprit à faire face aux dangers qu'elle aurait probablement à courir.

Cependant, elle frissonna et pâlit à un bruit de pas qui s'entendit sur l'escalier. La porte de sa chambre s'ouvrit lentement et livra passage à un homme de haute taille, vêtu comme un de ses ravisseurs ; il entra sans se presser et ferma la porte derrière lui. Son bonnet enfoncé jusqu'aux sourcils et son manteau remonté très haut ne laissaient presque rien voir de son visage. Dans cette attitude, et comme s'il eût été honteux de ce qu'il venait faire, il se présenta devant sa captive effrayée. Pourtant, tout brigand qu'il avait l'air d'être, il parut embarrassé d'expliquer le motif qui l'amenait, de sorte que Rébecca, faisant effort sur elle-même, eut le temps d'aller au-devant. Croyant avec raison se concilier la faveur de l'*outlaw* supposé en assouvissant sa cupidité, elle détacha vivement ses bracelets et son collier, et les lui tendit.

— Prends-les, mon ami, dit-elle, et pour l'amour de Dieu, aie pitié de mon vieux père et de moi ! Ces bijoux ont de la valeur, mais ce n'est qu'une bagatelle auprès de ce que nous donnerions pour sortir d'ici sains et saufs.

— Belle fleur de la Palestine, répondit l'homme, ces perles brillantes ont moins de blancheur que vos dents, les feux de ces diamants moins d'éclat que vos yeux ; et depuis que j'ai embrassé mon aventureux métier, j'ai juré de préférer la beauté aux richesses.

— Ne te fais pas tort à toi-même : accepte cette rançon, et aie pitié de nous ! L'or te rendra heureux ; nous maltraiter ne te vaudra que des remords. Mon père comblera volontiers tes plus grands désirs, et, si tu es sage, tu pourras, avec ses dons, acquérir les moyens de rentrer dans la société, obtenir le pardon de tes erreurs passées et n'être plus dans la nécessité d'en commettre de nouvelles.

– Voilà qui est fort bien, répliqua l'autre en français, jugeant peut-être difficile de soutenir en saxon l'entretien que Rébecca avait entamé dans cette langue ; mais sache, lis resplendissant de la vallée de Bacca, que ton père est déjà entre les mains d'un puissant alchimiste, qui connaît l'art de convertir en or et en argent jusqu'aux barreaux rouillés d'une grille de prison. Le vénérable Isaac est traité par un alambic, qui distillera tout ce qu'il a de plus cher en lui, sans avoir recours à mes désirs ou à tes prières. L'amour et la beauté doivent payer ta rançon, et je ne l'accepterai pas en autre monnaie.

– Tu n'es pas un *outlaw*, dit Rébecca dans la même langue qu'il venait d'employer ; jamais *outlaw* n'a refusé de tels cadeaux, jamais aucun d'eux n'a parlé la langue dont tu te sers. Non, tu n'es pas un proscrit, tu es Normand, noble peut-être. Sois donc noble dans ta conduite, et jette ce masque affreux d'outrage et de violence !

– Et toi, qui devines si juste, dit Bois-Guilbert en laissant retomber son manteau, tu n'es pas une fille d'Israël, tu es de tous points, sauf la jeunesse et la beauté, une vraie sorcière d'Endor. Tu l'as dit, belle rose de Saron, je ne suis pas un *outlaw*, mais un homme qui mettra plus de zèle à parer ton cou et tes bras de perles et de diamants qu'à les priver de bijoux qui leur vont si bien.

– Qu'attends-tu de moi, sinon mes richesses ? Il n'y a rien de commun entre nous ; tu es chrétien, je suis juive. Notre union serait contraire aux lois de l'Église comme à celles de la synagogue.

– Sans doute, répliqua le templier en riant. Épouser une juive ? Non, de par Dieu ! fût-ce la reine de Saba. Sache encore, charmante vierge de Sion, que si le roi très chrétien m'offrait sa fille très chrétienne, avec le Languedoc pour douaire, je ne pourrais l'épouser. Mes vœux m'interdisent d'aimer les femmes autrement que d'amour ; comme je t'aimerai. Je suis templier ; vois la croix de mon ordre.

– Oses-tu l'invoquer en pareille occasion ?

– Peu t'importe que je le fasse ? Tu n'as pas foi dans ce signe sacré de notre salut.

– J'ai foi dans ce que mes pères m'ont enseigné, et que Dieu pardonne à ma croyance si elle est fausse ! Mais vous, sire chevalier, quelle est la vôtre, quand vous en appelez sans vergogne à ce que vous regardez comme un signe sacré, alors même que vous parlez de violer le plus solennel de vos vœux et comme chevalier et comme prêtre ?

– Tu prêches comme un ange, fille de Sirac, et pourtant, ma jolie prêtresse, tu n'entends rien à nos souverains privilèges : les étroits préjugés de ta religion s'y opposent. Le mariage est pour un templier un crime irrémissible ; mais qu'il s'adonne à toute autre folie, il en recevra une prompte absolution à la première commanderie venue de l'ordre. Le plus sage de vos monarques et David, son père, dont les exemples, tu me l'accorderas, sont d'un grand poids, ne jouissaient pas de prérogatives plus étendues que les nôtres, et encore, nous, pauvres soldats du temple de Sion, les avons-nous gagnées par notre zèle à le défendre. Les protecteurs du chef-d'œuvre de Salomon peuvent s'autoriser de l'exemple des licences de Salomon.

– Si tu n'as cherché dans l'Écriture et l'histoire sainte que la justification de ta licence et de tes désordres, tu es aussi criminel que celui qui ne cherche dans les plantes les plus utiles et les plus salutaires qu'à extraire du poison.

À ce reproche, les yeux du templier flamboyèrent comme deux éclairs.

– Écoute, Rébecca, dit-il ; jusqu'ici je t'ai parlé avec douceur, à présent, je vais le faire en maître. Tu es la captive de mes armes ; les lois de toutes les nations te soumettent à ma volonté. Tel est mon droit, je n'en rabattrai pas un pouce, et ce que tu refuses à mes prières ou à la nécessité, je le prendrai de force.

– Arrête ! Un mot encore avant de te charger d'un péché mortel. Triompher de mes efforts, tu le peux, car Dieu a créé la femme faible et confié sa défense à la générosité de l'homme. Mais, templier, j'irai proclamer ton infamie d'un bout de la terre à l'autre, et ce que la pitié de tes frères me refuserait peut-être, je l'obtiendrai de leur superstition. Pas une commanderie, pas un chapitre de ton ordre qui n'apprendra que tu t'es souillé avec une juive, comme un hérétique ! Ceux que ton crime ne remplira pas d'horreur te maudiront pour avoir déshonoré la croix que tu portes jusqu'à rechercher une fille de ma race.

Bois-Guilbert, convaincu de la vérité de ses paroles, n'ignorait pas que les règles de l'ordre condamnaient, d'une façon absolue et sous les peines les plus sévères, les intrigues du genre de celle où il s'était jeté, et qu'en certains cas elles avaient entraîné la dégradation.

– Tu as l'esprit prompt, juive, dit-il. Mais, si tu veux te plaindre, il faudra que ta voix soit bien forte pour retentir au-delà des solides murailles de ce château, entre lesquelles murmures, lamentations, appels à la justice et cris de détresse s'éteignent dans un silence de mort. Tu n'as plus qu'un moyen de salut, Rébecca ; te résigner à ton sort et embrasser notre religion. Alors tu seras libre, et je t'élèverai si haut que plus d'une dame normande sera effacée, en luxe comme en beauté, par la favorite de la meilleure lance des défenseurs du Temple.

– Me résigner à mon sort ! et quel sort, juste ciel !... Embrasser ta religion ! et quelle peut être une religion qui abrite un tel scélérat ?... *Toi*, la meilleure lance du Temple ? Lâche chevalier ! prêtre parjure ! Tiens, je te crache au visage et je te défie... Le dieu d'Abraham a laissé à sa fille un moyen d'échapper à cet abîme d'infamie.

À ces mots, elle ouvrit la fenêtre treillissée qui donnait sur la plate-forme, et en un instant elle fut debout sur le parapet ; à cette hauteur effrayante, rien

HUYOT

ne la protégeait plus. Surpris par cet élan subit de désespoir, car jusqu'alors elle était restée immobile à la même place, Bois-Guilbert n'eut le temps ni de l'arrêter, ni de lui couper le chemin. Au moment où il allait s'élancer, elle s'écria :

– Reste où tu es, orgueilleux templier, ou avance... à ton choix. Mais un pas de plus, et je me précipite !... Mon corps écrasé sur les pierres de la cour n'aura plus forme humaine avant d'être victime de ta brutalité.

Les mains jointes et tendues vers le ciel, elle semblait demander grâce pour son âme avant de se jeter dans l'espace. Le templier hésita, et sa volonté de fer que n'avait jamais ébranlée la douleur ou la pitié céda à l'admiration que lui inspirait tant de courage.

– Descends, dit-il, fille téméraire ! Je jure par le ciel, la terre et les eaux que je ne chercherai pas à te faire outrage.

– Je ne me fierai pas à toi : tu m'as appris à mieux apprécier les vertus de ton ordre. La commanderie voisine n'est-elle pas là pour t'absoudre d'avoir violé un serment qui n'intéresse que l'honneur ou le déshonneur d'une malheureuse juive ?

– Tu ne me rends pas justice, s'écria Bois-Guilbert avec chaleur. J'en jure par le nom que je porte, par la croix qui est sur ma poitrine, par l'épée suspendue à mon côté, par l'ancien renom de mes aïeux, tu n'as aucun mal à redouter de moi. Par amour pour ton père, sinon pour toi-même, écoute ! Je serai son ami, et dans ce château il a besoin d'en avoir un puissant.

– Hélas ! je ne le sais que trop. Mais puis-je te croire ?

– Qu'on renverse mes armes et que mon nom soit déshonoré, si tu as le moindre sujet de plainte ! J'ai violé plus d'une loi, plus d'un commandement ; ma parole, jamais !

– Soit, j'aurai confiance, mais pas plus loin, dit

Rébecca en descendant du créneau et en s'appuyant contre une des embrasures, ou mâchicoulis comme on les appelait. Je m'arrête ici ; reste à ta place, et si tu essayes de diminuer d'un seul pas la distance qui nous sépare, tu verras qu'une juive aime mieux remettre son âme à Dieu que son honneur à un templier.

Tandis que Rébecca s'exprimait ainsi, sa noble et ferme résolution, si bien en rapport avec l'expressive beauté de ses traits, donnait à ses yeux, à sa physionomie, à son maintien une dignité plus qu'humaine. La crainte d'une mort imminente et affreuse ne fit point détourner ses yeux ni pâlir ses joues ; au contraire, la conviction qu'elle pouvait disposer de son sort et échapper en mourant à l'infamie, avait rehaussé les couleurs de son teint et ravivé la flamme de ses regards. Le templier lui-même, malgré son orgueil et son dépit, s'avoua que jamais il n'avait vu beauté si rayonnante et si majestueuse.

— Allons, Rébecca, que la paix soit entre nous ! dit-il.

— La paix, si tu veux, mais à cette distance.

— Tu n'as plus lieu de me craindre.

— Je ne te crains pas, grâce à celui qui a élevé cette tourelle à une hauteur si grande qu'on n'en pourrait tomber sans mourir. Non, grâce à lui et au dieu d'Israël, je ne te crains pas.

— Tu me fais injure... Oui, par le ciel, la terre et les eaux ! tu me fais injure ! Il n'était pas dans ma nature d'être dur, égoïste, impitoyable, tel que tu m'as vu. Une femme m'a enseigné la cruauté, et j'en ai usé envers les femmes, mais celles-là ne te ressemblaient pas. Écoute, Rébecca.

Jamais chevalier n'a pris la lance avec un cœur plus dévoué à la dame de ses pensées que Briand de Bois-Guilbert. Elle était fille d'un baron, qui n'avait pour tous biens qu'une tour en ruines, un pauvre vignoble et quelques lieues de terres stériles dans les landes de Bordeaux ; eh ! bien, son nom fut proclamé partout où s'accomplissait un fait d'armes et plus célébré que celui de mainte damoiselle ayant un comté pour apanage. Oui, continua-t-il, en arpentant l'étroite plateforme, avec une animation qui semblait lui faire oublier la présence de Rébecca, oui, mes exploits, mes périls, mon sang firent connaître le nom d'Adélaïde de Montemart depuis la cour de Castille jusqu'à celle de Byzance. Et quelle fut ma récompense ? Lorsque je revins, chargé d'honneurs chèrement acquis au prix de mon sang et de mes fatigues, je la trouvai mariée à un écuyer gascon, dont le nom n'avait jamais franchi les limites de son chétif domaine. Je l'aimais d'une ardeur sincère, et je me vengeai cruellement de son manque de foi ; mais la vengeance retomba sur ma tête. Depuis ce jour je brisai avec la vie et tous les liens qui s'y rattachent... Mon âge mûr ne goûtera pas les joies de la famille... les caresses d'une épouse ne l'adouciront pas... Ma vieillesse n'aura pour asile aucun foyer ami... Ma tombe sera solitaire, et nul rejeton ne me survivra pour transmettre l'antique renom des Bois-Guilbert... Aux pieds du grand-maître de l'ordre j'ai déposé ma libre volonté, le privilège de mon indépendance. Véritable serf, excepté de nom, le templier ne peut posséder ni biens ni terres : il ne vit, n'agit, ne respire que selon le vouloir et le caprice d'un autre.

– Hélas ! dit Rébecca, quels avantages pourrait racheter un sacrifice si absolu ?

– Le pouvoir de la vengeance et les rêves de l'ambition.

– Triste récompense pour l'abandon des droits les plus chers à l'homme !

– Ne parle pas ainsi, jeune fille. La vengeance est le régal des dieux, et s'ils se la sont réservée, ainsi que disent leurs prêtres, c'est parce qu'ils la regardent comme une jouissance trop précieuse pour l'octroyer à de simples mortels. Quant à l'ambition, elle a pu tenter le ciel même et troubler sa béatitude.

Rébecca, ajouta-t-il au bout d'un moment, celle

qui est capable de préférer la mort au déshonneur doit avoir une âme énergique et fière. Il faut que tu m'appartiennes... Allons, ne t'alarme pas... Il le faut, mais de ton plein gré et suivant tes conditions. Il faut, te dis-je, que tu consentes à partager avec moi des espérances plus vastes qu'on n'en saurait augurer de la puissance souveraine. Écoute avant de répondre, et réfléchis avant de refuser.

Si, comme tu l'as compris, le templier perd ses droits sociaux et son libre arbitre, il devient l'os et la chair d'un corps puissant, devant lequel tremblent déjà les trônes ; de même, la goutte de pluie dissoute dans la mer devient une des forces de cet océan irrésistible qui mine les rochers et engloutit les escadres royales. Un flot sans cesse grossissant, telle est cette ligue redoutable. J'en suis, non pas un membre obscur, mais l'un des commandeurs en renom, et rien ne me défend d'aspirer à la dignité de grand-maître. Que je l'obtienne, et les pauvres soldats du Temple ne seront pas seuls à mettre le pied sur le cou des rois, car un moine à sandales de chanvre peut en faire autant ; notre chaussure de mailles escaladera le trône, notre gantelet saisira le sceptre. Non, le règne du messie, ce fol espoir de vos tribus dispersées, ne leur assurerait pas le pouvoir auquel mon ambition peut prétendre. Je ne cherchais qu'une âme fraternelle pour lui en faire part, et je l'ai trouvée : c'est toi.

– Tu dis cela à une fille de ma race ? Oublies-tu donc...

– Ne m'objecte pas la diversité de nos croyances ; ce sont là des contes de nourrice dont nous ne faisons que rire dans nos réunions secrètes. Ne t'imagine pas que nous soyons longtemps restés aveugles sur la niaise folie de nos fondateurs, qui jurèrent de renoncer à tous les charmes de la vie pour le plaisir de succomber en martyrs à la faim et à la soif, à la peste et sous le fer des barbares, tout en cherchant vainement à défendre un désert aride, qui n'a de prix qu'aux yeux de la superstition. L'ordre ne tarda pas à concevoir des vues plus larges et plus hardies, et trouva un meilleur moyen d'indemniser nos sacrifices. Nos immenses possessions dans tous les royaumes de l'Europe, notre illustre renom militaire, qui amène dans nos rangs la fleur de la chevalerie chrétienne, nous les consacrons à des fins auxquelles ne songeaient guère nos pieux fondateurs ; on les tient cachées aux esprits faibles qui embrassent notre règle d'après les vieux principes : leurs préjugés en font des instruments passifs.

Mais je ne te dévoilerai pas davantage nos mystères. Le son du cor m'annonce quelque événement, qui réclame peut-être ma présence. Pense à ce que je t'ai dit. Adieu ! Je ne te demande pas d'excuser ma violence, puisqu'elle a servi à mettre en relief ton caractère. On ne connaît l'or qu'à la pierre de touche. Je reviendrai bientôt, et nous aurons un nouvel entretien.

Il rentra dans la chambre et descendit l'escalier. Son départ laissa Rébecca sous le coup d'une émotion profonde : la perspective de la mort à laquelle elle venait de s'exposer l'avait moins effrayée que l'ambitieuse audace de ce génie du mal qui la tenait en son pouvoir.

Dès qu'elle passa dans la tourelle, son premier soin fut de rendre grâces au dieu de Jacob de la protection qu'il lui avait accordée, et d'en implorer la continuation pour elle et pour son père. Un autre nom se glissa dans sa prière, celui du chrétien blessé que le sort avait fait tomber entre les mains d'hommes sanguinaires, ses ennemis déclarés. Au fond du cœur, pourtant, elle s'émut, comme d'une faute, d'avoir, dans ses élans vers le ciel, mêlé à ses dévotions le souvenir d'un Nazaréen, d'un adversaire de sa foi, d'un homme enfin dont la destinée ne devait en aucune manière être liée à la sienne. Mais la prière s'était exhalée de ses lèvres, et nul préjugé de secte ne put la décider à la reprendre.

CHAPITRE XXV

Le maudit griffonnage ! De ma
vie je n'en ai vu de pareil.
GOLDSMITH, *Elle s'abaisse pour
vaincre,* comédie.

En entrant dans la grand-salle du château, le templier y trouva Bracy.

— Et vos projets amoureux ? lui dit ce dernier. Ce bruyant appel de cor les a contrariés comme les miens, je présume. Mais comme vous arrivez après moi, et avec plus de répugnance, j'en conclus que votre entrevue a été plus agréable que la mienne.

— Auriez-vous été mal accueilli de l'héritière saxonne ? répondit Bois-Guilbert.

— Par les os de Thomas Becket ! il faut que lady Rowena ait ouï dire que je ne puis résister au spectacle d'une femme en pleurs.

— Allons donc ! toi, un chef de compagnie franche, t'arrêter aux pleurs d'une femme ! Quelques gouttes d'eau jetées sur le flambeau de l'amour ne font qu'en raviver la flamme.

— Grand merci de tes quelques gouttes ! la demoiselle en a répandu de quoi éteindre un incendie. Non, jamais, depuis le temps de sainte Niobé, dont le prieur nous a dit l'histoire, on n'a vu des bras se tordre et des yeux fondre en eau comme les siens. Cette belle fille est possédée d'un diable aquatique.

– C'est toute une légion de diables qui a élu domicile dans ma juive ! car un seul, je crois, fût-ce Appollyon lui-même, n'aurait pu lui inspirer tant de résolution et d'orgueil indomptable. Où est Front de Bœuf ? Le cor retentit de plus en plus fort.

– Il doit être en affaires avec le juif, répondit Bracy, sans plus s'émouvoir ; et sans doute les hurlements d'Isaac étouffent les bruits du dehors. Tu dois savoir par expérience, Briand, qu'un juif obligé de se dessaisir de ses trésors, surtout aux conditions que lui offrira notre ami, pousse des clameurs à couvrir le son de vingt cors et d'autant de trompettes. Mais nous allons le faire appeler par ses vassaux.

Le châtelain les rejoignit au bout de quelques instants. Interrompu dans ses raffinements de cruauté, ainsi que le lecteur l'a déjà vu, il ne s'était arrêté que pour donner des ordres nécessaires.

– Voyons la cause de ce maudit vacarme, dit-il. Ce message va nous l'apprendre. Si je ne me trompe, il est écrit en saxon.

Tout en le regardant, il le tournait et retournait, comme s'il eût vraiment espéré d'en comprendre le contenu à force de le manier. Il le passa enfin à Bracy.

– C'est un pur grimoire, voilà ce que j'en puis dire, répondit celui-ci, qui avait sa large part de l'ignorance si commune chez les nobles au moyen âge. Notre chapelain se mit en tête de m'enseigner à écrire, mais comme toutes mes lettres ressemblaient à des fers de lance ou à des lames d'épée, le bonhomme se dégoûta de la besogne.

– Donnez-moi cela, dit le templier. Notre qualité de prêtres nous oblige à quelque savoir pour éclairer notre valeur.

– Alors, fait-nous profiter de ton respectable savoir, dit Bracy. Qu'y a-t-il là-dedans ?

– Un défi dans toutes les règles. Mais, par Notre-Dame de Bethléem ! si ce n'est pas une folle plaisanterie, c'est le cartel le plus extraordinaire qui ait jamais passé le pont-levis d'un manoir seigneurial.

– Une plaisanterie ! dit Front de Bœuf. Je voudrais bien savoir qui ose plaisanter avec moi en pareille matière. Lisez, sire Briand.

Le templier lut, en conséquence, le message qui suit :

« Moi, Wamba, fils de Pauvre d'esprit, fou de noble et libre homme Cedric de Rotherwood, surnommé *le Saxon*, et moi Gurth, fils de Beowulf, porcher...

– Perds-tu l'esprit ? interrompit le châtelain.

– Par saint Luc ! reprit Bois-Guilbert, c'est écrit.

Et il continua sa lecture :

« ... et moi, Gurth, fils de Beowulf, porcher dudit Cedric, avec l'assistance de nos alliés et confédérés, qui font cause commune avec nous dans cette querelle, notamment du bon chevalier, surnommé quant à présent, *le Noir Fainéant*, et du vaillant archer Robert Locksley, surnommé *Tranchebaguette* ;

« A vous, Réginald Front-de-Bœuf, ainsi qu'à vos alliés et complices quelconques, savoir faisons que :

« Attendu que, sans donner de motif ni déclarer la guerre, vous avez, injustement et par violence, mis la main sur la personne de notre seigneur et maître ledit Cedric ; ainsi que sur celles de la noble et libre damoiselle Rowena d'Hargottstandstede, et du noble et libre homme Athelstane de Coningsburgh ; aussi sur les personnes de certains hommes libres, leurs gardes, et sur certains serfs, qui leur appartenaient de naissance ; de plus, sur un certain juif, appelé Isaac d'York, en même temps que sur une juive, sa fille, et sur certains chevaux et mules ; lesquelles nobles personnes, avec leurs gardes et leurs esclaves, et aussi les chevaux et mules, juifs et juive susdits, étaient tous en paix avec Sa Majesté et voyageaient en sujets fidèles sur le grand chemin du roi ;

« En conséquence, nous demandons et requérons

que lesdites nobles personnes, à savoir Cedric de Rotherwood, Rowena d'Hargottstanstede, Athelstane de Coningsburgh, avec leurs serfs, gardes et compagnons, aussi les chevaux et mules, juif et juive susdits, de même que les biens et bagages à eux appartenant, soient restitués, dans l'heure qui suivra la remise de ce message, à nous ou à ceux que nous délégueronos pour les recevoir, et cela saufs et intacts dans leurs corps et biens.

« Faute de quoi, nous déclarons que nous vous tiendrons pour larrons et traîtres, que nous engagerons nos corps contre vous en bataille, siège ou autrement, et que nous ferons à votre préjudice et ruine tout ce qui sera possible.

« Sur ce, que Dieu vous ait en sa garde !

« Signé par nous, la veille de la Saint-Withold, sous le grand chêne du Mont aux Cerfs, les présentes étant écrites par un saint homme, serviteur de Dieu, de Notre-Dame et de saint Dunstan dans la chapelle de Copmanhurst. »

Au bas de ce document figuraient en premier lieu une tête de coq et sa crête grossièrement esquissées, avec une légende indiquant que cet hiéroglyphe était le seing de Wamba, fils de Pauvre d'esprit. Au-dessous de cet emblème respectable était une croix désignée comme la marque de Gurth, fils de Beowulf. Puis venaient tracés, en caractères rudes mais hardis, ces mots : *le Noir Fainéant*. Et, pour couronner le tout, une flèche assez nettement dessinée servait de signature à l'archer Locksley.

Après la lecture de cette pièce extraordinaire, les chevaliers se regardèrent, muets de stupéfaction et fort embarrassés de savoir ce qu'on en pouvait augurer. Le silence fut rompu par Bracy, qui partit d'un fou rire, et le templier fit chorus avec plus de modération. Cet accès d'hilarité intempestive eut au contraire le don d'impatienter leur hôte.

— Je vous le dis tout franc, beaux sires, dit-il : il

vaudrait mieux réfléchir à ce qu'il convient de faire que de se livrer à une joie déplacée.

— Depuis sa chute au tournoi, dit Bracy au templier, Front de Bœuf n'a pas retrouvé son assiette ; la seule idée d'un cartel l'intimide, alors même qu'il vient d'un fou et d'un porcher.

— Par saint Michel ! répliqua Front de Bœuf, je voudrais bien t'y voir, Bracy, avec toute l'aventure sur les bras ! Est-ce que ces ribauds auraient agi avec une effronterie si inconcevable s'ils n'avaient des forces derrière eux ? Les bandits ne manquent pas dans la forêt, et la protection que j'étends sur le gibier les enrage. Une fois, on en a surpris un, la main sur la bête, en flagrant délit : je l'ai fait attacher aux bois d'un cerf sauvage, qui l'a écharpé en cinq minutes. Eh bien, pour cela l'on m'a criblé d'autant de flèches qu'on en a tiré à la cible d'Ashby. Holà ! l'ami, criat-il à un écuyer de service, as-tu fait reconnaître quelles forces doivent appuyer ce fameux cartel ?

— Il y a au moins deux cents hommes réunis dans le bois, répondit l'écuyer.

— Voilà une belle affaire ! reprit Front de Bœuf. Et cela pour vous avoir prêté mon château. Ne pouviez-vous vous arranger tranquillement sans m'attirer ce nid de guêpes autour des oreilles ?

— Cette bande de lâches vauriens, dit Bracy, qui grouillent dans le bois et massacrent le gibier au lieu de travailler à sa conservation ? Autant de bourdons qui ne piquent pas !

— Ah ! tu crois ? Leurs flèches pointues et longues d'une aune, qu'ils logent dans un but de la largeur d'un sequin, sont assez piquantes pourtant.

— Fi, Messire ! dit Bois-Guilbert. Appelons nos gens et faisons une sortie. Un chevalier... que dis-je ! un homme d'armes tiendrait tête à une vingtaine de ces vilains.

— Il suffirait, et au-delà, renchérit Bracy. Pour moi, je rougirais de les assaillir de ma lance.

— Très juste, repartit le châtelain, s'il s'agissait de

ces noirauds de Turcs ou de Maures, sire templier, ou de ces couards de paysans français, vaillant Bracy ; mais nous avons affaire à des archers anglais, et nous n'aurons sur eux d'autre avantage que celui de nos armes et de nos chevaux, ce qui nous sera d'un piètre secours à travers les halliers de la forêt. Tu parles d'une sortie ? A peine avons-nous assez de monde pour la défense du château. Mes meilleurs soldats sont à York, ainsi que tous les tiens, Bracy ; il m'en reste au plus une vingtaine, sans compter la poignée d'hommes engagés dans cette folle équipée.

— Crains-tu, fit observer Bois-Guilbert, de les voir se réunir en nombre suffisant pour forcer le château ?

— Oh ! nous n'en sommes pas là, Briand. Ces *outlaws* ont, il est vrai, un capitaine entreprenant ; mais ils manquent de machines, d'échelles d'assaut, de chefs expérimentés, et mon château n'a rien à craindre.

— Fais prévenir tes voisins, reprit le templier ; disleur d'assembler leurs vassaux et de venir à la rescousse de trois chevaliers, assiégés par un fou et un porcher dans la résidence seigneuriale de Front de Bœuf.

— Quelle plaisanterie ! Et qui faire prévenir ? A cette heure, Malvoisin est à York avec tous ses hommes ; il en est de même de mes autres alliés, et j'aurais fait comme eux sans votre diabolique entreprise.

— Alors, dit Bracy, envoyons un message à York et rappelons nos gens. Si ceux de là-bas ne se débandent pas à l'aspect de ma bannière ou à l'approche de ma compagnie franche, je les tiens pour les plus audacieux coquins qui aient joué de l'arc dans les bois.

— Et qui portera le message ? demanda Front de Bœuf. Ils en seront bientôt maîtres, car toutes les issues doivent être gardées. Après un moment de réflexion, il ajouta : J'y suis. Sire templier, tu écris sans doute aussi bien que tu sais lire ; or, si l'on peut retrouver l'écritoire de mon chapelain, qui est mort d'indigestion l'an passé, aux fêtes de Noël...

– Sauf votre respect, dit l'écuyer qui n'avait pas quitté le fond de la salle, je crois que la vieille Urfried l'a mis de côté pour l'amour de son confesseur, le dernier homme, à ce qu'elle disait, qui lui eût parlé avec les égards dus aux matrones comme aux filles.

– Va le chercher, Engelred, et puis, Bois-Guilbert, tu répondras à ce présomptueux défi.

– C'est une tâche où la pointe d'une épée m'irait mieux que celle d'une plume ; mais il en sera ce que vous voudrez.

Le templier s'assit devant une table et écrivit en français, sous la dictée du châtelain, la réponse dont voici la teneur :

« Le sire Réginald Front de Bœuf et les nobles chevaliers, ses alliés et confédérés, n'acceptent point de défis de la part d'esclaves, de serfs ou de proscrits. Si le personnage qui se qualifie de *chevalier Noir* a réellement droit aux honneurs de la chevalerie, il devrait savoir qu'il s'est dégradé par son association présente, et qu'il ne lui appartient pas de demander aucun compte à des hommes de bien et de noble lignage. En ce qui concerne les prisonniers que nous avons faits, nous vous requérons, par charité chrétienne, d'envoyer un homme d'Église pour recevoir leur confession et les réconcilier avec Dieu, notre ferme intention étant qu'ils soient exécutés dans la journée, et leurs têtes placées sur les créneaux montreront le cas que nous faisons de ceux qui sont venus à leur secours.

« Sur ce, nous vous requérons derechef d'envoyer un prêtre pour les réconcilier avec Dieu, en quoi faisant vous leur rendrez en cette vie le dernier service. »

Cette missive pliée, l'écuyer fut chargé de la remettre au porteur du cartel, qui attendait la réponse hors des murailles.

L'archer, ayant rempli sa mission, retourna au quartier général des *outlaws*, qui, pour le moment, était établi sous un chêne vénérable, environ à trois portées de flèche de Torquilstone. Là, Wamba et Gurth, et leurs alliés le chevalier Noir et Locksley, sans oublier le joyeux ermite, attendaient avec impatience une réponse à leur sommation. Autour d'eux, et à distance, on voyait un grand nombre d'archers, dont l'accoutrement rustique, l'air hardi et les figures tannées annonçaient le genre de métier ; plus de deux cents étaient déjà réunis, et à chaque instant il en arrivait d'autres. Sauf une plume attachée à leur bonnet, les chefs n'avaient, dans les habits, armes et équipement, rien qui les distinguât du reste de leurs subordonnés.

En outre, une troupe moins régulière et plus mal armée, composée de villageois saxons du voisinage ainsi que de la plupart des serfs et vassaux des vastes domaines de Cedric, s'était déjà formée pour aider à sa délivrance. Presque tous portaient des faux, des épieux, des fléaux et autres outils agricoles que la nécessité convertit parfois en instruments de guerre ; car les Normands ombrageux, selon la politique accoutumée des conquérants, ne permettaient pas aux vaincus d'avoir ou de porter des épées ni des lances. Cette circonstance rendait bien moins redoutable aux assiégés l'assistance des Saxons qu'auraient dû le faire la vigueur des hommes, la supériorité de leur nombre et l'ardeur que leur inspirait une cause légitime.

Ce fut au chef de cette armée bigarrée que la lettre du templier fut remise. On la passa d'abord à l'ermite pour qu'il en fît connaître la teneur.

– Par la houlette de saint Dunstan, qui ramena plus de brebis au bercail que jamais crosse d'évêque n'en fit entrer au paradis, s'écria le digne homme, je déclare qu'il m'est impossible de vous expliquer ce jargon ; français ou arabe, cela dépasse mes forces.

Il tendit la missive à Gurth, qui secoua la tête d'un air renfrogné, et la donna à Wamba. Le fou la parcourut des yeux du haut en bas, en parodiant l'homme entendu, avec les grimaces qu'eût fait un singe en pareille occurrence, s'en tira par une gambade et remit le message à Locksley.

– Si les grandes lettres étaient des arcs, dit l'honnête archer, et les petites des flèches, je pourrais y connaître quelque chose ; mais, tel qu'il est, le sens m'en est aussi caché que le cerf qui broute à plusieurs lieues d'ici.

– C'est donc moi qui vous servirai de clerc, dit le chevalier Noir.

Et, recevant la lettre des mains de Locksley, il en prit connaissance et la traduisit ensuite en saxon à ses confédérés.

– Exécuter le noble Cedric ! s'écria Wamba. Par la sainte croix ! vous avez lu de travers, sire chevalier.

– Non, mon brave ami, répondit celui-ci ; j'ai expliqué la lettre telle qu'elle est écrite.

– Alors, par saint Thomas de Cantorbéry ! dit Gurth, il nous faut prendre le château, dussions-nous le démolir de nos mains !

– Il est vrai, reprit Wamba, que pour le démolir nous n'avons pas autre chose ; mais les miennes ne sont guère bonnes qu'à gâcher du mortier.

– Bah ! C'est une ruse de guerre pour gagner du temps, dit Locksley. Ils n'oseraient commettre un forfait dont je saurais tirer une effroyable vengeance.

– A mon avis, dit le chevalier, l'un des nôtres devrait s'introduire dans le château et nous rendre compte de la situation des assiégés. Puisqu'ils requièrent l'envoi d'un confesseur, ce saint ermite aurait, il me semble, une belle occasion d'exercer son pieux ministère et de nous fournir du même coup des renseignements utiles.

– La peste soit de toi et de ton conseil ! riposta le bon ermite. Je te répète, sire chevalier Fainéant, qu'une fois le froc à bas, ma prêtrise, mon latin et ma sainteté s'en vont de compagnie, et que sous ma casaque verte je sais mieux tuer une vingtaine de daims que confesser un chrétien.

– J'ai peur, reprit le chevalier Noir, et grandement peur, qu'il n'y ait ici personne qui soit en état de se charger, cette fois du moins, du rôle de confesseur.

Tous se regardèrent, sans souffler mot. Au bout d'un moment :

– Allons, dit Wamba, c'est au fou d'être fou quand même, et de risquer sa tête dans une aventure qui fait reculer les sages. Il faut que vous sachiez, chers cousins et pays, qu'avant l'habit bariolé j'ai porté la robe de bure, et qu'on m'a élevé pour être moine ; mais une fièvre m'attaqua le cerveau et y laissa juste assez d'esprit pour être fou. Aussi j'espère qu'avec l'aide du bon ermite, et surtout du savoir et de la sainteté cousus à son capuchon, l'on me trouvera en état d'administrer des consolations terrestres et spirituelles à notre digne maître Cedric et à ses compagnons d'infortune.

– Aura-t-il assez de bon sens ? demanda le chevalier en s'adressant à Gurth.

– Je n'en sais rien, répondit l'autre ; mais s'il en manque, ce sera la première fois qu'il n'aura pas eu l'esprit de tirer parti de sa folie.

– Vite, endosse le froc, mon brave, dit le chevalier, et que ton maître nous instruise de la situation du château. Il doit y avoir peu de monde, et je gagerais cinq contre un qu'une attaque brusque et hardie en livrerait l'accès. L'heure presse... Pars !

– En attendant, dit Locksley, nous cernerons la place de si près qu'il n'en sortira pas même une mouche pour porter des nouvelles. Ainsi, mon bon ami, tu peux assurer ces tyrans que, s'ils usent de la moindre violence contre leurs prisonniers, nous la leur ferons payer cruellement.

– *Pax vobiscum !* répondit Wamba, qui achevait de s'affubler de son déguisement.

En disant ces mots, il imita la démarche grave et solennelle d'un religieux, et s'éloigna pour accomplir sa mission.

CHAPITRE XXVI

Le plus ardent coursier sera
souvent de glace, et le plus lourd
aura du feu ; souvent le moine
jouera le rôle du fou, et le fou
celui du moine.

Vieille chanson.

Affublé de la robe et du capuchon de l'ermite, et sa
corde nouée autour des reins, Wamba se présenta
devant la porte du manoir de Torquilstone. Le gardien lui demanda son nom et ce qu'il venait faire.

– *Pax vobiscum* ! répondit le fou. Je suis un pauvre
frère de l'ordre de Saint-François, qui vient ici remplir son ministère auprès des malheureux prisonniers
enfermés dans le château.

– Tu es un hardi compère, dit le gardien, pour oser
venir ici : excepté notre ivrogne de chapelain, un coq
de ton plumage n'y a pas chanté depuis vingt ans.

– Va toujours dire ce qui m'amène à ton maître ; il
me fera bon accueil, je t'en réponds, et le coq chante-
ra de manière à réveiller tout le château.

– Bien obligé ; mais si l'on me fait honte d'avoir
quitté mon poste pour t'avoir écouté, je m'assurerai
si le froc d'un moine gris est à l'épreuve d'une flèche
à barbes grises.

Sur cette menace, le gardien quitta la tourelle et
porta à la grand-salle l'étrange nouvelle qu'un moine
était dehors et demandait à être admis au château. Il

ne fut pas moins étonné en recevant du baron l'ordre
d'introduire sur-le-champ le saint homme ; et, ayant,
de peur de surprise, posté des gardes à sa place, il
s'empressa d'obéir, sans plus de scrupules.

La téméraire présomption qui avait enhardi
Wamba à remplir cette mission dangereuse suffit à
peine à le soutenir lorsqu'il se trouva en présence
d'un homme aussi redoutable et aussi redouté que
l'était Front de Bœuf. Il articula son *Pax vobiscum*,
sur lequel il comptait dans une large mesure pour
jouer son rôle, avec plus d'inquiétude et d'hésitation
qu'il ne l'avait fait jusque-là. Mais Front de Bœuf
était habitué à voir tout trembler devant lui, et la
timidité du prétendu moine ne pouvait lui donner de
soupçon.

– Qui es-tu, mon père ? demanda-t-il. Et qui t'envoie ?

– *Pax vobiscum* ! répéta le fou. Je suis un humble
serviteur de saint François. En traversant ces lieux
sauvages, je suis tombé sur une bande de larrons,
comme dit l'Écriture, *quidam viator incidit in latro-
nes* ; ils m'ont envoyé dans ce château pour y rendre
les devoirs spirituels à deux personnes condamnées
par votre honorable justice.

– Ah ! fort bien, dit Front de Bœuf. Pourrais-tu me
dire, mon père, quel est le nombre de ces bandits ?

– Vaillant seigneur, *nomen illis legio*, ils se nomment légion.

– Dis-moi sans détour combien ils sont, prêtre, ou,
malgré ta robe et ton cordon, tu t'en trouverais mal.

– Hélas ! *cor meum eructavit*, c'est-à-dire j'ai failli
crever de peur ; pourtant j'imagine qu'ils peuvent
être, tant paysans qu'archers, cinq cents au moins.

– Quoi ! dit Bois-Guilbert, qui rentrait en ce moment dans la salle, les guêpes par ici se forment-elles
en si gros essaims ? Il est temps d'étouffer cette
engeance malfaisante.

Tirant alors le châtelain à part :

– Connais-tu ce moine ? lui demanda-t-il.

– Non, il est d'un couvent éloigné, répondit Front de Bœuf ; je ne le connais pas.

– Alors ne lui confie pas ton message de vive voix. Charge-le de porter à la compagnie franche de Bracy un ordre par écrit de venir sans retard au secours de son capitaine. En attendant, et pour que ce frocard ne se doute de rien, qu'il aille en toute liberté préparer les pourceaux saxons à se tenir prêts pour l'abattoir.

– C'est ce que je vais faire, répondit Réginald.

Et, séance tenante, il ordonna à un domestique de conduire Wamba dans l'appartement qui servait de prison à Cedric et à Athelstane.

Cette réclusion, loin de modérer l'impatience de Cedric, n'avait fait que l'irriter. Il marchait à grands pas, d'un bout de la salle à l'autre, dans la pose d'un homme qui va charger l'ennemi ou escalader la brèche d'une place assiégée ; tantôt il s'indignait tout haut, tantôt il apostrophait son compagnon. Quant à celui-ci, il attendait avec une fermeté stoïque l'issue de cette aventure, fort occupé à digérer en paix le copieux repas qu'il avait fait à midi, et ne prenant guère souci de la prolongation de sa captivité, qui, selon lui, finirait comme tous les maux d'ici-bas, quand il plairait à Dieu.

– *Pax vobiscum !* dit Wamba en entrant dans la salle. Que la bénédiction de saint Dunstan, de saint Denis, de saint Duthoc et de tous les saints vous accompagne !

– Soyez le bienvenu, répondit Cedric. Dans quelle intention êtes-vous venu ici ?

– Afin de vous préparer à la mort.

– Impossible ! s'écria Cedric avec un sursaut. Tout déterminés, tout scélérats qu'ils sont, ils n'oseront pas se livrer à une atrocité si manifestement gratuite !

– Hélas ! les désarmer par des sentiments d'humanité, c'est vouloir arrêter un cheval emporté avec un fil de soie. Rappelez-vous donc, noble Cedric, et vous aussi, brave Athelstane, les péchés que vous avez

36

commis en cette vie, car aujourd'hui même vous serez appelés à en rendre compte devant un tribunal plus redoutable.

– L'entendez-vous, Athelstane ? dit Cedric. Élevons nos cœurs à cet acte qui sera le dernier. Mieux vaut mourir en hommes que vivre en esclaves.

– Je suis prêt, répondit Athelstane, à subir toutes leurs méchancetés, et je marcherai à la mort avec autant de calme que si j'allais me mettre à table.

– Eh ! bien, mon père, donnez-nous le saint viatique.

– N'allez pas si vite, notre oncle, dit Wamba de son ton de voix naturel ; il est bon d'y regarder à deux fois avant de sauter le pas.

– Sur ma parole, dit Cedric, je connais cette voix.

– C'est celle de votre fidèle esclave, de votre bouffon, dit Wamba en rabattant son capuchon. Si au préalable vous aviez suivi le conseil d'un fou, vous ne

seriez pas où vous êtes ; suivez-le une bonne fois, et vous n'y serez pas longtemps.

– Que veux-tu dire ?

– Le voici : prenez ce froc et cette corde, qui sont tout ce que j'ai reçu en fait d'ordres, et sortez tranquillement du château, après m'avoir laissé votre manteau et votre ceinturon pour que je fasse le grand saut à votre place.

– Te laisser à ma place ! dit Cedric, surpris d'une telle proposition. Mais ils te pendraient, mon pauvre fou.

– Cela les regarde, ils agiront à leur guise. Je crois, sans faire tort à votre naissance, que le fils de Pauvre d'esprit ne fera pas au bout d'une chaîne un effet moins imposant que la chaîne même au cou de l'alderman, mon bisaïeul.

– Soit ! je me rends à ta prière, à la condition que tu feras l'échange de vêtements, non avec moi, mais avec le noble Athelstane.

– Non, par saint Dunstan ! je n'y vois point de raison. Que le fils de Pauvre d'esprit expose sa vie pour sauver le fils d'Hereward, c'est de bonne justice ; mais qu'il meure en faveur d'un homme dont les ancêtres sont étrangers aux siens, il y aurait peu de sagesse.

– Vilain, les ancêtres d'Athelstane ont régné sur l'Angleterre !

– Ils en étaient les maîtres ; mais j'ai le cou trop droit sur les épaules pour qu'on me le torde en leur honneur. Par conséquent, mon bon maître, acceptez mon offre pour vous-même, ou permettez-moi de sortir du donjon aussi librement que j'y suis entré.

– Périsse le vieil arbre plutôt que le jeune espoir de la forêt ! Sauve le noble Athelstane, mon fidèle Wamba ! C'est le devoir de quiconque a du sang saxon dans les veines. Toi et moi, nous soutiendrons ensemble les transports de rage de nos détestables oppresseurs, pendant que lui, libre et en sûreté, il réveillera le courage de nos concitoyens et les excitera à nous venger.

– Non, mon père, dit Athelstane en prenant la main de Cedric, car lorsqu'il lui arrivait de penser ou d'agir en de graves occasions, ses actions et ses sentiments n'étaient pas indignes de son illustre origine ;

non, j'aimerais mieux rester ici une semaine, avec la ration de pain et d'eau des prisonniers pour toute nourriture, que de saisir la chance de salut que la naïve générosité de l'esclave a ménagée à son maître.

– On vous appelle des sages, seigneurs, dit Wamba, et moi un fou à cerveau détraqué. Or, oncle Cedric, et vous, cousin Athelstane, le fou prononcera en cette affaire et vous épargnera la peine de faire assaut de politesses. Je suis comme la jument de Jean Canard, qui ne veut se laisser monter que par Jean Canard. Je viens pour sauver mon maître ; s'il n'y consent pas, tant pis ! je n'ai plus qu'à reprendre le chemin de la porte. Un service ne se renvoie pas de l'un à l'autre comme une balle ou un volant. Je veux être pendu pour mon maître de naissance ; sinon, non.

– Allez donc, noble Cedric, reprit Athelstane ; ne négligez pas cette occasion. Hors d'ici, vous travaillerez à notre délivrance ; ici, vous nous perdez tous.

– Et y a-t-il au dehors espoir de secours ? dit Cedric en se tournant vers le fou.

– De l'espoir, dites-vous ? s'écria celui-ci. Apprenez qu'avec ma robe vous passerez un habit de général. Il y a cinq cents hommes dans le bois, et ce matin j'étais un de leurs principaux chefs ; mon bonnet à grelots était un casque et ma batte un bâton de commandement. Eh ! bien, en troquant le fou contre un sage, on verra qui gagnera au change ; franchement, j'ai bien peur qu'on ne perde en valeur ce qu'on acquerra en sagesse. Ainsi donc, adieu, maître ! Soyez bon pour le pauvre Gurth et pour son chien Fangs..., et faites suspendre ma marotte dans la grand-salle de Rotherwood, en mémoire de ce que j'ai cherché la mort pour sauver mon maître, comme un fidèle... fou.

Wamba prononça ce dernier mot avec une sorte d'expression indéfinissable, qui tenait le milieu entre le sérieux et le comique. Les larmes en vinrent aux yeux de Cedric.

– Oui, dit-il, ta mémoire sera conservée tant que

l'affection et la fidélité seront en honneur sur la terre ! Mais j'espère trouver les moyens de vous sauver tous, Rowena, Athelstane et toi aussi, mon pauvre Wamba, qu'il me serait impossible d'oublier.

Ils faisaient l'échange des vêtements lorsqu'un doute s'éleva dans l'esprit de Cedric.

– Je ne sais d'autre langue que la mienne, dit-il, et quelques mots de leur prétentieux français. Comment jouer le rôle d'un moine ?

– Deux mots : *Pax vobiscum*, seront votre talisman, répondit Wamba ; cela répond à tout. Aller ou venir, manger ou boire, bénir ou maudire, *pax vobiscum* vous tire partout d'affaire. C'est aussi utile à un moine qu'un manche à balai à une sorcière ou une baguette à un magicien. Ne dites rien que cela, d'un ton grave et recueilli : *Pax vobiscum !* L'effet en est irrésistible. Garde et sentinelle, seigneur et écuyer, gens à pied et à cheval, ils tombent tous sous le charme. S'ils me font pendre demain, comme on n'en peut guère douter, j'ai envie d'en essayer le prestige sur l'exécuteur de la sentence.

– S'il en est ainsi, dit Cedric, mes ordres seront bientôt pris. *Pax vobiscum !* c'est un mot de passe que je n'oublierai pas. Adieu, noble Athelstane ! Adieu, mon pauvre garçon, dont le cœur rachète la faiblesse d'esprit ! Je vous sauverai ou je reviendrai mourir avec vous. Le sang de nos rois saxons ne sera pas versé tant que le mien coulera dans mes veines, et pas un cheveu ne tombera de la tête de l'excellent serviteur qui s'est sacrifié pour son maître tant que Cedric aura la force de l'empêcher. Adieu !

– Adieu, noble Cedric, dit Athelstane, et n'oubliez pas qu'un véritable moine ne refuse jamais de se rafraîchir, si on le lui propose.

– Adieu, notre oncle, dit Wamba, et n'oubliez pas *Pax vobiscum !*

Ainsi endoctriné, Cedric s'élança résolument pour se mettre en route. Il n'alla pas loin sans avoir l'occasion d'éprouver la vertu de ce talisman, dont son fou lui avait recommandé la toute-puissance. Dans un passage sombre, bas et voûté, par lequel il cherchait à se diriger vers la grand-salle, il fut arrêté par une femme.

– *Pax vobiscum !* dit le faux moine.

Et il fit mine de passer devant lorsqu'une voix douce répondit :

– *Et vobis quaeso, domine reverendissime, pro misericordia vestra.*

– Je suis un peu sourd, répliqua Cedric en bon saxon. Maudit soit le fou, grommela-t-il entre ses dents, et son *Pax vobiscum !* J'ai brisé mon épée au premier choc.

Il n'était pas rare en ce temps-là qu'un prêtre fût sourd de son oreille latine, et la personne qui s'était adressée à Cedric le savait fort bien.

– Par ce que vous avez de plus cher, dit-elle dans la même langue, je vous en prie, révérend père, daignez venir auprès d'un prisonnier blessé, qui a besoin de vos consolations spirituelles ; ayez pitié de lui et de nous, comme l'enseigne votre saint ministère. Jamais bonne œuvre n'aura été plus intéressante pour votre couvent.

– Ma fille, répondit Cedric fort embarrassé, le temps que j'ai à passer dans ce château est trop limité pour que j'y exerce mes devoirs. Il faut que je sorte et que je fasse diligence... C'est une question de vie ou de mort.

– De grâce, mon père, reprit la suppliante, au nom des vœux que vous avez prononcés, n'abandonnez pas sans conseil ni secours la créature opprimée et en péril !

– Que le diable m'emporte et me jette en enfer avec les âmes d'Odin et de Thor ! s'écria Cedric, qui perdait patience.

Il allait probablement continuer sur ce ton, qui tranchait tout à fait avec le caractère dont il était revêtu, lorsque l'entretien fut interrompu par la voix aigre d'Urfried, la vieille recluse de la tourelle.

– Comment ! mignonne, cria-t-elle à l'inconnue, voilà comme tu me récompenses de la bonté que j'ai eue en te laissant sortir de prison ? Tu forces l'homme de Dieu à parler un langage inconvenant pour se délivrer des importunités d'une juive !

– Une juive ! répéta Cedric, voulant profiter du renseignement pour franchir ce mauvais pas. Laisse-moi passer, femme. Prends garde ! ne m'arrête pas. Je suis novice dans mon ministère et jaloux d'éviter une souillure.

– Venez par ici, mon père, dit la vieille ; ne connaissant pas le château, vous n'en pourriez sortir sans guide. Venez. D'ailleurs, j'ai à vous parler. Et toi, fille d'une nation maudite, remonte dans la chambre du malade et garde-le jusqu'à mon retour ; et malheur à toi s'il t'arrive encore de t'éloigner sans ma permission !

Rébecca se retira.

Cédant à ses instances, la vieille Urfried lui avait permis de quitter la tourelle et de donner ses soins au blessé, tâche qu'elle accepta avec reconnaissance. L'esprit sans cesse en éveil sur les dangers de sa situation, Rébecca, prompte à saisir toute chance de salut qui se présentait, avait fondé de l'espoir sur la présence du religieux, dont Urfried lui avait annoncé la venue dans cette demeure impie. Elle guetta le soi-disant prêtre au passage, avec le projet de l'aborder et de l'intéresser à la cause des prisonniers ; mais ce fut peine perdue, comme on vient de le voir.

CHAPITRE XXVII

Chère infortunée ! et que pourrais-tu me dire qui ne soit un tissu de douleur, de honte et de crime ? Tes méfaits sont prouvés, tu
sais quel est ton sort. Allons
pourtant, conte ton histoire. –
Mais j'ai des chagrins d'une autre
espèce, des peines et des souffrances plus cruelles. Rends le calme
à mon âme désespérée, en prêtant
à mes malheurs une oreille com-
plaisante, et si je ne puis me trouver un ami pour m'aider, que j'en
trouve un pour m'entendre.

CRABBE, *le Palais de justice.*

Urfried, tout en grondant et menaçant, avait décidé la juive à retourner dans la chambre qu'elle avait
quittée ; puis elle conduisit Cedric, malgré sa répugnance à la suivre, dans une petite pièce, dont elle
ferma la porte avec soin. Elle tira ensuite d'un buffet
un flacon de vin et deux gobelets, les plaça sur la
table, et dit d'un ton d'affirmation :
– Tu es Saxon, mon père. Et, voyant l'hésitation de
Cedric, elle ajouta : Ne le nie pas ; les accents de la
langue maternelle sont doux à mon oreille, quoique
je les entende rarement, sinon dans la bouche des
serfs misérables et abrutis, condamnés par l'orgueilleux Normand aux plus vils travaux de ce manoir.

Oui, tu es Saxon, mon père, Saxon et homme libre, sauf ce que tu dois au service de Dieu. Tes accents sont doux à mon oreille.

– Ne vient-il donc jamais ici de prêtres saxons ? répondit Cedric. Ce serait leur devoir, il me semble, de consoler dans leurs misères les enfants opprimés de la patrie.

– Il n'en vient pas, ou, s'il en vient, ils aiment mieux faire ripaille à la table de leurs vainqueurs que d'écouter les doléances de leurs compatriotes. Du moins, voilà ce qu'on en dit ; pour moi, j'en sais peu de chose. Ce château, depuis dix ans, n'a été ouvert à aucun prêtre, excepté au chapelain normand, un débauché que Front de Bœuf associait à ses orgies nocturnes. Il y a beau temps que ce pasteur d'âmes est allé rendre ses comptes. Mais toi, tu es Saxon et prêtre ; or, j'ai des aveux à te faire.

– Pour Saxon, je le suis, mais indigne assurément du nom de prêtre. Laissez-moi aller. Je vous promets de revenir ou d'envoyer à ma place un frère plus digne que moi d'entendre votre confession.

– Reste encore un moment. La voix qui te parle ne tardera pas à s'éteindre sous la froide terre, et je ne voudrais pas y descendre en bête brute, comme j'ai vécu. Le vin me donnera la force de te raconter mon épouvantable histoire.

Elle remplit son gobelet et but avec une effrayante avidité, comme si elle eût craint d'en perdre une goutte. Au dernier trait, elle ajouta en levant les yeux :

– Cela abrutit, mais le cœur ne s'égaie pas. Fais comme moi, mon père, si tu veux entendre mon histoire sans défaillir sur le pavé.

Cedric allait refuser de lui tenir tête dans ces libations funèbres ; mais elle fit un geste qui marquait tant d'impatience et de désespoir qu'il répondit à son appel en se versant une pleine rasade. Alors, Urfried, calmée par cette preuve de complaisance, commença son récit en ces termes :

– Je n'ai pas toujours été, mon père, l'être misérable que tu as aujourd'hui sous les yeux. Libre, heureuse, honorée, courtisée, adorée, j'ai été tout cela. Que suis-je à présent ? Une esclave, misérable et avilie. Jouet des passions du maître tant que j'ai eu de la beauté, objet de risée, de mépris et de haine depuis que je l'ai perdue ! Ne t'étonne pas, mon père, si j'abhorre le genre humain et, par-dessus tout, le peuple qui a bouleversé ma destinée. La vieille décrépite et ridée, qui exhale devant toi sa rage en malédictions impuissantes, peut-elle oublier qu'elle est la fille du noble thane de Torquilstone, dont un froncement de sourcils faisait trembler mille vassaux ?

– Toi, la fille de Torquil Wolfganger ! s'écria Cedric en reculant. Toi ! toi, la fille de ce noble Saxon, qui fut l'ami de mon père et son compagnon d'armes !

– L'ami de ton père ! répéta Urfried. C'est donc Cedric le Saxon qui est en face de moi ? Car le noble Hereward de Rotherwood n'a eu qu'un fils, dont le nom est bien connu de ses compatriotes. Mais si tu es Cedric de Rotherwood, pourquoi cet habit religieux ? As-tu désespéré de sauver ton pays pour avoir cherché dans l'ombre du cloître un asile contre l'oppression ?

– Peu importe qui je suis ! Continue, malheureuse femme, ton histoire horrible et criminelle. Oui, certes, criminelle !... Et n'est-ce pas déjà un crime d'avoir assez vécu pour la raconter ?

– Il y a... il y a un crime noir, affreux, infernal... un crime qui pèse lourdement sur ma conscience... un crime que tous les feux de l'autre monde ne peuvent expier ! Oui, avoir vécu dans ces murs, teints du sang noble et pur de mon père et de mes frères, comme la maîtresse de leur meurtrier, comme l'esclave et la complice à la fois de ses plaisirs, c'était faire de chaque souffle d'air que je respirais un crime et une malédiction.

– Misérable ! Eh ! quoi, tandis que les amis de ton père et tous les vrais Saxons faisaient dire des messes pour le repos de son âme et de celle de ses vaillants fils, sans oublier dans leurs prières le nom d'Ulrique assassinée, tandis qu'il avaient tous le deuil et le respect des victimes, toi, tu vivais pour mériter notre haine et notre exécration !... Tu vivais pour t'unir au vil bourreau qui avait massacré tes plus proches, tes plus chers parents, qui avait versé jusqu'au sang de l'enfance afin qu'il ne restât pas un rejeton de la noble maison de Torquil Wolfganger !... Tu vivais pour t'unir à lui par les liens d'un amour illégitime !

– Par des liens illégitimes, c'est vrai, mais non par ceux de l'amour. L'amour ! il fleurirait plutôt dans les bas-fonds de la damnation éternelle que sous ces voûtes sacrilèges. Non, non, je n'ai pas du moins à rougir de cette honte. La haine de Front de Bœuf et de ses pareils n'a cessé d'embraser mon cœur, même dans les plus coupables ivresses.

– Tu le haïssais, et pourtant tu vivais près de lui. Lâche créature ! N'avais-tu donc sous la main ni poignard, ni couteau, ni arme quelconque ? Puisqu'une telle vie ne t'était point à charge, bien t'en a pris qu'un château normand ait, comme la tombe, gardé ses secrets ! Car, si j'avais supposé que la fille de Torquil vécût dans ce commerce immonde avec l'assassin de son père, l'épée d'un vrai Saxon eût été la chercher jusque dans les bras de son amant.

– Aurais-tu rendu cette justice au nom de Torquil ? dis, l'aurais-tu fait ? répondit Ulrique (c'est ainsi que nous l'appellerons désormais). Alors tu es bien le Saxon dont on m'a parlé. Dans cette enceinte maudite, où, comme tu l'as dit, le crime s'enveloppe d'un impénétrable mystère, ici même a retenti le nom de Cedric, et moi, dans ma douleur et mon abaissement, j'ai tressailli de joie à la pensée qu'il restait encore un vengeur de notre malheureuse nation. Ah ! j'ai aussi savouré le plaisir de la vengeance ; j'ai attisé la discorde entre nos ennemis, et transformé leurs orgies en querelles meurtrières ; j'ai vu leur sang couler, j'ai entendu leur râle d'agonie... Regarde-moi, Cedric : ne demêles-tu pas encore sur ce visage difforme et flétri l'empreinte des traits de Torquil ?

– Pourquoi rappeler cela, Ulrique ? dit Cedric, d'un ton mêlé de tristesse et de dégoût. C'est le masque détaché d'un mort quand le démon revêt son apparence.

– Soit ; mais ce visage diabolique portait le masque d'un esprit de lumière alors qu'il réussit à allumer la guerre entre le vieux Front de Bœuf et son fils Réginald. Les ténèbres de l'enfer devraient cacher ce qui s'ensuivit ; mais la vengeance doit lever le voile et publier sans pudeur les choses qui arracheraient les morts mêmes à leur silence. Depuis longtemps couvait le feu de la discorde entre le père despote et le fils indomptable ; depuis longtemps je fomentais en secret cette haine scélérate... Elle fit explosion au milieu d'une orgie, et à sa propre table mon oppresseur tomba, frappé de la main de son enfant. Tels sont les mystères ensevelis sous ces voûtes. Écroulez-vous donc, maudites ! s'écria-t-elle en jetant les yeux autour d'elle ; et enterrez sous vos décombres tous ceux qui ont connaissance de l'épouvantable forfait !

– Et toi, criminelle et pitoyable créature, quel fut ton sort après le meurtre de ton ravisseur ?

– Devine-le, mais ne le demande pas. Je continuai de vivre ici jusqu'à ce que la vieillesse, une vieillesse précoce, eut imprimé ses hideux stigmates sur mon front. Méprisée, insultée par ceux-là qui se courbaient la veille devant moi... réduite à borner ma vengeance, qui se donnait jadis libre carrière, à des malices de valet rancunier ou à des imprécations de mégère impuissante... condamnée à entendre de ma tourelle solitaire le tumulte des festins où j'avais ma place, ou bien les cris et les gémissements des nouvelles victimes de l'oppression.

– Ulrique, toi dont le cœur regrette encore, je le crains, le prix de tes forfaits autant que l'existence où tu l'avais gagné, comment oses-tu t'adresser à un homme qui porte cette robe ? Songe, dans ta dégradation, à ce que pourrait faire pour toi saint Édouard lui-même, s'il était là en chair et en os. Le roi confesseur avait reçu du ciel le don de guérir les plaies du corps, mais il n'appartient qu'à Dieu de guérir celles de l'âme.

— Ne te détourne pas de moi, cruel prophète de colère ; mais dis-moi, si tu le peux, ce que me réservent ces nouveaux et terribles sentiments qui surgissent dans ma solitude... Dis-moi pourquoi des actes commis depuis des années étalent à mes yeux des horreurs inconnues et invincibles... Quelle destinée se prépare donc au-delà du tombeau pour celle à qui Dieu a déjà donné sur la terre un tel lot d'inexprimables misères ? Ah ! qu'on me ramène aux autels d'Odin, d'Hertha et de Zernebock, de Mirta et de Skogula, les dieux de nos ancêtres païens, plutôt que de subir l'avant-goût des terreurs qui ont en ces derniers temps assailli mes jours et mes nuits !

— Je ne suis pas prêtre, dit Cedric, en se détournant avec dégoût de cette misérable image du crime, du malheur et du désespoir ; je ne suis pas prêtre, bien que j'en porte l'habit.

— Prêtre ou non, reprit Ulrique, tu es le seul homme craignant Dieu et respectant ses semblables que j'aie vu depuis vingt ans... Et que me conseilles-tu ? Le désespoir.

— Non, je te conseille le repentir. Applique-toi à la prière et à la pénitence, et peut-être obtiendras-tu miséricorde. Mais je ne puis ni ne veux rester davantage avec toi.

— Un moment encore ! Ne me quitte pas ainsi, fils de l'ami de mon père, de peur que l'esprit du mal qui a empoisonné ma vie ne me souffle la tentation de me venger de tes mépris et de ta dureté. Si Front de Bœuf trouvait chez lui Cedric le Saxon sous ce déguisement, crois-tu qu'il te ferait grâce d'une heure ? Il a déjà les yeux braqués sur toi comme ceux d'un autour sur sa proie.

— Advienne que pourra ! Me taillât-il en pièces du

bec et des serres, il n'arrachera pas à ma langue un seul mot que n'avouât mon cœur ! Je mourrai en Saxon franc et loyal. Arrière ! Ne me touche pas, ne m'arrête pas... Je te le défends ! La vue de Front de Bœuf m'est moins odieuse que la tienne, avilie et dégénérée comme tu l'es.

– A ton aise, dit Ulrique, en n'essayant plus de le retenir. Va-t'en... et oublie, dans l'insolence de tes vertus, que la criminelle à qui tu parles est la fille de l'ami de ton père. Va-t'en ! Si mes malheurs m'ont séparée du genre humain, de ceux mêmes dont j'avais droit d'espérer du secours, j'accomplirai seule mon œuvre de vengeance. Nul ne m'aidera, mais le bruit de ce que j'oserai faire retentira à toutes les oreilles. Adieu ! L'idée que mes souffrances excite-raient la pitié de mes compatriotes était le dernier lien qui me rattachait à eux... Ton mépris l'a rompu.

– Ulrique, dit Cedric, qui se sentit ému, n'as-tu donc supporté le fardeau de la vie au milieu de tant de souillures et d'affronts que pour t'abandonner au dé-sespoir, à l'heure où tes yeux viennent de s'ouvrir sur tes fautes et où ton unique souci devrait être le repentir ?

– Tu connais mal le cœur humain, Cedric. Pour agir comme j'ai agi, pour penser comme j'ai pensé, il faut à un amour du plaisir poussé jusqu'à la frénésie joindre une âpre soif de vengeance et un orgueilleux désir d'ambition ; breuvages trop enivrants pour que l'âme puisse à la fois les endurer et en modérer les effets ! Leur violence s'est depuis longtemps émoussée. La vieillesse n'a plus de distractions, les rides n'ont plus d'influence, la vengeance même s'éteint en d'impuissantes malédictions. Vient alors le remords aux dards empoisonnés... On regrette les jours enfuis, on désespère du lendemain. Puis, quand tous les feux sont amortis, on se démène comme les démons de l'enfer, sous l'aiguillon du remords, sans se repentir jamais. Cependant, tes paroles ont éveillé en moi une âme nouvelle : oui, tu dis vrai, tout est possible à qui sait mépriser la mort ! Tu m'as montré des moyens de représailles ; sois sûr que je les emploierai. Jusqu'ici la vengeance n'a déchiré ce sein qu'avec d'autres passions rivales ; qu'elle y règne désormais sans partage, et tu seras forcé d'avouer que, quelle qu'ait été la vie d'Ulrique, sa mort fut digne de la fille du noble Torquil. Des hommes s'assemblent en grand nombre pour assiéger cette infâme demeure... Cours te mettre à leur tête... conduis l'attaque... Lorsque tu verras flotter une bannière rouge sur la tourelle orientale du donjon, redouble d'efforts... Les Normands auront assez à faire dans l'intérieur, et, malgré leurs arbalètes et leurs mangonneaux, vous pourrez escalader les murailles. Pars, je t'en supplie !... Suis ta destinée, et abandonne-moi à la mienne.

Cedric aurait voulu être mieux renseigné sur le projet qu'elle laissait à peine entrevoir ; mais la voix rude du châtelain se fit entendre au-dehors.

– Où s'attarde ce lambin de prêtre ? Par les coquilles de Saint-Jacques ! j'en ferai un martyr, s'il s'arrête à couver la trahison parmi mes gens !

– Quel prophète de vérité, dit Ulrique, est une mauvaise conscience ! Mais ne t'en inquiète pas. Va rejoindre les tiens ; poussez le hourra des Saxons, et qu'ils entonnent le chant de guerre de Rollon, s'ils veulent, la vengeance y ajoutera un refrain.

A ces mots, elle disparut par une porte secrète, et Réginald Front de Bœuf entra dans la chambre. Ce ne fut pas sans se faire violence que Cedric salua l'orgueilleux baron, qui lui rendit son salut par une légère inclination de tête.

– La confession de tes pénitents, mon père, a été longue, dit celui-ci. Tant mieux pour eux, car ils n'en feront plus d'autre. Les as-tu préparés à la mort ?

– Je les ai trouvés préparés à tout, répondit Cedric en aussi bon français qu'il le put, depuis qu'ils savaient au pouvoir de qui ils étaient tombés.

– Ah ! çà, sire moine, ton accent pue le saxon, il me semble ?

– J'ai été élevé au couvent de Saint-Withold de Burton.

– Hum ! si tu étais Normand, cela vaudrait mieux pour toi, et aussi pour moi. Enfin, nécessité n'a pas le choix. Ce couvent de Saint-Withold est un nid de hiboux, qu'il faudra jeter bas. Le jour n'est pas loin où le froc ne protégera pas plus le Saxon que la cotte de mailles.

– La volonté de Dieu soit faite ! dit Cedric, d'une voix frémissante de colère, ce que Front de Bœuf attribua à la crainte.

– Tu t'imagines déjà voir nos hommes d'armes dans ton réfectoire et dans tes celliers. Allons, prête-moi ton ministère, et, quoi qu'il arrive aux autres, tu pourras dormir dans ta cellule aussi sûrement qu'un limaçon dans sa coquille.

– J'attends vos ordres, dit Cedric avec une émotion contenue.

– Suivons ce passage : je te ferai sortir par la poterne.

Tout en montrant le chemin au prétendu moine, Front de Bœuf lui apprit quel service il attendait de lui.

– Tu vois là-bas, sire moine, dit-il, ce troupeau de porcs saxons, qui ont eu l'audace de cerner mon château de Torquilstone. Dis-leur que la place est faible, ou n'importe quoi de ton invention, de manière à les retenir sous les murs pendant vingt-quatre heures. Puis charge-toi de ce message... Mais doucement, sais-tu lire ?

– Pas du tout, répondit Cedric, excepté mon bréviaire, et encore, si je m'y reconnais, c'est que j'en sais par cœur les offices, grâce à Notre-Dame et à saint Withold.

– Voilà le messager qu'il me fallait. Porte cette lettre au manoir de Philippe de Malvoisin, et dis-lui qu'elle vient de ma part, que c'est le templier Bois-Guilbert qui l'a écrite, et que je le prie de la faire parvenir à York en toute hâte, par un courrier à cheval. Dis-lui en même temps qu'il ne s'inquiète pas et qu'il nous retrouvera solides et bien portants derrière nos créneaux ; mais que ce serait une honte d'en être réduits là par un tas de vagabonds, accoutumés à fuir rien qu'à l'aspect de nos étendards et au bruit de nos chevaux. Je te le répète, moine : invente quelque tour de ta façon pour retenir ces coquins à leur place jusqu'à l'arrivée de nos amis. Ma vengeance veille, et comme le faucon, elle n'aura de repos qu'après s'être rassasiée.

– Par mon saint patron, dit Cedric avec plus de chaleur qu'il ne convenait à son caractère, et par tous les saints qui ont passé de vie à trépas en Angleterre, vous serez obéi. Pas un Saxon ne s'éloignera de ces murailles, si j'ai assez d'adresse et d'influence pour les retenir.

– Oh ! oh ! tu changes de ton, sire moine, et tu parles bref et net comme si tu avais le cœur réjoui du massacre des porcs saxons. Pourtant, n'es-tu pas de la famille ?

Cedric n'était point passé maître dans l'art de dissimuler, et en ce moment il aurait eu besoin que l'esprit fertile de Wamba vînt le tirer d'embarras. Mais, selon le vieux proverbe, nécessité est mère d'industrie : il marmotta sous son capuchon quelques phrases relatives aux *outlaws*, mis au ban du roi et de l'Église.

– Par Dieu ! s'écria Front de Bœuf, c'est la vérité vraie : j'oubliais que ces larrons ne font pas plus grâce à un gros abbé saxon que s'il était né au midi, de l'autre côté de la mer. N'est-ce pas celui de Saint-Yves qu'ils ont lié à un arbre, en le forçant à chanter la messe pendant qu'ils vidaient ses coffres ? Au fait, le tour a été joué par Gauthier de Middleton, un de nos compagnons d'armes. Mais, au couvent de Sainte-Bée, où l'on vola calices, chandeliers et ciboire, c'étaient des Saxons qui firent le coup, n'est-ce pas ?

– Des impies !

– Oui, et ils avalèrent toute la provision de vin et de bière, tenue en réserve pour faire ripaille aux heures où vous prétendez n'être occupés que de vigiles et de matines. Moine, un tel sacrilège crie vengeance, entends-tu ?

– Aussi, murmura Cedric, j'en ai fait vœu, saint Withold m'en est témoin !

Pendant ce temps-là, ils se dirigeaient vers la poterne. Après avoir traversé le fossé sur une simple planche, ils atteignirent une petite barbacane, poste avancé qui communiquait avec la campagne par une poterne bien fortifiée.

– Pars donc, dit le châtelain. Si tu m'obéis en tous points et si tu reviens ensuite par ici, tu y trouveras de la chair de Saxon à meilleur compte que celle de porc sur le marché de Sheffield. Encore un mot. Tu me parais un joyeux prêtre ; eh bien, viens me voir après l'affaire, et l'on te servira du malvoisie de quoi noyer tout un couvent.

– Nous nous reverrons, comptez-y.

— En attendant, tends la main, poursuivit le baron, et en congédiant Cedric au seuil de la poterne, il lui remit, malgré lui, un besant d'or. Souviens-toi, ajouta-t-il, que si tu ne réussis pas, je t'arracherai ton froc et la peau avec !

— Libre à toi de faire l'un et l'autre, répondit Cedric en s'éloignant à grands pas de la poterne, si, à notre prochaine rencontre, je ne mérite pas mieux de ta part ! Se retournant alors vers Front de Bœuf, il jeta la pièce d'or de son côté, en s'écriant :

— Astucieux Normand, que ton argent périsse avec toi !

Le baron n'entendit qu'imparfaitement les paroles, mais l'action lui parut suspecte.

— Archers, cria-t-il aux soldats postés sur le rempart, lancez-moi une flèche dans le froc de ce moine !... Non, arrêtez, ajouta-t-il en les voyant bander leurs arcs, cela ne sert à rien ; il faut nous fier à lui en désespoir de cause. Je crois qu'il n'osera pas me trahir. Au pis aller, ne puis-je traiter avec ces chiens saxons que je tiens sous clef dans le chenil ? Holà !

Gilles, qu'on m'amène Cedric de Rotherwood et l'autre rustre, son compagnon, celui qui se dit de Coningsburgh ou quelque chose d'approchant. Ils ont des noms qui empâtent la bouche d'un chevalier normand et laissent après eux un arrière-goût de lard. Qu'on aille chercher du vin, afin de le balayer, comme dit cet espiègle de prince Jean ; qu'on le porte dans la salle d'armes, et qu'on y amène les prisonniers.

Ses ordres furent exécutés. En entrant dans cette vaste salle, où était suspendu maint trophée conquis par sa valeur et par celle de son père, Front de Bœuf trouva des flacons de vin sur une table massive de chêne, et les deux captifs saxons sous la garde de quatre soldats. Après avoir bu à longs traits, il adressa la parole à ces derniers.

– Eh ! bien, vaillants preux de l'Angleterre, dit-il, que pensez-vous de votre séjour à Torquilstone ? Savez-vous enfin ce que méritent votre outrecuidance et votre présomptueuse conduite au banquet d'un prince de la maison d'Anjou ? Avez-vous oublié comment vous avez reconnu l'hospitalité royale, dont vous n'étiez pas dignes ? De par Dieu et saint Denis ! si votre rançon n'est pas magnifique, je vous ferai pendre par les pieds aux barreaux de ces fenêtres jusqu'à ce que les milans et les corbeaux vous aient réduits à l'état de squelettes. Prononcez-vous, chiens de Saxons : à quel prix taxez-vous vos méprisables têtes ? Celui de Rotherwood, qu'offre-t-il ?

– Pas un liard, répondit le pauvre Wamba. Quant à me pendre par les pieds, comme on prétend que mon cerveau est à l'envers depuis le jour où l'on m'a coiffé d'un béguin, peut-être en me tournant sens dessus dessous reviendra-t-il à sa place.

– Sainte Geneviève ! s'écria Front de Bœuf. Qu'avons-nous là ?

D'un revers de main, il fit tomber le bonnet de la tête du bouffon, et, ouvrant vivement son manteau, il aperçut autour de son cou le collier d'argent, marque fatale de servitude.

– Gilles ! Clément ! chiens de valets ! dit le Normand furieux. Qui m'avez-vous amené ici ?

– Je puis te l'apprendre, dit Bracy, qui entrait au même instant. C'est le fou de Cedric, qui s'escrima si bravement avec Isaac d'York, à propos d'une question de préséance.

– Je les mettrai d'accord là-dessus, en les accrochant au même gibet, à moins que son maître et le verrat de Coningsburgh ne rachètent leur vie au poids de l'or. Mais l'or, c'est le moins qu'ils puissent donner : ils doivent, en outre, dissiper ces essaims de guêpes qui entourent le château, renoncer à leurs prétendues immunités, et vivre comme des serfs sous mon vasselage. Trop heureux encore, si, dans l'ère nouvelle qui va s'ouvrir, ils gardent le souffle de leurs narines ! Allez, dit-il à deux hommes d'armes, ramenez-moi le véritable Cedric ; pour cette fois, je vous pardonne votre erreur, d'autant plus excusable que vous n'avez fait que confondre un fou avec un franklin saxon.

– Hum ! dit Wamba, Votre Chevalerie trouvera ici plus de fous que de franklins.

– Que veut dire ce drôle ? demanda Front de Bœuf aux gardes.

Alors ceux-ci, hésitants et troublés, répondirent d'une voix tremblante que, si Cedric n'était pas l'un des deux prisonniers, ils ne savaient pas ce qu'il était devenu.

– Saints du paradis ! s'écria Bracy. Il doit s'être échappé sous la robe du moine.

– De par tous les diables ! dit Front de Bœuf. C'était donc le verrat de Rotherwood que j'ai reconduit jusqu'à la poterne et mis dehors de mes propres mains ? Quant à toi, dit-il à Wamba, dont la folie a su donner le change à la raison d'imbéciles qui l'étaient trois fois plus que toi, tu auras les ordres sacrés... et je me charge de la tonsure. Or çà, qu'on lui arrache le cuir du crâne, et qu'on le précipite du haut des créneaux, la tête la première !.. Ton métier est de rire ; eh ! bien, ris donc à présent.

Wamba se mit à pleurer ; mais il ne put renoncer à ses habitudes de bouffonnerie, même devant la perspective d'une mort prochaine.

– Vous tenez au-delà de votre parole, noble chevalier, dit-il ; en me donnant la coiffe rouge, d'un simple moine vous ferez un cardinal.

– Pauvre diable ! dit Bracy, il tient à mourir comme il a vécu. Laissez-le aller, Front de Bœuf, ou plutôt faites-m'en cadeau : il divertira ma compagnie. Qu'en dis-tu, l'ami ? Veux-tu ta grâce à ce prix et partir en guerre avec moi ?

– Oui, si le maître y consent, dit Wamba ; car, voyez-vous, ajouta-t-il en touchant son collier, je ne dois ôter ceci qu'avec sa permission.

– Une bonne scie normande en viendra bientôt à bout, dit Bracy.

– C'est vrai, noble sire, reprit Wamba, et de là le proverbe :

> *Scie normande sur chêne anglais,*
> *Sur tête anglaise joug normand,*
> *Cuiller normand au plat anglais,*
> *Anglais conduits au gré normand :*
> *Tant qu'un des quatre maux sera,*
> *Plus de liesse l'Anglais n'aura.*

– Je t'admire, Bracy, dit le baron, de rester là à bayer aux turlupinades d'un fou quand notre ruine se prépare ! Ne vois-tu pas que nous sommes pris au piège ? Le projet de nous concerter avec nos amis du dehors vient d'échouer grâce à ce beau sire chamarré, que tu es si empressé d'accueillir. Qu'avons-nous de plus à attendre qu'une attaque prochaine ?

– Au rempart donc ! dit Bracy. M'as-tu jamais vu soucieux à la pensée d'une bataille ? Appelle le templier, et qu'il mette à se défendre la moitié des efforts qu'il a mis au service de son ordre ; toi, viens leur montrer ta taille de géant, et laisse-moi jouer mon petit rôle. Alors je te réponds qu'il serait aussi aisé à ces vauriens d'escalader les nuages que les murs de Torquilstone. D'autre part, s'il te plaît d'entrer en accommodement, pourquoi ne pas recourir à la médiation de ce digne franklin qui semble n'avoir plus d'yeux que pour ces flacons ? Eh ! Saxon, poursuivit-il en tendant à Athelstane une coupe pleine, rince-toi le gosier avec cette généreuse liqueur, et secoue-toi un peu afin de nous dire ce que tu offres pour être libre.

– Ce que peut donner un homme riche qui doit rester homme de cœur, dit Athelstane. Pour ma liberté et celle de mes compagnons, je payerai mille marcs d'argent.

– Nous assures-tu, en outre, la retraite des vilains qui s'attroupent autour du château, malgré la trêve de Dieu et du roi ? demanda Front de Bœuf.

– Je ferai mon possible pour les éloigner, dit Athelstane, et le noble Cedric, je n'en doute pas, m'assistera de son mieux.

– Voilà qui est convenu, reprit le châtelain : toi et les tiens, vous serez remis en liberté, et la paix sera rétablie de part et d'autre, moyennant le payement de mille marcs d'argent. Cette rançon est légère, Saxon, et tu dois être reconnaissant de la modération qui me la fait accepter en échange de vos personnes. Mais prends-y garde : elle ne s'étend pas au juif Isaac.

– Ni à la fille du juif, dit Bois-Guilbert, qui venait d'entrer.

– Ni l'un ni l'autre, fit remarquer le baron, ne sont de la compagnie du Saxon.

– Je serais indigne du nom de chrétien s'ils en étaient, dit Athelstane ; traitez ces infidèles comme il vous plaira.

– Il faut aussi exclure de la rançon lady Rowena, dit Bracy. Il ne sera pas dit qu'une si belle prise m'échappera sans coup férir.

– Enfin, ajouta Front de Bœuf, le traité ne concerne

pas ce maudit bouffon ; je le garde pour qu'il serve d'exemple à tout coquin qui voudrait plaisanter avec les choses sérieuses.

– Lady Rowena est ma fiancée, répondit Athelstane du ton le plus ferme. Vous me feriez écarteler par des chevaux sauvages avant que je consente à me séparer d'elle. L'esclave Wamba a sauvé aujourd'hui la vie de mon père Cedric, et je sacrifierais plutôt la mienne que de voir tomber un cheveu de sa tête.

– Ta fiancée, dis-tu ? s'écria Bracy. Lady Rowena, fiancée à un vassal de ton espèce ! Tu rêves qu'on a rétabli l'heptarchie, Saxon. Les princes de la maison d'Anjou, sache-le bien, ne donnent pas leurs pupilles à des gens d'un lignage tel que le tien.

– Mon lignage, vaniteux Normand, vient d'une source plus pure et plus ancienne que celui d'un mendiant français, qui gagne sa vie au prix du sang des maraudeurs réunis sous sa méprisable bannière. J'ai des rois pour ancêtres : braves à la guerre, sages au conseil, ils traitaient chaque jour dans leur palais plus de centaines de convives que tu ne saurais compter d'aventuriers derrière toi ; leurs noms ont été célébrés par les bardes, et leurs lois approuvées par les assemblées de la nation ; leurs restes mortels ont été inhumés au milieu des prières des saints, et sur leurs tombeaux on a édifié des cathédrales.

– Tu en tiens, Bracy, dit Front de Bœuf, enchanté de la vive riposte que son compagnon venait de s'attirer ; le Saxon a touché juste.

– Aussi juste que peut le faire un captif, dit Bracy avec une apparente insouciance ; car celui dont les mains sont liées doit avoir la langue libre. Mais ta superbe réplique, camarade, ajouta-t-il en s'adressant au thane, ne rachètera pas la liberté de Rowena.

À ceci Athelstane, qui avait parlé plus longtemps que d'habitude, ne répondit rien. La conversation fut interrompue par l'arrivée d'un valet, qui annonça qu'un moine attendait à la poterne la permission d'entrer.

– Au nom de saint Benoît, prince de tous ces gueux
à besace, s'écria le châtelain, est-ce un vrai frocard
cette fois ou un autre fourbe ? Examinez-le bien, drô-
les ! Si vous vous laissez encore empaumer, je vous
fais arracher les yeux pour y mettre des charbons
ardents à la place.

– Que votre colère m'écrase, Seigneur, répondit
Gilles, si celui-ci n'est pas un tondu de bon aloi !
Votre écuyer Josselin le connaît : il certifiera que c'est
le frère Ambroise, moine de la suite du prieur de Jorvaulx.

– Faites-le entrer, dit Front de Bœuf. Probablement
il nous apporte des nouvelles de son jovial maître. Il
faut que Satan tienne son sabbat et que les prêtres
soient en vacances pour qu'ils courent ainsi les
champs sans rime ni raison ! Emmenez les prisonniers. Quant à toi, Saxon, songe à ce qu'on t'a dit.

– Je réclame une prison honorable, dit Athelstane,
avec la table et la couche qui conviennent à un hom-

me de mon rang, et qui, de plus, est en train de négocier sa rançon. En outre, je somme celui de vous qui se croit le plus brave de me rendre raison corps pour corps de cet attentat à ma liberté. Mon défi t'a déjà été porté par l'écuyer tranchant ; tu n'en as tenu compte, et tu es obligé d'y répondre. Voici mon gant.

– Je ne réponds pas au cartel de mon prisonnier, dit Front de Bœuf, et toi, Bracy, tu n'en feras rien. Gilles, suspends le gant au crochet de ces andouillers ; il y restera jusqu'à ce que le franklin soit libre. Alors s'il a l'insolence de le réclamer ou de prétendre que sa détention a été illégale, par le baudrier de saint Christophe ! il aura affaire à un homme qui n'a jamais refusé de se mesurer avec un ennemi, à pied ou à cheval, seul ou à la tête de ses vassaux.

On emmena les prisonniers saxons, et juste au même instant on introduisit le frère Ambroise, qui paraissait en proie à une vive agitation.

– Celui-là est un *Pax vobiscum* de bon aloi, dit Wamba en passant près de lui ; les autres n'étaient que de la fausse monnaie.

– Sainte Mère de Dieu ! dit le moine en s'adressant aux chevaliers réunis, enfin je suis en sûreté et sous l'égide de bons chrétiens.

– En sûreté, tu l'es, dit Bracy ; quand aux chrétiens, voici le puissant baron Réginald Front de Bœuf, qui a les juifs en abomination, et le brave chevalier du Temple Briand de Bois-Guilbert, dont le métier est d'occire des Sarrasins. Si ces preuves-là ne dénotent pas de bons chrétiens, j'ignore s'ils en ont d'autres.

– Vous êtes amis et alliés de notre révérend père en Dieu Aymer, prieur de Jorvaulx, reprit le moine, sans prendre garde au ton persifleur de Bracy. C'est un devoir de chevalerie et de charité à la fois de lui prêter secours ; car, ainsi que l'a dit le bienheureux saint Augustin, dans son traité *de Civitate Dei*...

– Que dit le diable, interrompit le baron, ou plutôt

que dis-tu, toi, sire prêtre ? Nous n'avons pas de temps à perdre aux citations des Pères de l'Église.

– *Santa Maria !* s'exclama le frère Ambroise. Comme ces mondains s'enflamment vite ! Apprenez donc, braves chevaliers, que des hommes de sang et de meurtre, bannissant toute crainte de Dieu et tout respect pour son Église, et n'ayant nul égard à la bulle du saint-siège *Si quis, suadente diabolo...*

– Mon frère, dit le templier, nous savons tout cela ou nous le devinons. Parle clairement : le prieur, ton maître, est-il prisonnier ?

– Sans doute, dit le moine ; il est entre les mains des fils de Bélial qui infestent ces bois, au mépris du texte sacré : « Ne touchez pas à mes oints et ne faites pas de mal à mes prophètes. »

– Encore un appel à nos épées, Messires, dit Front de Bœuf à ses compagnons. Ainsi, au lieu de nous amener du secours, le prieur de Jorvaulx réclame le nôtre ? Ces fainéants d'hommes d'Église ! Comptez donc sur leur aide au fort du danger ! Explique-toi, prêtre, et apprends-nous tout de suite ce que ton maître attend de nous.

– Ne vous en déplaise, dit Ambroise, des mains violentes se sont abattues sur mon révérend supérieur, contrairement au texte sacré que je viens de citer ; et les fils de Bélial, après avoir pillé ses bagages et enlevé deux cents marcs d'or fin, exigent de lui une somme considérable, avant de le laisser sortir de leurs serres sacrilèges. C'est pourquoi le révérend père en Dieu vous prie, comme ses meilleurs amis, de le délivrer, soit en payant la rançon qu'ils demandent, soit par la force des armes, suivant votre sagesse.

– Le diable écrase le prieur ! s'écria le châtelain. Il s'est oublié à boire ce matin. Où ton maître a-t-il ouï dire qu'un baron normand ait ouvert son escarcelle pour venir en aide à un homme d'Église, dont les coffres sont dix fois mieux garnis que les nôtres ? Et comment pourrions-nous recourir aux armes pour le délivrer, nous qui sommes claquemurés ici par des forces dix fois supérieures aux nôtres, et exposés à une attaque imminente ?

– C'est ce que j'allais vous dire, répliqua le moine, si vous m'en eussiez donné le temps. Mais, Dieu m'assiste ! j'ai des cheveux blancs, et ces odieuses bagarres troublent le cerveau d'un vieillard. Pourtant, c'est la pure vérité, ils établissent un camp et s'apprêtent à battre les murailles du manoir.

– Aux remparts ! dit Bracy. Mais voyons d'abord ce que machinent ces ribauds.

En parlant ainsi, il ouvrit une fenêtre, qui donnait sur une bretèche ou balcon en saillie, et cria de là aux chevaliers qui étaient restés dans la salle :

– Eh ! par saint Denis ! le vieux ne s'est pas trompé. Ils font avancer des mantelets et des pavois, et sur la lisière du bois les archers fourmillent comme un nuage noir précède la grêle.

Front de Bœuf alla jeter un coup d'œil au-dehors ; puis, saisissant son cor, il en tira un son éclatant et prolongé, et ordonna à ses gens de se rendre à leur poste sur les murailles.

– Bracy, ajouta-t-il, veille à l'orient, où le rempart est le plus bas ; toi, Bois-Guilbert, qui par métier connais l'attaque et la défense, charge-toi de l'occident ; quant à moi, je vais me placer à la barbacane. Cependant, nobles amis, ne bornez pas vos efforts à un seul point : il faut aujourd'hui être partout, nous multiplier, si c'est possible, de manière que notre présence apporte confiance et secours partout où l'attaque sera la plus chaude. Nous sommes en petit nombre, mais le courage et l'activité peuvent suppléer à ce défaut, puisque nous n'avons affaire qu'à de la canaille.

– Mais, illustres chevaliers, s'écria le frère Ambroise, au milieu du tumulte et de la confusion excités par les préparatifs de combat, ne plaira-t-il à aucun de vous de répondre au message du révérend père en Dieu Aymer, prieur de Jorvaulx ? Par grâce, noble sire Réginald, écoutez-moi.

– Marmotte tes requêtes au ciel, répondit le farouche baron, car nous n'avons pas sur terre le temps de les écouter. Holà, Anselme ! Veille à ce qu'on apprête l'huile et la poix bouillantes, pour en arroser la tête de ces audacieux rebelles, et à ce que les carreaux d'arbalète ne manquent pas. Tu feras arborer ma bannière à tête de taureau. Cette racaille saura tout à l'heure à qui parler.

– Mais, noble seigneur, poursuivit le moine, qui s'obstinait à attirer son attention, ayez égard à mon vœu d'obéissance, et permettez-moi de m'acquitter de la mission de mon supérieur.

– Qu'on me délivre de cet infernal radoteur ! dit Front de Bœuf. Enfermez-le dans la chapelle, où il récitera ses patenôtres jusqu'à la fin de l'échauffourée. Ce sera du nouveau pour les saints de Torquilstone que d'entendre des *ave* et des *pater* ; ils n'auront pas été à pareille fête, je gage, depuis qu'on les a dégrossis dans la pierre.

– Ne blasphème pas les saints, Réginald, fit observer Bracy. Leur aide nous sera nécessaire aujourd'hui, avant que nous ayons mis cette vermine en déroute.

– Leur aide ? Je n'y compte guère, à moins qu'ils ne nous servent à écraser les vilains en les leur jetant à la tête. Il y a surtout un saint Christophe là-bas, un vrai colosse, qui en éventrerait une rangée entière.

Sur ces entrefaites, Bois-Guilbert avait examiné à son tour les travaux des assaillants, avec un peu plus d'attention que le brutal châtelain ou l'étourdi capitaine.

– Par le saint ordre du Temple ! dit-il, ces gens poussent les approches avec plus d'expérience militaire qu'on ne devait s'y attendre de leur part. Voyez comme ils tirent habilement parti des arbres et des buissons pour se mettre à couvert, et comme ils évitent de servir de cible à nos arbalètes ! Je n'aperçois parmi eux ni bannière ni gonfanon, et pourtant je gagerais ma chaîne d'or qu'ils ont, pour les conduire, quelque noble ou chevalier, familier dans l'art de la guerre.

– Tu as raison, dit Bracy, je vois flotter le panache d'un chevalier et briller son casque. Tenez, là-bas, cet homme de haute taille, à l'armure noire, en train de ranger une troupe d'archers... Par saint Denis ! c'est le même, j'en suis sûr, que nous appelions *le Noir Fainéant*, et qui t'a désarçonné, Front de Bœuf, dans le tournoi d'Ashby.

– Tant mieux ! dit celui-ci. Il vient m'offrir ma revanche. C'est sans doute un personnage suspect, puisqu'il n'a point osé rester pour faire valoir ses droits au prix du tournoi, dont le hasard l'avait gratifié. Je l'aurais en vain cherché là où les nobles rencontrent leurs ennemis, et je suis enchanté qu'il se montre de lui-même au milieu de cette vile engeance.

Les démonstrations de l'ennemi, qui devenaient de plus en plus significatives, mirent fin à la conversation. Chacun des chevaliers se rendit à son poste, et à la tête du petit nombre d'hommes qu'ils avaient pu réunir, nombre insuffisant pour défendre toute l'étendue des murailles, ils attendirent, avec une froide résolution, l'assaut dont ils étaient menacés.

CHAPITRE XXVIII

Cette race errante, séparée des
autres races, se vante d'avoir ap-
profondi les sciences humaines ;
les mers, les forêts, les déserts
qu'ils parcourent, lui révèlent
leurs secrets trésors ; les herbes,
les fleurs, les plantes dédaignées
développent, cueillies par elle,
des vertus dont on n'avait pas
idée.

Le Juif de Malte.

Nous devons à présent revenir un peu en arrière,
afin d'instruire le lecteur de certains événements qu'il
a besoin de connaître, pour comprendre la suite de ce
récit. Sa propre intelligence lui a sans doute fait aisément soupçonner la vérité : lorsque Ivanhoé, sans
connaissance, paraissait abandonné du monde entier,
Rébecca obtint de son père, à force de sollicitations,
que le jeune et brave chevalier fût transporté de la
lice dans la maison qu'ils habitaient alors au fau-
bourg d'Ashby.

En toute autre circonstance, il n'eût pas été difficile
d'amener Isaac à prendre ce parti, car il était d'un
naturel humain et reconnaissant ; mais il avait aussi
les préjugés et les timides scrupules de sa nation per-
sécutée, et en triompher n'était point une petite
affaire.

– Bienheureux Abraham ! s'écria-t-il. C'est un brave jeune homme, et mon cœur saigne de voir son sang couler sur un hoqueton si richement brodé et sur un corselet d'un si grand prix ; mais le faire porter dans notre maison, y as-tu bien réfléchi, ma fille ? C'est un chrétien, et d'après notre loi, toutes relations avec l'étranger et le gentil nous sont interdites, excepté pour le bien du commerce.

– Ne parlez pas ainsi, cher père, répondit Rébecca. Il nous est, il est vrai, défendu de frayer avec eux dans un banquet ou une fête ; mais, s'il est malheureux et blessé, le gentil devient le frère du juif.

– Je voudrais bien savoir quelle est à ce sujet l'opinion du rabbin Jacob ben Tudela ; cependant, on ne peut pas laisser perdre tout son sang à ce brave jeune homme. Que Seth et Ruben le portent à Ashby.

– Qu'ils le mettent plutôt dans ma litière ; je monterai l'un des palefrois.

– Ce serait t'exposer aux regards des cyniques enfants d'Ismaël et d'Ésaü, dit Isaac à voix basse, et en jetant un regard méfiant sur la foule des chevaliers et d'écuyers.

Déjà Rébecca s'occupait d'exécuter son charitable dessein, sans s'inquiéter des objections de son père, lorsque celui-ci, la tirant par la manche de sa robe, ajouta d'une voix étranglée :

– Par la barbe d'Aaron ! si ce jeune homme vient à mourir... s'il nous passe entre les bras, sur qui retombera le prix du sang ? Sur nous, que la populace mettra en pièces.

– Il ne mourra pas, mon père, répartit Rébecca en se dégageant doucement de l'étreinte d'Isaac ; il ne mourra pas, à moins d'être abandonné, et alors nous aurions vraiment à répondre de son sang devant Dieu et devant les hommes.

– D'accord, dit Isaac en laissant aller sa fille. Les gouttes de son sang me font autant de mal à voir que si autant de besants coulaient de ma bourse. Je sais bien que les leçons de Miriam, fille du rabbin Manassès de Byzance, dont l'âme est en paradis, t'ont rendue habile dans l'art de guérir ; tu connais la vertu des plantes et la puissance des élixirs, je le sais aussi. Suis donc l'inspiration de ton cœur. Tu es la meilleure des filles, une bénédiction, une couronne de gloire et un cantique d'allégresse pour moi et pour ma maison, ainsi que pour le peuple de mes pères.

Les craintes d'Isaac n'étaient pourtant pas mal fondées : l'élan généreux de sa fille l'exposa, sur la route d'Ashby, aux regards impudiques de Briand de Bois-Guilbert. Deux fois le templier passa et repassa devant la charmante juive, en arrêtant sur elle des yeux hardis et pleins de flamme, et nous avons vu quelles furent les conséquences de l'admiration que ses charmes excitèrent chez cet épicurien sans principes, lorsqu'un hasard la fit tomber en sa puissance.

Rébecca ne perdit pas un moment à faire transporter le malade dans son logis provisoire, puis elle examina ses blessures et les banda de ses propres mains. Ceux de mes lecteurs qui ont lu des romans de chevalerie et des chansons de geste doivent se souvenir que dans ces temps d'ignorance, comme on les nomme, beaucoup de femmes étaient initiées aux arcanes de la chirurgie ; aussi arrivait-il souvent que le preux chevalier confiait la guérison de ses blessures à celle dont les yeux en avaient fait à son cœur une plus profonde.

Quant aux Juifs, ceux de l'un et l'autre sexe possédaient et exerçaient la médecine dans toutes ses branches. Étaient-ils blessés ou malades, monarques et grands seigneurs se remettaient entre les mains de quelque habile praticien de cette race méprisée. On en recherchait avec empressement les secours, et pourtant c'était chez les chrétiens une croyance généralement répandue que les rabbins connaissaient à fond les sciences occultes, entre autres la cabale, qui devait son nom et son origine aux études des philosophes d'Israël. De leur côté, les rabbins ne se défendaient pas d'avoir recours aux pratiques surnaturelles : un tel commerce, au lieu de rien ajouter (ce qui eût été difficile) à l'exécration dont leur peuple était chargé, en diminuait au contraire la violence et le mépris qui s'y mêlait. Qu'il fût usurier ou magicien, un même sentiment d'horreur s'attachait au juif, mais non un même degré de mépris. D'ailleurs il est probable, si l'on tient compte des cures merveilleuses qu'on leur attribue, que les juifs possédaient dans l'art de guérir des secrets qui leur étaient particuliers, et fidèles à l'esprit exclusif qu'avait développé en eux leur condition, ils avaient grand soin d'en dérober la connaissance aux chrétiens parmi lesquels ils se trouvaient.

L'instruction de Rébecca avait été des plus soignées : tout le savoir de ses coreligionnaires, son intelligence, vive et forte, se l'était approprié, en le combinant et y ajoutant d'une façon bien au-dessus de son âge, de son sexe et même du siècle où elle vivait. Les notions qu'elle avait acquises en médecine lui venaient d'une vieille juive, nommée Miriam, fille d'un docteur des plus fameux, et qui l'aimait comme sa propre enfant ; aussi disait-on qu'elle lui avait révélé tous les secrets qu'elle-même avait reçus de son savant père en de semblables circonstances. Miriam tomba victime du fanatisme de ses contemporains ; mais ses secrets lui survécurent dans son adroite élève.

Ainsi pourvue des dons de l'intelligence et de la beauté, Rébecca était devenue un objet de respect et d'admiration pour les siens, qui la regardaient presque comme une de ces femmes d'élite dont l'histoire sacrée fait mention. Son père lui-même, associant à une tendresse sans bornes une déférence instinctive pour son mérite, lui accordait plus de liberté que les usages nationaux n'en permettaient d'ordinaire aux personnes de son sexe, et, comme nous venons de le voir, il se rangeait souvent à son opinion, de préférence à la sienne propre.

Lorque Ivanhoé arriva dans l'appartement d'Isaac,

il était encore sans connaissance, par suite de la grande quantité de sang qu'il avait perdu dans les dernières rencontres du tournoi. Rébecca examina la blessure, et, après y avoir appliqué les remèdes prescrits en pareil cas, dit à son père que, s'il ne survenait pas de fièvre, ce que l'effusion abondante du sang rendait probable, et si le baume de Miriam n'avait rien perdu de sa vertu curative, la vie du blessé ne courait aucun risque et qu'on pourrait sans danger l'emmener à York le lendemain. À cette déclaration, Isaac parut un peu déconcerté. Sa charité se serait volontiers dispensée d'aller au delà d'Ashby ; tout au plus, aurait-il laissé le soin de veiller sur le blessé au propriétaire de la maison où il logeait, en l'indemnisant des frais occasionnés par la maladie. Mais Rébecca s'y opposa pour plusieurs raisons, dont les deux suivantes, qu'il nous suffira de rapporter, trouvèrent prise sur Isaac. Elle représenta d'abord qu'à aucun prix elle ne remettrait entre les mains d'un médecin, fût-il de sa propre tribu, la fiole du précieux baume, de peur qu'on n'en découvrît l'inestimable secret ; ensuite, que le malade, étant le favori de Richard Cœur de Lion, pourrait intercéder utilement auprès du roi, s'il revenait, en faveur d'Isaac, qui avait mis ses trésors au service des projets ambitieux du prince Jean.

— Tu parles comme un oracle, Rébecca, dit son père, qui sentait la force de ces arguments. Oui, ce serait offenser le ciel que de s'exposer à trahir les secrets de la bienheureuse Miriam ; car on ne doit pas gaspiller les faveurs qu'il nous dispense, que ce soient des talents d'or ou des sicles d'argent, ou bien les mystérieuses recettes d'un sage médecin ; oui certes, il faut en conserver l'usage à ceux qui les ont reçues de la Providence. Quant à celui que les Nazaréens d'Angleterre appellent Cœur de Lion, assurément il vaudrait mieux pour moi tomber dans les griffes d'un puissant lion d'Idumée qu'entre ses mains, s'il vient à connaître la cause de mes relations avec son frère.

Ainsi donc je me rendrai à tes conseils : nous emmènerons ce jeune homme à York, où notre maison sera la sienne jusqu'à ce qu'il soit complètement guéri. Que d'aventure le Cœur de Lion revienne en ce pays, comme le bruit en court à l'étranger, alors Wilfrid d'Ivanhoé servira de rempart à ton père, si le courroux du roi éclatait sur sa tête. Qu'il ne revienne pas, au contraire, Wilfrid ne faillira pas à nous rembourser nos frais, dès qu'il pourra gagner des trésors à la force de son bras, comme il l'a fait hier et aujourd'hui. Car c'est un brave jeune homme, qui tient sa parole, qui rend ce qu'il doit, et qui arrache l'Israélite (le fils de mon père en est témoin) aux étreintes des larrons de haut parage et des fils de Bélial.

Ce ne fut qu'à la tombée du jour qu'Ivanhoé recouvra l'usage de ses sens. Sortant d'un sommeil agité, il était en proie aux impressions confuses qui accompagnent d'ordinaire la fin d'un long évanouissement. Pendant quelques instants, il lui fut impossible de se remettre en mémoire les circonstances qui avaient précédé sa chute dans l'arène, ni de renouer la chaîne des événements auxquels il avait pris part la veille. À un sentiment de souffrance et de malaise, à un état de faiblesse extrême et d'épuisement, se mêlait le souvenir de coups frappés et reçus, de chevaux qui s'entrechoquaient furieusement, les uns dessus les autres dessous, de clameurs et de fracas d'armes, enfin de tout l'étourdissant tumulte d'une lutte désordonnée. Faisant effort pour écarter le rideau de son lit, il parvint à l'entrouvrir, malgré la douleur que lui causait sa blessure.

À sa grande surprise, il se trouva dans une chambre luxueusement décorée ; mais, en y voyant des divans en place de sièges et d'autres particularités qui rappelaient la vie orientale, il se prit à douter si, durant son sommeil, on ne l'avait pas de nouveau transporté en Palestine. Cette illusion fut loin de s'effacer lorsqu'au seuil d'une porte masquée par une tapisserie, il vit se glisser une jeune femme, dont la riche parure accusait un goût étranger à l'Europe, et qui était suivie d'un serviteur au teint basané.

Au moment où le chevalier blessé allait adresser la parole à cette charmante apparition, elle l'invita au silence, en posant un doigt effilé sur ses lèvres de rose. Le serviteur, s'étant approché, mit à découvert le côté d'Ivanhoé, et l'aimable juive s'assura par elle-même que le bandage n'avait pas bougé et que la plaie avait bonne apparence. La grâce, la modestie et la noble simplicité qu'elle sut mettre dans cette tâche

en auraient écarté, même en des temps moins barbares, tout ce qui pouvait répugner à la délicatesse féminine. L'idée d'une jeune beauté occupée à veiller au lit d'un malade ou à panser un blessé de l'autre sexe disparaissait pour faire place à celle d'un être bienfaisant, qui apportait une aide efficace à soulager la douleur et à détourner le coup de la mort. Rébecca donna en hébreu quelques courtes instructions au vieux domestique, et celui-ci, habitué à lui servir d'auxiliaire en pareil cas, les suivit sans mot dire.

Les accents d'une langue inconnue auraient pu sembler rudes dans toute autre bouche ; mais, sortant de celle de la séduisante Rébecca, ils produisaient cet effet romanesque et délicieux que l'imagination attribue aux enchantements d'une bonne fée : incompréhensibles à l'oreille, la douceur de leur expression, rehaussée par un air de bienveillance, les rendait touchants et pénétrait jusqu'au cœur. Sans essayer de renouveler ses questions, Ivanhoé laissa faire en silence ce qu'on jugeait convenable à sa guérison ; quant tout fut fini, et que son aimable docteur allait se retirer, il donna un libre cours à sa curiosité.

– Charmante fille, commença-t-il, et pour se faire mieux comprendre de la personne en turban et en cafetan qu'il avait sous les yeux, il crut devoir se servir de la langue arabe, que ses pérégrinations en Orient lui avaient rendue familière, de grâce, charmante fille, soyez assez courtoise...

La belle juive l'interrompit, et un sourire, qu'elle eut peine à retenir, éclaira un moment son visage, dont l'expression ordinaire était celle d'une mélancolie rêveuse.

– Je suis Anglaise, sire chevalier, dit-elle, et je parle anglais, bien que mon costume et ma famille appartiennent à un autre pays.

– Noble demoiselle..., reprit Ivanhoé.

– L'épithète de noble est de trop, se hâta d'interrompre encore Rébecca. Il est bon que vous sachiez tout de suite que votre servante est une pauvre juive, fille de cet Isaac d'York, envers qui vous vous êtes montré dernièrement si bon et si secourable. Il est tout simple que lui et ceux de sa famille vous rendent les services que votre situation présente réclame impérieusement.

Il n'est pas certain que la belle Rowena eût au fond été flattée de l'espèce d'émotion avec laquelle son dévoué chevalier avait jusque-là contemplé les traits admirables, les formes bien prises et les yeux brillants de l'attrayante Rébecca ; ces yeux surtout, dont l'éclat était voilé, amorti pour ainsi dire par un rideau de cils longs et soyeux, un troubadour les eût comparés à l'étoile du soir dardant ses feux à travers un berceau de jasmin. Mais Ivanhoé était trop bon chrétien pour conserver des sentiments de cette nature à l'égard d'une juive. Rébecca l'avait prévu, et c'était à dessein qu'elle s'était empressée de lui apprendre le nom et l'origine de son père. Pourtant la belle et sage fille d'Isaac n'était pas à l'abri des faiblesses de son sexe ; un sentiment d'amertume lui monta au cœur à la vue du changement qui s'opéra chez le blessé : aux regards d'admiration contenue, mélangés d'un soupçon de tendresse, qu'Ivanhoé jetait tout à l'heure encore sur sa bienfaitrice inconnue, il fit succéder un air froid, composé, recueilli, n'exprimant guère plus qu'un mouvement de gratitude polie pour des services qu'il n'attendait pas et qui venaient d'une classe inférieure. Ce n'est pas qu'il eut dans sa première attitude dépassé ce tribut d'hommages respectueux que la jeunesse rend toujours à la beauté ; mais quoi de plus mortifiant pour la pauvre Rébecca, qui n'était pas sans connaître ses droits à de telles attentions, de s'en voir exclue, par la vertu magique d'un seul mot, comme un être avili qu'on ne saurait traiter avec honneur !

Elle avait trop de noblesse et d'équité dans l'esprit pour faire un crime à Ivanhoé de partager les préjugés de son siècle et de sa religion. Loin de là ; convaincue que le blessé voyait désormais en elle une de ces réprouvées avec lesquelles on ne pouvait entretenir, sans honte, que des rapports sommaires, elle ne continua pas moins à consacrer à sa guérison le plus patient dévouement.

Rébecca l'instruisit de la nécessité où ils étaient de se rendre à York et de la résolution que son père avait prise de l'y faire transporter, en lui donnant asile dans sa propre maison. Ce projet inspira beaucoup de répugnance au malade, et il la motiva sur ses regrets de causer tant d'embarras à ses bienfaiteurs.

– N'y avait-il pas, dit-il, à Ashby même ou dans les environs quelque franklin saxon ou bien quelque riche paysan qui se chargerait de loger chez lui un compatriote blessé, jusqu'à ce qu'il fût en état d'endosser son armure ? N'y avait-il pas un couvent d'institution saxonne, où il recevrait bon accueil ? Ne pourrait-on le faire porter à Burton, où il était sûr de trouver l'hospitalité chez son parent Waltheof, abbé de Saint-Withold ?

– Sans aucun doute, la plus humble de ces retraites, répondit Rébecca avec un sourire mélancolique, serait pour vous une résidence plus convenable que le toit d'un juif méprisé. Cependant, sire chevalier, à moins de congédier votre médecin, vous ne pouvez changer de logement. Si notre nation reste à l'écart des combats, elle connaît, vous le savez bien, l'art d'en guérir les blessures ; et notre famille, par exemple, est en possession de remèdes qui lui ont été transmis depuis Salomon, et dont vous avez déjà ressenti les effets salutaires. Entre les quatre mers de l'Angleterre, il n'y a aucun docteur nazaréen... pardonnez-moi, aucun docteur chrétien, veux-je dire, qui vous rende avant un mois la force de supporter votre armure.

– Et toi, combien exiges-tu de temps pour cela ? demanda Ivanhoé avec vivacité.

– Huit jours, en vous montrant patient et docile à mes prescriptions.

– Sainte Vierge ! si l'invoquer ici n'est pas un péché, nous sommes dans un temps où tout bon chevalier doit rester le moins possible alité. Tiens ta promesse, jeune fille, et tu auras pour salaire plein mon casque de pièces d'or, sitôt que je le pourrai.

– Je la tiendrai, et dans huit jours vous reprendrez vos armes, à la condition de vous acquitter autrement qu'avec de l'argent.

– Si cela est en mon pouvoir et tel qu'un bon chrétien puisse l'accorder à une personne de ta race, je le ferai avec joie et reconnaissance.

– Eh ! bien, c'est de croire à l'avenir qu'un juif peut rendre service à un chrétien, sans désirer d'autre récompense que la bénédiction du Père éternel, qui a créé à la fois le juif et le gentil.

– En douter serait un péché, jeune fille. Laissons donc cela ; je m'en repose sur votre savoir, persuadé que dans huit jours ma guérison sera complète. Ah ! maintenant, mon obligeant docteur, laissez-moi vous demander des nouvelles du dehors. Qu'est-il advenu du noble Cedric et de ses gens ? Et l'aimable dame... Il s'arrêta, comme s'il eût éprouvé de la répugnance à prononcer en cet endroit le nom de Rowena. Je veux dire celle qui a été nommée reine du tournoi...

– Et que vous avez choisie, sire chevalier, pour remplir cette dignité, avec un goût qui n'a pas moins été admiré que votre courage.

Malgré le sang qu'il avait perdu, une légère rougeur monta aux joues d'Ivanhoé, car il avait laissé par mégarde percer sa vive affection pour Rowena par l'essai maladroit qu'il avait fait de la dissimuler.

– C'était moins d'elle que je voulais parler, ajouta-t-il, que du prince Jean. Et mon fidèle écuyer ? J'en voudrais bien savoir quelque chose. Pourquoi n'est-il pas près de moi ?

– Permettez-moi, en qualité de médecin, d'user de mon autorité en vous enjoignant de garder le silence et d'éviter les tourments d'esprit, tandis que je vous apprendrai ce que vous désirez connaître. Le prince Jean a brusquement interrompu les fêtes du tournoi ;

il s'est dirigé en toute hâte vers York, avec les nobles chevaliers et gens d'église de son parti, après avoir réuni autant d'argent qu'il a pu en tirer, de gré ou de force, de ceux qu'on tient pour les riches du pays. Son projet, dit-on, est d'usurper la couronne de son frère.

– Non sans coup férir, s'écria Ivanhoé en se soulevant sur son lit, ne restât-il qu'un loyal sujet en Angleterre ! Je défendrai le droit de Richard contre le plus fort de ses ennemis, un ou deux ; sa cause est légitime.

– Avant d'être capable d'un tel effort, dit-elle en lui posant la main sur l'épaule, il faut suivre mes conseils et demeurer en repos.

– Vous avez raison, jeune fille ; je serai aussi tranquille que ce temps l'est peu. Et Cedric et ses amis ?

– Tout à l'heure son intendant est accouru hors d'haleine pour demander à mon père une certaine somme d'argent, prix de la tonte des laines des troupeaux de Rotherwood. C'est de lui que j'ai appris que Cedric et Athelstane de Coningsburgh venaient de quitter le banquet du prince dans une grande irritation et qu'ils se disposaient à regagner leurs pénates.

– Une dame les avait-elle accompagnés au banquet ?

– Lady Rowena, dit Rébecca en répondant nettement à cette question indirecte, lady Rowena ne figurait point à la table du prince ; d'après ce que nous a dit l'intendant, elle doit être en ce moment sur le chemin de Rotherwood en compagnie de son tuteur. Quant à Gurth, votre fidèle écuyer...

– Eh ! quoi, vous savez son nom ? Mais, j'y pense, vous devez le connaître ; car c'est de votre main, et, j'en suis convaincu à présent, de votre âme généreuse, qu'il a reçu cent sequins pas plus tard qu'hier.

– Ne parlons pas de cela, dit Rébecca, qui rougit subitement. La langue, je le vois, trahit aisément ce que le cœur aimerait à cacher.

– Mais cet or, reprit Ivanhoé d'un ton grave, l'honneur exige que je le restitue à votre père.

– Dans huit jours vous ferez ce qu'il vous plaira ; ajournez jusque-là, en pensée ou en parole, tout ce qui retarderait votre guérison.

– Que votre volonté soit faite, obligeante fille ! Discuter vos ordres serait le comble de l'ingratitude. Un mot encore sur le pauvre Gurth, et je ne pousserai pas plus loin mes questions.

– J'ai regret à vous l'apprendre, sire chevalier, Gurth a été arrêté par ordre de Cedric. Et, s'apercevant de l'impression douloureuse que cette nouvelle causait à Wilfrid, elle se hâta d'ajouter : Du reste, l'intendant Oswald m'a dit que si rien autre n'excitait contre lui le courroux de son maître, il obtiendrait sûrement sa grâce, car c'était un serviteur fidèle, en grande faveur à Rotherwood, et qui n'était tombé en faute que par dévouement au fils de Cedric. Il dit, en outre, que lui et ses camarades, le bouffon Wamba entre autres, avaient résolu d'aider le prisonnier à s'échapper en route, si l'on ne pouvait apaiser Cedric.

– Dieu les assiste dans leur projet ! Ne dirait-on pas que j'étais destiné à porter malheur à quiconque s'intéresse à moi ? Mon roi m'a comblé de distinctions et d'honneurs, et son frère, qui lui doit tant, prend les armes pour lui ravir la couronne. Mes attentions n'ont valu qu'entraves et soucis à la plus vertueuse des femmes. Mon père enfin, dans un accès d'emportement, peut causer la mort de ce pauvre esclave, qui n'est coupable que d'affection et de loyauté envers moi. Voilà, jeune fille, l'être infortuné que vous vous obstinez à secourir ! Écoutez la voix de la raison, et laissez-moi partir avant que les calamités qui s'acharnent à mes pas comme autant de limiers ne vous saisissent dans leur étreinte.

– Sire chevalier, vos chagrins et votre état de faiblesse égarent votre jugement sur les desseins de la Providence. Vous avez été rendu à votre patrie, alors qu'elle avait le plus besoin d'un bras fort et d'une âme loyale ; vous avez rabaissé l'orgueil de vos enne-

mis et de ceux du roi, alors qu'il était au comble de l'exaltation. Quant à la blessure dont vous souffrez, ne voyez-vous pas que le ciel a suscité, pour la soigner et la guérir, une de ses créatures les plus infimes ? Ayez donc courage, et croyez au contraire que vous êtes prédestiné à accomplir quelque grande chose aux yeux de ce peuple. Adieu. Quand vous aurez pris la potion que je vais vous envoyer par Ruben, tâchez de goûter les douceurs du repos, afin d'être en état de voyager demain.

Convaincu de la sagesse de ces raisonnements, Ivanhoé n'éleva plus d'objection. Le breuvage que Ruben apporta possédait une vertu calmante, qui lui procura un sommeil profond et paisible.

Le lendemain matin, Rébecca, n'ayant constaté chez lui aucun symptôme de fièvre, déclara qu'il pouvait supporter les fatigues du voyage.

On le plaça dans la litière qui l'avait amené du tournoi, en lui ménageant toutes les commodités possibles. Sur un seul point les instances de Rébecca ne purent obtenir qu'on tînt un compte suffisant du bien-être du blessé. Isaac, à l'instar du riche voyageur des satires de Juvénal, était sans cesse obsédé par la crainte des voleurs ; il savait, en effet, que maraudeur normand ou proscrit saxon le regarderait comme une bonne proie. Il allait grand train dans ses voyages, ne faisant que de courtes haltes et des repas plus courts encore. Aussi n'eut-il pas de peine à dépasser Cedric et Athelstane, malgré l'avance de plusieurs heures qu'ils avaient sur lui et dont ils avaient perdu le bénéfice en s'attardant à la table de l'abbé de Saint-Withold. Telle était l'excellence du baume de Miriam ou la vigueur de la constitution d'Ivanhoé qu'il ne souffrit de cette marche forcée aucun des inconvénients qu'avait appréhendés Rébecca.

À un autre point de vue cependant, la précipitation du juif lui devint plus funeste qu'une diligence ordinaire. La célérité qu'il exigeait dans la marche donna lieu à plusieurs contestations entre lui et la troupe de mercenaires qu'il avait louée pour servir d'escorte. En leur qualité de Saxons, ces gens avaient leur large part du penchant national à aimer ses aises et les bons morceaux, ce que les Normands flétrissaient des noms de paresse et de gloutonnerie. À l'opposé de Shylock, ils s'étaient flattés, en passant marché avec Isaac, de se goberger aux dépens du riche Israélite, et la rapidité du voyage leur causa un désappointement qui se changea bientôt en sourde irritation. Ils se plaignirent de ruiner leurs chevaux à ces marches accélérées ; puis ils soulevèrent une querelle furieuse, à propos de la ration de vin et de bière qui devait leur être allouée à chaque repas. Voilà comment il arriva qu'à l'approche du danger, et au moment où ce qu'Isaac redoutait si fort allait fondre sur lui, il fut abandonné par ces mercenaires irrités dont il avait escompté la protection, sans recourir aux moyens nécessaires de s'assurer leur attachement.

Ce fut dans cette situation lamentable que le juif, sa fille et le blessé furent rencontrés par Cedric, comme on l'a déjà vu, et bientôt après tombèrent au pouvoir de Bracy et de ses complices. La litière attira d'abord peu d'attention, et peut-être l'aurait-on laissée sur le terrain si un mouvement de curiosité n'eût porté Bracy à y jeter un coup d'œil. Il s'attendait à trouver là l'objet de ses ambitieuses visées, Rowena, qu'il n'avait pas reconnue sous son voile, lorsque, à son extrême surprise, il y aperçut un homme couché. Croyant être tombé entre les mains d'un parti d'*outlaws* saxons, auprès desquels son nom pouvait lui être une sauvegarde ainsi qu'à ses amis, celui-ci déclara franchement qu'il était Wilfrid d'Ivanhoé.

Au milieu de ses inconséquences et de ses dérèglements, Bracy n'avait pas entièrement renié les principes de la chevalerie. Une sorte de point d'honneur lui interdit de faire aucun mal à un frère d'armes sans défense, et en même temps de déceler sa présence à qui que ce fût ; car Front de Bœuf n'eût pas eu, en cette occurrence, le moindre scrupule de mettre à mort un rival qui prétendait au fief d'Ivanhoé. D'un autre côté, laisser aller l'amant préféré de lady Rowena, distinction que les incidents du tournoi et avant cela le bannissement de Wilfrid avaient rendue notoire, c'était une ardeur de générosité bien au-dessus des forces de Bracy. Choisir un terme moyen entre le bien et le mal fut tout ce dont il se sentit capable. Il ordonna donc à deux de ses écuyers de se tenir près de la litière et de n'en permettre l'accès à personne ; si on les questionnait, il leur dit de répondre que c'était la litière de lady Rowena, dont ils se servaient pour transporter un de leurs camarades blessé dans la bagarre. En arrivant à Torquilstone, tandis que le templier et le châtelain n'étaient occupés que de leurs projets, l'un contre l'or du juif et l'autre contre sa fille, les hommes d'armes portèrent Ivanhoé, toujours sous le couvert d'un des leurs, jusqu'à un appartement reculé.

Telle fut l'explication qu'ils donnèrent à Front de Bœuf, lorsqu'il demanda pourquoi ils ne s'étaient pas rendus sur le rempart au signal d'alarme.

– Un camarade blessé ! s'écria le baron, aussi courroucé que surpris. Étonnez-vous donc de ce que des paysans et des archers poussent l'audace jusqu'à mettre le siège devant des châteaux, et de ce que des fous et des porchers envoient des cartels aux nobles, quand on voit des hommes d'armes se changer en gardes-malades et des francs-routiers veiller au lit des moribonds ! Et cela au moment d'un assaut ! Au rempart, canaille de fainéants ! ajouta-t-il d'une voix de stentor qui roulait comme un tonnerre. Au rempart ! ou ce gourdin va vous caresser les os !

Ils lui répondirent d'un ton bourru qu'ils ne demandaient pas mieux que d'aller combattre, pourvu qu'il les excusât auprès du maître, qui leur avait commandé de rester près de l'homme en train de mourir.

– En train de mourir ! répéta Front de Bœuf. Ah ! ah ! nous allons tous prendre ce chemin-là, je vous en réponds, si nous n'y mettons pas plus d'énergie. C'est bon, je me charge de vous remplacer auprès de ce mauvais soldat. Holà ! Urfried !... Vieille du diable ! fille de sorcière !... M'entends-tu ? Va soigner cet infirme, puisqu'il lui faut quelqu'un. Allons, vous autres, armez-vous : voici deux arbalètes à tourniquet avec des carreaux. Courez à la barbacane, et que chacun de vos traits crève la cervelle d'un Saxon !

Les routiers, qui à l'exemple des gens de leur espèce, aimaient le mouvement et détestaient l'inaction, se trouvèrent heureux d'aller au poste de combat qui leur était assigné.

C'est ainsi qu'Ivanhoé avait été confié à la garde d'Urfried. Mais celle-ci, tout entière au souvenir de ses malheurs et à l'espoir d'en tirer vengeance, ne tarda point à remettre entre les mains de Rébecca la surveillance du jeune malade.

CHAPITRE XXIX

Souvent l'heure du péril est celle où le cœur s'ouvre aux élans de sympathie et de tendresse. Jetés hors de nous par le trouble de nos passions, nous en laissons éclater la violence, au lieu de les refouler en nous ou au moins d'en dérober la vue, comme il arrive en des moments calmes.

En se retournant auprès d'Ivanhoé, Rébecca se sentit confuse d'éprouver un vif sentiment de plaisir, à l'instant même où tout n'offrait autour d'elle que danger, sinon désespoir. En lui consultant le pouls et en s'informant de son état, il y eut dans son attouchement et dans ses paroles un accent de tendre intérêt dont elle ne fut pas maîtresse ; sa voix défaillit, sa main trembla ; mais la froide question du blessé : « Est-ce toi, jeune fille ? » la rendit à elle-même, en lui rappelant que l'émotion qu'elle éprouvait n'était ni ne pouvait être partagée. Un soupir à peine sensible lui échappa ; et les demandes qu'elle adressa au chevalier sur l'état de sa santé furent faites du ton d'une tranquille amitié.

Ivanhoé répondit en quelques mots qu'il allait bien, et même mieux qu'il ne l'aurait espéré.

– Grâce à tes bons offices, chère Rébecca, ajouta-
t-il.

« Sa *chère Rébecca* ! pensa-t-elle. Le ton froid et
indifférent s'accorde mal avec l'épithète. Son destrier, ses chiens de chasse lui sont plus *chers* que la
juive méprisée. »

– J'ai l'esprit plus inquiet, continua-t-il, que le
corps n'est malade. D'après ce que disaient les hommes d'armes qui me gardaient tout à l'heure, je serais
prisonnier, et la voix impérieuse qui vient de les rappeler au service des remparts me fait penser que je
dois être dans le castel de Front de Bœuf. Si cela est,
quelle en sera l'issue, et comment secourir mon père
et Rowena ?

Et, se laissant aller au cours de ses pensées, elle se
disait : « Il ne parle du juif ni de la juive ! Quelle place il nous donne dans son cœur, et combien le ciel
m'a justement punie d'avoir égaré sur lui mes rêve-
ries ! »

Après avoir tout rejeté sur elle-même, Rébecca
s'empressa d'apprendre à Ivanhoé ce qu'elle savait,
c'est-à-dire que le baron et le templier se partageaient
le commandement du château et qu'il était assiégé
par des ennemis inconnus. Elle ajouta qu'un prêtre
s'y trouvait en ce moment et que sans doute il en
savait davantage.

– Un prêtre ! s'écria vivement le blessé. Va le chercher, Rébecca, et amène-le, s'il est possible. Dis-lui
qu'un malade réclame son assistance... dis-lui ce que
tu voudras, mais qu'il vienne ! Il faut faire ou tenter
quelque chose, et comment m'y résoudre avant de
savoir ce qui se passe au-dehors ?

Pour satisfaire au désir d'Ivanhoé, Rébecca s'effor-
ça d'amener Cedric auprès du blessé ; cette tentative
échoua, comme nous l'avons vu, par l'intervention
d'Urfried, qui s'était aussi placée aux aguets pour
arrêter le prétendu moine au passage. Forcée de battre en retraite, elle revint apprendre au chevalier le
mauvais résultat de ses efforts.

Ils n'eurent pas le loisir de regretter cet échec ou d'imaginer quelque moyen d'y parer. Les bruits qui venaient de l'intérieur, occasionnés par les préparatifs de défense, devenaient de minute en minute plus distincts et finirent par éclater en un vacarme assourdissant. Les pas lourds et précipités des hommes d'armes retentissaient sur les remparts, ou dans les passages étroits et les escaliers tournants qui conduisaient aux barbacanes et autres postes de combat. On entendait les chevaliers exciter les soldats ou indiquer des moyens de défense ; et leurs ordres se perdaient souvent dans le cliquetis des armes ou les vociférations tumultueuses de ceux qu'ils apostrophaient. Quelque redoutable que fût cette tempête de clameurs, sinistre présage d'une scène plus terrible encore, il s'y mêlait une poésie sublime à laquelle l'âme exaltée de Rébecca pouvait s'associer, même à cette heure d'épouvante. Une flamme s'alluma dans ses yeux, tandis que le sang se retirait de ses joues, et ce fut dans un transport mêlé de terreur et d'enthousiasme qu'elle répéta, d'une voix frémissante, autant pour elle que pour Ivanhoé, ces paroles de l'Écriture : « Le carquois résonne, la lance et le bouclier étincellent, on entend la voix des capitaines et les acclamations des soldats. »

Quant à Ivanhoé, il ressemblait au cheval de guerre dont parle ce passage sublime : souffrant avec impatience de son inaction, il brûlait du désir de prendre part à la lutte dont ces rumeurs annonçaient l'approche.

– Si je pouvais me traîner jusqu'à cette fenêtre, dit-il, pour voir comment va s'engager ce noble jeu ! Si j'avais seulement un arc... une hache, pour tirer une flèche ou frapper un coup pour notre délivrance ! Mais non... impossible ! Je suis à la fois sans force et sans armes.

– Ne vous tourmentez pas, noble chevalier, dit Rébecca : le bruit a cessé tout à coup... peut-être ont-ils renoncé à la bataille.

– Tu n'y connais rien, reprit-il avec chaleur. Ce silence de mort signifie une chose, c'est que les assiégés, postés sur les murailles, attendent une attaque imminente. Jusqu'ici nous n'avons entendu que les grondements éloignés de la tempête ; elle va éclater sur nous dans toute sa furie. Ah ! que ne puis-je atteindre cette fenêtre !

– Vous ne feriez que vous blesser en l'essayant. Puis, témoin de son extrême inquiétude, elle ajouta d'un ton ferme : Je vais y monter moi-même, et je vous décrirai de mon mieux ce qui se passera au dehors.

– N'y monte pas... Je te le défends ! Chaque treillis, chaque ouverture servira de point de mire aux archers ; une flèche lancée au hasard...

– Bienvenue soit-elle ! murmura Rébecca en montant avec assurance les deux ou trois degrés qui conduisaient à la fenêtre.

– Rébecca, chère Rébecca, ceci n'est pas un jeu d'enfants ! Ne t'expose pas à être blessée, tuée peut-être... Tu me rendrais à jamais malheureux d'en avoir été la cause. Du moins, couvre-toi de cet ancien bouclier qui est là-bas, et ne te laisse voir par le treillis que le moins possible.

Suivant avec vivacité le conseil d'Ivanhoé, elle se mit à l'abri derrière un vaste bouclier qu'elle appuya contre le bas de la fenêtre, et, sans courir un trop grand danger, elle put voir en partie ce qui se passait au loin et rendre compte au chevalier des préparatifs que faisait l'assiégeant avant l'attaque.

L'endroit où elle se trouvait était particulièrement favorable à un tel spectacle : en effet, situé à l'un des angles du donjon, non seulement il permettait de voir au-delà de l'enceinte du manoir, mais il dominait l'ouvrage extérieur qui allait probablement subir le premier choc. C'était un poste avancé, ni haut ni fort, destiné à protéger la poterne par laquelle Front de Bœuf avait fait sortir Cedric. Le fossé du château séparait cette espèce de barbacane du reste de la place, de sorte que, si elle venait à être prise, il était facile de couper toute communication entre l'une et l'autre en retirant le pont volant. Une porte de sortie correspondait avec la poterne, et le tout était entouré d'une forte palissade.

Rébecca remarqua d'abord deux choses : le nombre des hommes qui occupaient ce poste indiquait, de la part des assiégés, la crainte de le perdre ; et d'après les démonstrations des assiégeants, qui avaient lieu presque en face, il n'était pas moins évident qu'ils le regardaient comme un point vulnérable.

Après avoir communiqué ces observations au chevalier, la jeune juive ajouta :

– La lisière du bois semble garnie d'archers, mais un petit nombre seulement s'avancent hors du couvert.

– Sous quelle bannière ? demanda Ivanhoé.

– Ils n'ont point d'enseignes de guerre, autant que je puisse voir.

– Voilà qui est singulier ! Marcher à l'assaut d'un castel comme celui-ci sans déployer ni gonfanon ni bannière, c'est nouveau. Aperçois-tu ceux qui commandent ?

– Un chevalier, qui porte une armure noire, est le

plus remarquable ; il est le seul armé de pied en cap, et paraît avoir la haute main sur tout ce qui l'entoure.

– Quelles armes a-t-il sur son bouclier ?

– Quelque chose comme une barre de fer et un cadenas, peints en bleu sur fond noir (a*).

– Un cadenas et un verrou d'azur ? J'ignore qui peut porter de pareilles armes, mais il me semble qu'elles ne m'iraient pas mal à présent. Ne pourrais-tu distinguer la devise ?

– À peine vois-je les armes à cette distance ; quand le soleil frappe d'aplomb sur le bouclier, elles ressortent comme je vous l'ai dit.

– Paraît-il y avoir d'autres chefs ?

– Aucun autre chef de marque, du moins de ce côté ; car le château doit être sans doute aussi attaqué par-derrière. Ah ! les voilà qui se mettent en branle... Dieu de Sion, protège-nous ! Quel terrible spectacle !... Ceux du premier rang portent d'immenses pavois et des mantelets en planches. Ceux qui viennent à la suite bandent leurs arcs en route ; ils ajustent... Dieu de Moïse, pardonne à tes créatures !

Soudain elle fut interrompue par les sons éclatants d'un clairon, qui donna le signal de l'attaque. Aussitôt, du haut des murailles, la fanfare des trompettes normandes, mêlée au roulement sourd et prolongé des *nakirs* (sorte de timbales), riposta par des accents de défi à la provocation de l'ennemi. Les clameurs des deux partis augmentèrent l'effroyable tumulte : SAINT GEORGES ET L'ANGLETERRE ! criait l'assaillant ; EN AVANT, BRACY ! BEAUSÉANT, BAUSÉANT ! FRONT DE BŒUF À LA RESCOUSSE ! répondait l'assiégé, selon les cris de guerre de leurs différents chefs.

Mais ce n'était pas par des cris que la lutte devait se décider, et si, d'un côté, l'attaque fut impétueuse, elle rencontra, de l'autre, une défense non moins

* Voyez les notes a, b, c, et suivantes, à la fin du volume.

énergique. Les archers, qu'une longue pratique de leur arme avait rendus des plus habiles, tiraient, suivant une expression du métier, avec un si parfait ensemble, qu'aucun point où un assiégé pût montrer la moindre partie de sa personne à découvert n'échappa à leurs flèches longues d'une aune. Cette volée bien nourrie continua de tomber, drue et tranchante comme la grêle ; chaque trait avait sa destination particulière, et ils étaient lancés par vingtaines à la fois contre chaque embrasure, chaque créneau, chaque fenêtre, enfin contre toute·ouverture défendue ou qui aurait pu l'être. À la première décharge, il y eut deux ou trois hommes tués dans la garnison et plusieurs blessés. Mais, pleins de confiance dans leurs cottes de mailles et dans l'abri que leur offrait une forte position, les gens de Front de Bœuf et ses alliés montrèrent à se défendre une ténacité proportionnée à l'ardeur de l'attaque, et ils ripostèrent par une décharge d'arbalètes, de frondes et d'autres armes de jet à l'averse de flèches qui ne cessait de pleuvoir sur eux : comme les assaillants étaient moins bien protégés, ils essuyèrent bien plus de dommages qu'ils n'en causèrent eux-mêmes. Le sifflement des projectiles n'était interrompu que par les clameurs de l'un ou de l'autre parti, lorsqu'il avait subi ou infligé une perte notable.

– Et il me faut rester ici comme un fainéant de moine, s'écria Ivanhoé, pendant que d'autres jouent la partie qui décidera de ma liberté ou de ma mort ! Regarde encore par la fenêtre, obligeante fille ; mais prends bien garde que les archers ne t'aperçoivent ! Regarde, et dis-moi si l'assiégeant continue d'avancer.

Avec un courage résigné, qu'une prière mentale venait de fortifier, Rébecca reprit son poste au treillis de la fenêtre, en se couvrant toutefois de manière à n'être pas vue du dehors.

– Que vois-tu ? demanda de nouveau le blessé.

– Rien qu'une nuée de flèches, et si épaisse que mes

yeux en sont éblouis et ne distinguent pas ceux qui les lancent.

– Cela ne peut durer. Si l'on ne se hâte d'emporter le château de vive force, on ne fera pas grand mal avec des arcs à des murs et à des créneaux de pierre. Cherche le chevalier au Cadenas, ma belle, et vois comment il se comporte ; tel chef, tels soldats.

– Je ne l'aperçois pas.

– Le poltron ! Lâcherait-il le gouvernail quand le vent souffle en tempête ?

– Il ne recule pas. Le voici... à la tête d'une troupe d'hommes d'armes qui se glissent le long des barrières de la barbacane... Son panache noir plane sur la mêlée, comme un corbeau sur un champ de carnage... Ils ont fait brèche à la barrière... ils s'y précipitent... ils sont repoussés... Front de Bœuf guide les assiégés : je le reconnais dans la foule à sa taille gigantesque... Ah ! ils reviennent à la charge... On se dispute le passage corps à corps, pied à pied... Dieu de Jacob ! c'est le choc de deux torrents furieux, la rencontre de deux océans poussés par des vents contraires !

Elle détourna la tête du treillis, comme incapable de soutenir un si effrayant spectacle. La cause de ce mouvement échappa au jeune homme, qui reprit :

– Le tir des archers doit s'être de beaucoup ralenti, puisqu'on en est venu aux mains. Tu peux regarder avec moins de risque.

Rébecca obéit et s'écria presque aussitôt :

– Saints prophètes de la loi ! Front de Bœuf et le chevalier Noir sont aux prises sur la brèche, au milieu de leurs partisans qui assistent en désordre aux vicissitudes du combat. Que le ciel favorise la cause du captif et de l'opprimé ! Puis, poussant un grand cri, elle ajouta : Il est à terre ! il est à terre !

– Qui cela ? Pour l'amour de Dieu, parle : qui est tombé ?

– Le chevalier Noir, répondit-elle d'une voix éteinte ; et, l'instant d'après, avec une vivacité joyeuse, elle reprit : Non, non... Béni soit le Dieu des armées ! il s'est relevé, il combat comme s'il y avait dans son bras la force de vingt guerriers. Son épée se brise... Il saisit une hache des mains d'un archer... Il presse Front de Bœuf et l'accable de coups. Le géant plie et chancelle comme un chêne sous la cognée d'un bûcheron... Il tombe ! il tombe !

– Front de Bœuf ?

– Oui, Front de Bœuf ! ses gens volent à son secours, sous la conduite du fier templier... Ils forcent à eux tous le chevalier Noir de s'arrêter ; ils emportent leur maître au donjon.

– Les assaillants occupent les barrières, n'est-ce pas ?

– Oui, ils les occupent, et ils refoulent vivement les assiégés sur la muraille extérieure. Ils plantent des échelles, ils se massent comme des abeilles et cherchent à monter sur les épaules les uns des autres... D'en haut pleuvent sur leurs têtes des pierres, des poutres, des troncs d'arbre, et à mesure qu'on enlève les blessés, de nouveaux combattants prennent leur place... Grand Dieu ! as-tu fait l'homme à ton image pour qu'il soit ainsi cruellement défiguré par la main de ses frères ?

– Éloigne ces idées, ce n'est pas le moment. Qui a l'avantage ?

– Les échelles sont renversées, dit Rébecca en frissonnant ; les assaillants se débattent à terre comme des reptiles qu'on écrase... Les assiégés ont le dessus.

– Saint Georges nous soit en aide ! Est-ce que ces archers sans foi prendraient la fuite ?

– Non, ils se comportent en braves. Voici le chevalier Noir qui s'approche de la poterne, armé de sa terrible hache... Entendez-vous les coups retentissants qu'il frappe ? Ils dominent le fracas de la bataille. Les pierres et les blocs de bois tombent, drus comme grêle, autour de lui. Le hardi champion ! il ne

s'en émeut pas plus que si c'étaient des graines de chardon ou des plumes.

– Par Saint-Jean d'Acre ! dit Ivanhoé en se soulevant sur son lit dans un transport de joie, j'aurais cru qu'il n'y avait qu'un homme en Angleterre capable d'un pareil trait de force.

– La poterne est ébranlée... Elle craque, elle se brise en éclats sous les coups... Tous s'élancent... La barbacane est emportée. Grand Dieu ! ils précipitent les défenseurs du haut des murs... ils les jettent dans le fossé. Ô hommes, si vous êtes vraiment hommes, épargnez ceux qui ne sont plus à craindre !

– Et le pont, le pont-levis qui communique au château, l'ont-ils passé ?

– Le templier l'a détruit derrière lui, ne ramenant au donjon qu'une poignée de soldats ; les cris et les gémissements que vous entendez disent assez quel est le sort des autres. Hélas ! le spectacle de la victoire est plus pénible à contempler que celui du combat.

– Que fait-on à présent ? Regarde encore, Rébecca. Ne te laisse pas abattre à la vue de l'effusion du sang.

– La lutte est finie pour l'instant. Nos amis se fortifient dans la barbacane qu'ils ont prise ; il y sont si bien à couvert que la garnison se borne à leur décocher quelques traits de temps en temps, plutôt dans l'intention de les inquiéter que de leur nuire.

– Certes, nos amis ne renonceront pas à une entreprise si glorieusement commencée, et après un si beau succès. Oh ! non ; j'ai confiance dans le brave chevalier, dont la hache a brisé cette porte de chêne et ses plaques de fer. C'est singulier ! se dit-il à lui-même. Existerait-il deux hommes capables d'un tel acte d'audace ? Un cadenas et un verrou sur champ de sable, que veut dire cela ? Ne vois-tu rien de plus, Rébecca, qui puisse distinguer le chevalier Noir ?

– Rien. Tout en lui est sombre comme l'aile du corbeau. J'ai beau chercher, rien ne le signale autrement. Mais, après l'avoir vu combattre avec tant de vigueur, il me semble que je le reconnaîtrais entre mille guerriers. Il s'élance dans la mêlée comme s'il allait à une fête. C'est plus qu'une simple parade de force : on dirait que dans chacun des coups qu'il porte à l'ennemi ce preux a fait passer toute son énergie, toute son âme ! Dieu l'absolve du sang versé ! Quel spectacle effrayant et sublime à la fois présente un seul homme dont le bras et le cœur savent triompher d'une foule !

– Rébecca, tu viens de peindre un héros. Sans doute ils ne se sont arrêtés que pour réparer leurs forces ou s'assurer les moyens de traverser le fossé. Sous un chef tel que tu as décrit ce chevalier, ni lâches alarmes ni délais prudents ne les feront suspendre une si noble entreprise, car si les obstacles la rendent pénible, ils en doublent aussi la gloire. Ah ! j'en jure par l'honneur de mon nom, par la reine de mes pensées, je passerais dix ans en captivité pour combattre un seul jour au côté d'un tel paladin, et pour une semblable cause !

Rébecca se retira de la fenêtre et vint auprès du blessé.

– Hélas ! dit-elle, cet impatient désir de prouesses, ces révoltes, cette honte de votre impuissance ne servent qu'à entraver votre retour à la santé. Comment pouvez-vous songer à faire des blessures à autrui avant la guérison de celle que vous avez reçue ?

– Tu ne sais pas, Rébecca, combien il est impossible à un homme nourri des leçons de la chevalerie de rester dans l'inaction, comme un prêtre ou une femme, quand des actions d'éclat s'accomplissent autour de lui ! L'amour des combats est l'aliment de nos âmes ; la poussière du champ de bataille est le souffle de notre vie. Nous n'aimons l'existence qu'au prix de la victoire et de la renommée. Telles sont, jeune fille, les lois de la chevalerie que nous avons juré d'observer et auxquelles nous sacrifions tout ce qui nous est cher.

– Ah ! vaillant chevalier, qu'est-ce autre chose qu'un sacrifice au démon de la vaine gloire, une offrande à Moloch faite à travers le feu ? Et que vous reste-t-il en échange de tout le sang que vous avez répandu, des travaux et des peines que vous avez endurés, des larmes que vos exploits ont fait couler, quand la mort a brisé la lance de l'homme fort et glacé l'ardeur de son cheval de guerre ?

– Ce qu'il reste ? La gloire, jeune fille ; la gloire qui illumine nos tombeaux et transmet notre nom aux âges futurs.

– La gloire ! oui, l'armure rouillée suspendue en guise d'écusson au-dessus de la tombe oubliée et en ruines, l'inscription effacée qu'un moine ignorant peut à peine lire au visiteur curieux ! Est-ce donc là une récompense suffisante pour le sacrifice des plus douces affections, pour une vie misérablement employée à rendre les autres misérables ? Ou bien quel charme y a-t-il dans les rimes grossières d'un barde errant, pour qu'on troque si follement l'amour du foyer, les tendres sentiments, la paix et le bonheur contre l'espoir d'être un jour le héros d'une de ces complaintes, dont les ménestrels s'en vont régaler les ivrognes qui cuvent leur bière après souper ?

– Par l'âme d'Hereward ! répliqua Ivanhoé avec une certaine irritation, tu n'entends rien à tout cela, jeune fille. Cette pure lumière de la chevalerie, que tu voudrais éteindre, c'est ce qui distingue le noble du manant, le chevalier bien élevé du rustre et du barbare ; c'est elle qui nous fait mettre la vie au-dessous, bien au-dessous du point d'honneur, qui nous aide à triompher des peines, des fatigues et des souffrances, et qui nous enseigne à ne redouter d'autre mal que l'infamie. Tu n'es pas chrétienne, Rébecca, et tu ne connais pas ces grands sentiments qui agitent le cœur d'une noble demoiselle, quand son amant vient de faire une prouesse qui sanctionne sa flamme. La chevalerie, jeune fille ! elle alimente l'affection pure et élevée, elle soutient l'opprimé, elle redresse les torts, elle fait plier le tyran. Sans elle, la noblesse ne serait qu'un vain mot, et la liberté trouve dans sa lance et son épée sa plus sûre protection.

– J'appartiens, il est vrai, à une race dont le courage a brillé pour défendre son pays, mais qui, étant une nation, ne guerroyait que par l'ordre du Très-Haut ou pour échapper à la tyrannie. Le son de la trompette n'éveille plus Juda, et ses enfants méprisés sont aujourd'hui des victimes vouées sans résistance au joug civil et militaire. Oui, vous avez raison, sire chevalier : jusqu'à ce que le Dieu de Jacob suscite parmi ses élus un autre Gédéon ou un nouveau Machabée, il ne siéra point à une juive de parler guerre ou combat.

La noble fille acheva sa réponse sur un ton de tristesse, qui laissait voir à quel point elle ressentait l'état de dégradation de ses coreligionnaires, et l'idée qu'Ivanhoé lui déniait le droit d'intervenir dans une question d'honneur, ou qu'il la regardait comme incapable de concevoir des sentiments généreux, ajoutait peut-être à son amertume.

« Qu'il connaît mal ce cœur, pensait-elle, s'il s'imagine qu'il donne asile à la bassesse ou à la lâcheté, parce que j'ai critiqué la chevalerie romanesque des Nazaréens ! Plût au ciel que mon sang, répandu goutte à goutte, suffît à délivrer mon père et son bienfaiteur des chaînes de leur persécuteur ! Ce fier chrétien verrait alors si la fille du peuple choisi de Dieu n'oserait pas mourir avec autant de fermeté que la plus orgueilleuse Nazaréenne, qui tire vanité de descendre d'un petit chef d'une horde du Nord ! »

Puis, tournant ses regards vers la couche du blessé : « Il dort, ajouta-t-elle ; la souffrance et l'exaltation ont épuisé ses forces, et la nature saisit le premier moment de répit passager pour les retremper dans le repos. Hélas ! est-ce un crime de contempler ses traits ?... C'est peut-être pour la dernière fois !

Dans quelques instants, ce beau visage aura perdu le feu qui l'anime jusque dans le sommeil ; les narines dilatées, la bouche béante, les yeux fixes et enflammés, le noble chevalier sera peut-être foulé aux pieds par le dernier des misérables de ce castel maudit, lui qui les tiendrait immobiles sous la menace de son talon ! Et mon père ? Ô mon père, oublier tes cheveux blancs pour les boucles blondes d'un jeune homme, quelle faute ! Que sais-je si les maux qui nous accablent ne sont pas les précurseurs du courroux de Jéhovah, contre la fille dénaturée qui s'inquiète plus de la captivité d'un étranger que de celle de l'auteur de ses jours ; qui oublie la désolation de Juda pour se complaire dans la beauté d'un gentil ? Ah ! j'arracherai de mon cœur cette folie, dût chaque fibre en saigner jusqu'à la mort ? »

Étroitement enveloppée dans son voile, Rébecca s'assit près du chevalier, et, cessant de le regarder, elle s'appliqua à fortifier son âme, non seulement contre les dangers qui la menaçaient du dehors, mais contre les sentiments perfides qui s'étaient glissés dans son sein.

CHAPITRE XXX

Approche de la chambre, jette les yeux sur son lit. Tu n'y verras point le paisible départ d'une âme qui, comme l'alouette s'élevant dans les airs parmi les caressantes brises et la tendre rosée de l'aurore, est ravie au ciel par les regrets et les larmes des gens de bien. Anselme nous quitte autrement.

Vieille tragédie.

Pendant la courte trêve qui suivit le premier succès des assiégeants, tandis que l'un des deux partis s'apprêtait à poursuivre ses avantages et l'autre à renforcer ses moyens de défense, Bracy et Bois-Guilbert tinrent rapidement conseil dans la grand-salle du château.

– Où est Front de Bœuf ? demanda le capitaine, qui avait contenu l'assaillant sur les derrières du manoir.

– Il vit, répondit froidement le templier ; il vit encore, mais eût-il eu la tête de bœuf dont il porte le nom et dix plaques de fer par-dessus pour la garantir, il aurait été renversé par ce fatal coup de hache. Encore une heure, et Front de Bœuf ira rejoindre ses pères. C'est un beau coup de moins dans le jeu du prince Jean.

– Et une fière recrue pour le royaume du diable !
Voilà ce qu'on gagne à blasphémer les saints et les
anges, et à parler de jeter leurs images sacrées sur la
tête de cette racaille de paysans !

– Allons, pas de niaiseries. Ta crédulité va de pair
avec l'esprit fort du baron : ni l'un ni l'autre ne saurait dire pourquoi il croit ou ne croit pas.

– Bien obligé, sire templier ; je vous invite à ménager vos termes lorsqu'il sera question de moi. Par la
reine des cieux ! je suis meilleur chrétien que toi ou
aucun des tiens ; car, d'après les méchants bruits qui
courent, le très saint ordre du Temple de Sion nourrit
pas mal d'hérétiques dans son sein, et Briand de
Bois-Guilbert est du nombre.

– Trêve de bavardages ! Songeons plutôt à la défense du château. Comment les vilains se sont-ils battus
de ton côté ?

– Comme des diables incarnés. Ils ont couru en
masse jusqu'au pied des murailles, sous la conduite, à
ce que je crois, du drôle qui a remporté le prix de
l'arc à Ashby, car j'ai reconnu son cor et son baudrier. Voilà où aboutit la politique si vantée du vieux
Fitzurse : elle excite cette impudente canaille à se
révolter contre nous. Si mon armure n'avait été à
l'épreuve, le coquin m'aurait descendu sept fois avec
aussi peu de remords que s'il avait tiré un daim. Il
passait en revue chaque rangée de mailles, et ne mettait pas plus de ménagement à me décocher dans les
flancs ses longues flèches que si mes os avaient été de
fer. Sans ma cotte d'Espagne, il m'eût expédié bel et
bien.

– Mais vous avez conservé vos positions, tandis
que, de notre côté, nous avons perdu la barbacane.

– C'est une perte sérieuse. Les manants y trouveront un abri pour attaquer le château de plus près, et,
si l'on n'y fait bonne garde, surprendre un coin désert
ou une fenêtre oubliée, d'où ils se jetteront sur nous.
Nos gens ne sont pas assez nombreux pour défendre
tous les points, et ils se plaignent de ne pouvoir se

montrer quelque part sans servir de but à autant de traits qu'une cible de village un jour de fête. De plus, Front de Bœuf se meurt, et il n'y a plus d'aide à espérer de sa tête de taureau et de sa force de géant. Qu'en penses-tu, Briand ? Ne vaudrait-il pas mieux faire de nécessité vertu et transiger avec cette canaille en délivrant nos prisonniers ?

– Quoi ! délivrer nos prisonniers pour devenir l'objet des risées et des malédictions générales ? Voyez donc les vaillants preux, qui ont eu le courage, dans une embuscade de nuit, d'enlever des voyageurs paisibles, et qui n'ont pas su défendre une forteresse contre une bande de proscrits et de vagabonds, commandés par des porchers, par des fous, par le rebut de l'espèce humaine ! Honte à toi, Maurice de Bracy, pour une idée pareille ! Les ruines de cette demeure enseveliront mon corps et mon déshonneur avant que je m'abaisse à une transaction si lâche et si honteuse !

– Alors, dit Bracy d'un air insouciant, que le combat continue ! Personne, fût-il Sarrasin ou templier, ne tient moins à la vie que moi. Cependant, il n'y a pas de honte, je crois, à regretter de n'avoir pas ici une quarantaine des braves de ma compagnie franche. Ô mes bonnes lances ! Si vous saviez dans quel mauvais pas est votre capitaine, je ne tarderais pas à voir flotter ma bannière parmi vos rangs pressés, et comme cette cohue de vilains prendrait la volée à votre premier choc !

– Regrette ce qu'il te plaira, mais défendons-nous comme nous pourrons avec les hommes qui nous restent : la plupart appartiennent à Front de Bœuf et se sont rendus odieux aux Saxons par mille traits d'insolence et de méchanceté.

– Tant mieux ! Les vieux soudards se battront jusqu'à la dernière goutte de leur sang plutôt que d'encourir les représailles des paysans de là-bas. Laissons donc aller les choses, Bois-Guilbert, et agissons ! Mort ou vivant, tu verras Maurice de Bracy se comporter aujourd'hui en gentilhomme de haute valeur et de bon lignage.

– Aux murailles ! s'écria le templier.

Ils y montèrent ensemble, afin de prendre, dans l'intérêt de la défense, tout ce que l'expérience pouvait conseiller et le courage accomplir. Au premier coup d'œil, ils s'aperçurent que le point le plus exposé était celui qui faisait face à la barbacane, tombée au pouvoir de l'ennemi. Le château, il est vrai, en était séparé par le fossé, et il était impossible d'attaquer la poterne, qui y correspondait, sans avoir franchi cet obstacle. Mais les deux chevaliers tombèrent d'accord que les assiégeants, s'ils continuaient de suivre la tactique de leur chef, tenteraient par un assaut formidable, d'attirer de ce côté la masse des défenseurs, en s'arrangeant de façon à profiter de toute faute qui pourrait se produire sur d'autres points. Pour s'opposer à une semblable diversion, ils résolurent, vu le petit nombre de leurs gens, de placer de distance en distance sur les remparts, des sentinelles, en communication l'une avec l'autre et chargées de donner l'alarme en cas d'imminent danger. De plus, il fut convenu entre eux que Bracy commanderait le poste de la poterne du donjon, et que le templier tiendrait en réserve une vingtaine d'hommes, prêt à les porter où besoin serait.

Une autre conséquence fâcheuse de la perte de la barbacane, c'était que, malgré la hauteur considérable des murs de Torquilstone, les assiégés ne pouvaient plus suivre, avec la même précision qu'auparavant, les mouvements de l'ennemi : la barbacane touchait de si près à un bouquet de bois qu'il était facile d'y introduire à volonté du renfort, non seulement à couvert, mais même à l'insu de l'assiégé. Dans une complète incertitude de l'endroit où l'orage allait éclater, Bracy et son compagnon se trouvèrent obligés de se prémunir contre tout événement possible. Quant à leurs soldats, quelques braves qu'ils fussent, ils éprouvaient l'inquiétude et le découragement, si naturels chez des hommes environnés d'ennemis qu'ils savaient maîtres de les attaquer à leur heure et à leur gré.

Pendant ce temps, étendu sur son lit, le seigneur du castel assiégé souffrait toutes les douleurs du corps et les tortures de l'âme. Comme la plupart des dévots de cette époque de superstition, il n'avait pas la ressource de racheter, moyennant une donation à l'Église, les crimes dont il s'était souillé, et d'étouffer ainsi ses terreurs par cette croyance à la rémission des péchés. La tranquillité acquise à ce prix ne ressemblait pas plus à la paix intérieure qui suit un repentir sincère, que la torpeur fébrile produite par l'opium ne ressemble à un sommeil naturel et réparateur ; cet état d'esprit était pourtant préférable aux déchirements du remords.

Parmi les vices de Front de Bœuf, homme dur et rapace, dominait l'avarice. Aussi aimait-il mieux braver l'Église et ses ministres que de lui acheter l'absolution de ses fautes au prix de ses biens et de ses richesses. Le templier, mécréant d'une autre trempe, n'avait pas rendu justice à son frère d'armes, en prétendant que le baron était incapable d'expliquer son incrédulité et son mépris de la religion établie. L'Église, aurait-il répondu, vendait ses denrées trop cher, et la franchise spirituelle qu'elle mettait en vente ne pouvait s'acquérir, comme la charge de capitaine de Jérusalem, qu'en échange d'une grosse somme d'argent. En conséquence, il préférait nier l'efficacité de la médecine que de payer la dépense du médecin.

Mais il touchait enfin au moment où la terre et ses jouissances allaient disparaître à sa vue. Son cœur farouche, aussi dur qu'une meule de moulin, s'ouvrit à l'épouvante lorsque ses yeux hagards plongèrent dans les ténèbres désolées de l'inconnu. La fièvre qui lui brûlait le corps ajoutait aux révoltes et au supplice de l'âme, et son agonie offrait un mélange de terreurs soudainement éveillées, et de l'endurcissement invétéré de son caractère. Horrible situation, qui n'avait d'égale que dans ces régions redoutables où la plainte est sans espoir, le remords sans repentir. Il avait conscience des affres de l'agonie, et comme un pressentiment qu'elles n'auraient ni fin ni soulagement.

– Où sont-ils à présent ces chiens de prêtres, qui mettent à si haut prix leurs momeries sacrées ? grognait le baron. Où sont ces carmes déchaussés, en faveur de qui le vieux Front de Bœuf fonda le couvent de Sainte-Anne, au préjudice de son héritier qu'il frustrait de mainte grasse prairie, de champs et d'enclos excellents ? Où sont-ils ces limiers voraces ? À se gorger de bière, j'en réponds, ou à faire leurs simagrées au lit de quelque misérable paysan. Et moi, le fils de leur fondateur ; moi, pour qui la charte d'institution les oblige à prier ; moi... les ingrats ! les coquins !... ils me laissent crever comme un chien à la voirie, sans sacrements ni absolution ! Qu'on dise au templier de venir ; il est prêtre et peut servir à quelque chose... Bah ! autant se confesser au diable qu'à Briand de Bois-Guilbert, qui n'a cure de l'enfer ni du ciel... J'ai entendu des vieillards vanter la vertu de la prière... de la prière qu'on dit soi-même. Comme cela, plus de prêtre hypocrite à solliciter ou à corrompre... Oui, mais... je n'ose pas.

– Eh ! quoi, s'écria près de son lit une voix rude et cassée, Réginald Front de Bœuf vit-il encore pour avouer qu'il y a au monde une chose qu'il n'ose faire ?

Telle était la mauvaise conscience de Front de Bœuf, et aussi son état d'affaiblissement, qu'il crut entendre, dans cette étrange interruption de son soliloque, la voix d'un de ces démons qui, suivant les préjugés du temps, harcelaient les moribonds pour jeter le désordre dans leur esprit et les distraire de la pensée du salut éternel. Il tressaillit et se redressa vivement ; puis, rappelant aussitôt son indomptable énergie :

– Qui est là ? cria-t-il. Qui es-tu, toi qui oses faire

écho à mes paroles, d'un ton semblable au croasse-
ment d'un hibou ? Approche... que je te voie !

— Je suis ton mauvais ange, Réginald, répondit la
voix.

— Montre-toi alors sous ta forme corporelle, si tu es
vraiment un démon, et n'espère pas m'intimider. Par
la géhenne éternelle ! s'il m'était possible de lutter
corps à corps avec les diableries qui planent autour
de moi, ainsi que je l'ai fait avec les dangers visibles,
ni le ciel ni l'enfer ne pourraient prétendre que j'ai
refusé le combat.

— Pense à tes péchés, Réginald : rébellion, rapines,
meurtre, dit la voix, qui n'avait presque rien d'humain. Qui a poussé Jean, ce prince dissolu, à la révolte contre son vieux père et contre son frère, le généreux Richard ?

— Sorcier, prêtre ou démon, qui que tu sois, tu
mens par la gorge ! Je n'ai pas poussé Jean à la révolte... pas seul du moins. Nous étions là cinquante chevaliers et barons, l'élite des comtés de l'intérieur ;
jamais plus braves guerriers n'ont mis la lance en

arrêt ! Me faut-il répondre de la faute de tous ? Démon perfide, je te défie !... Arrière ! Ne hante plus ma couche... Laisse-moi mourir en paix, si tu es un homme, et, si tu viens des régions infernales, ton heure n'est pas encore venue.

– Non, tu ne mourras pas en paix ! Au moment même de ta mort, tu songeras à tes crimes, aux gémissements qui ont rempli cette demeure, au sang qui en souille les murs !

– Crois-tu que ces sornettes-là m'embarrassent ? dit Front de Bœuf avec un rire hideux et forcé. Le juif mécréant ?... ç'a été pour moi un mérite en religion de le traiter comme je l'ai fait ; autrement pourquoi canoniser les gens qui trempent leurs mains dans le sang des Sarrasins ? Les pourceaux saxons que j'ai tués ?... Ils étaient les ennemis de mon pays, de ma race et de mon seigneur suzerain. Ah ! ah ! tu vois qu'il n'y a pas de défaut à ma cuirasse... As-tu pris ta volée ? es-tu forcé de te taire ?

– Pas encore, infâme parricide ! Souviens-toi de ton père, de sa mort ; souviens-toi de la salle du festin inondée de son sang, qui fut versé de la main de son propre fils !

– Ah ! reprit le baron, après un long silence. Tu sais cela ? Alors tu es bien le père du mal, qui connaît tout, à ce que disent les moines. Ce secret, je le croyais enfermé dans mon sein, et dans celui de la tentatrice, aussi coupable que moi... Laisse-moi, démon ! Va chercher Ulrique, la sorcière saxonne... elle seule te dira ce qui n'a eu qu'elle et moi pour témoins. Va, te dis-je, vers celle qui lava les blessures, ensevelit le cadavre et donna à la victime du meurtre les apparences d'une mort décente et naturelle. Va la trouver... Elle m'a soufflé le crime, elle m'y a provoqué, elle m'en a payé l'infâme salaire... Qu'elle éprouve, comme moi, les tortures que l'enfer lui réserve !

– Elle les éprouve déjà, dit Ulrique en se montrant au chevalier. Depuis des années elle boit à cette coupe, qui lui devient moins amère, à présent que tu la partages. Tu as beau grincer des dents, Front de Bœuf, rouler des yeux furibonds, serrer les poings et les lever sur moi d'un geste de menace... Cette main, comme celle de l'aïeul fameux à qui tu dois ton nom, pouvait naguère en s'abattant briser le crâne d'un taureau sauvage ; maintenant, elle est débile, impuissante comme la mienne.

– Mégère scélérate ! abominable chouette ! C'est donc toi qui viens triompher des ruines qui furent ton ouvrage ?

– Oui, Réginald, c'est moi, Ulrique ! moi, la fille de Torquil Wolfganger massacré, la sœur de ses fils assassinés ! moi, qui réclame de toi et des tiens mon père et ma famille, mon nom et mon honneur, tout ce que m'ont ravi les Front de Bœuf ! Rappelle-toi ce que j'ai souffert, et ose dire si je mens. Tu as été mon mauvais génie ; à mon tour d'être le tien ! Je m'attache à toi jusqu'à ton dernier souffle.

– Odieuse furie ! tu n'y seras pas. Holà ! Gilles, Clément, Eustache, Saint-Maur, Étienne ! empoignez cette damnée sorcière et jetez-la du haut des murailles !... Elle nous a livrés aux Saxons. À moi, Saint-Maur, Clément ! Où êtes-vous donc, lâches esclaves ?

– Appelle, appelle, vaillant baron, dit la vieille avec un ricanement moqueur ; appelle tes vassaux à ton aide, menace les retardataires du fouet et de la prison. Mais sache, redoutable maître, ajouta-t-elle en changeant de ton, que tu n'auras d'eux ni réponse, ni secours, ni obéissance.

En ce moment, le combat recommença au milieu d'un effroyable vacarme.

– Entends-tu ces horribles clameurs ? poursuivit Ulrique. Elles t'annoncent la chute de ta maison. La puissance des Front de Bœuf, cimentée dans le crime, est ébranlée jusqu'en ses fondements par ceux-là mêmes d'entre ses ennemis qu'il dédaigne le plus. Oui, Réginald, le Saxon, le Saxon méprisé monte à l'assaut de tes remparts. Que fais-tu là comme une bête éreintée, quand le Saxon va forcer ton repaire ?

– Ciel et enfer ! Rendez-moi mes forces pour un moment... le temps de me jeter dans la mêlée et de mourir d'une façon digne de moi !

– Regrets superflus, brave guerrier ! Tu périras, non de la mort d'un soldat, mais de celle d'un renard que des paysans ont enfumé dans sa tanière.

– Tu mens, sorcière exécrable ! Mes gens se battent vaillamment, mes remparts sont hauts et solides, mes frères d'armes ne craindraient pas toute une armée de Saxons, eût-elle pour chefs Hengist et Horsa ! Les cris de guerre du templier et de Bracy dominent le fracas de la bataille... Sur ma parole ! quand, pour célébrer notre victoire, nous allumerons un feu de réjouissance, il te consumera jusqu'aux os. Oui, je vivrai assez pour apprendre que tu as passé des flammes de la terre dans celles de l'enfer, qui n'a jamais vomi un monstre plus atroce que toi !

– Crois ce que tu voudras jusqu'à preuve du contraire... Mais non, ajouta-t-elle en s'interrompant, il faut qu'à l'instant même tu apprennes le sort que t'ont préparé ces faibles mains, et puissance, force ni courage ne sauraient t'en préserver. Aperçois-tu cette vapeur suffocante, qui rampe en noirs tourbillons à travers la chambre ? Ne t'imagine pas que ce soit ta vue fatiguée qui s'obscurcit, ou ton haleine fiévreuse qui s'embarrasse. Non, Front de Bœuf, la cause est toute différente. Te souviens-tu que le bûcher est situé au-dessous de cet appartement ?

– Femme, s'écria-t-il avec violence, tu n'y as pas mis le feu ?... De par le ciel ! elle l'y a mis, et le château brûle !

– Les flammes ne tarderont pas à monter, dit Ulrique, qui gardait un calme effrayant. Un signal avertira bientôt l'ennemi de presser vivement ceux qui chercheraient à l'éteindre. Adieu, Front de Bœuf. Que Mista, Skogula et Zernebock, dieux des anciens Saxons, ou diables comme prétendent les prêtres,

viennent te consoler sur ton lit de mort, où Ulrique
t'abandonne ! Mais n'oublie pas, si c'est un soulagement à tes souffrances, que la destinée d'Ulrique est
liée à la tienne ; complice de tes forfaits, elle le sera
aussi de ton châtiment. Et maintenant, adieu pour
toujours, parricide ! Puisse chaque pierre de ces murailles trouver une langue pour répéter ce mot à ton
oreille !

Elle sortit sur ces dernières paroles. Front de Bœuf
put l'entendre fermer la porte à double tour et retirer
avec bruit la grosse clef de la serrure, pour lui ôter
toute chance de salut. Au comble du désespoir, il se
mit à appeler ses serviteurs et ses amis.

– Étienne !... Saint-Maur !... Clément !... Gilles !...

A moi, je brûle ! au secours, brave Bois-Guilbert !
Vaillant Bracy, au secours !... C'est moi, Front de
Bœuf, qui vous appelle... Écuyers félons, c'est votre
maître ; chevaliers parjures et sans foi, c'est votre
allié, votre frère d'armes !... Que toutes les malédictions dues aux traîtres tombent sur vous, lâches qui
me laissez périr si misérablement !... Ils ne m'enten-
dent pas, ils ne peuvent m'entendre ; ma voix se perd
dans le tumulte du combat... La fumée épaissit de
plus en plus ; le feu a pris au plancher... Oh ! rien
qu'une bouffée d'air pur ! dussé-je l'acheter au prix
d'une mort foudroyante !

Dans un accès de folie furieuse, le misérable se mit
tantôt à joindre son cri de guerre aux cris des combattants, tantôt à vomir des imprécations contre lui,
contre le genre humain, contre Dieu même.

— Voici le feu qui traverse les nuages de fumée,
hurlait-il ; Satan vient m'assaillir sous la bannière de
son élément. Arrière, esprit immonde ! Je ne dois te
suivre qu'en compagnie de mes camarades ; ils sont
tous à toi, tous ceux que renferme le manoir. Crois-tu
n'avoir affaire qu'à Front de Bœuf seulement ? Dé-
trompe-toi : le templier impie, Bracy le débauché,
Ulrique, l'infâme et féroce courtisane, les soldats qui
ont secondé mes entreprises, les chiens de Saxons et
les juifs maudits, mes prisonniers... ils me feront
escorte, tous ! Jamais plus belle compagnie n'aura
pris la route des enfers !... Ah ! ah ! ah !

Et dans sa folie il poussa un éclat de rire, dont les
voûtes du plafond lui renvoyèrent le lugubre écho
parmi les grondements de la bataille. S'interrompant
alors, il reprit d'une voix altérée :

— Qui ose rire ici ? Est-ce toi, Ulrique ? Parle, sorcière, et je te pardonne... Il n'y a que toi ou le diable
capable de rire en un tel moment... Arrière !... Va-
t'en !...

Mais ce serait une sorte d'impiété de nous attarder
plus longtemps au lit de mort du blasphémateur et du
parricide.

CHAPITRE XXXI

> Allons, encore une fois à la brè-
> che, chers amis, encore une fois,
> ou comblez-la de vos cadavres...
> Et vous, braves milices, chair et
> sang de l'Angleterre, montrez ici
> de quelle moelle vous êtes nour-
> ris, et jurons que vous serez di-
> gnes de votre renommée.
> SHAKESPEARE, *le Roi Henri V*.

Bien que Cedric n'eût pas grande confiance en la promesse d'Ulrique, il ne manqua point d'en faire part à Locksley et au chevalier Noir. Charmés d'apprendre qu'ils avaient dans la place un ami, qui, au besoin, était en état de leur en faciliter l'entrée, ils furent bientôt d'accord avec le Saxon pour brusquer à tout prix l'assaut, unique moyen d'arracher les prisonniers au joug du cruel Front de Bœuf.

– Le sang royal d'Alfred est menacé, dit Cedric.

– L'honneur d'une dame est en péril, dit le chevalier Noir.

– Par le saint Christophe de mon baudrier ! dit Locksley, ne s'agirait-il que de sauver Wamba, ce fidèle esclave, je risquerais volontiers un de mes membres pour qu'on ne touchât point à un cheveu de sa tête.

– Et moi de même, ajouta l'ermite. Eh ! Messires, j'espère bien qu'un fou – et par là, voyez-vous, j'entends un fou franc du collier et maître en son art, capable d'assaisonner une cruche de vin avec autant de saveur qu'y en mettrait une tranche de jambon - un tel fou, dis-je, mes frères, ne manquera jamais, dans l'embarras, d'un sage clerc pour l'aider de ses prières ou d'un coup de main, tant que je saurai dire une messe ou brandir une pertuisane.

Là-dessus, il exécuta le moulinet avec cette arme pesante comme eût fait un petit berger avec sa houlette.

– À la bonne heure, l'ermite ! dit le chevalier Noir. Saint Dunstan en personne n'aurait pas mieux parlé. Maintenant, ami Locksley, n'est-il juste que le noble Cedric soit chargé de diriger l'assaut ?

– N'en faites rien, répliqua le Saxon. Je n'ai jamais appris l'art d'attaquer ou de défendre ces boulevards de la tyrannie, dont les Normands ont couvert cette malheureuse terre. Je combattrai au premier rang ; mais mes honnêtes voisins n'ignorent pas que je n'entends rien à la discipline militaire ou au siège des places fortes.

– Puisque tel est le sentiment du noble Cedric, dit Locksley, je prendrai avec plaisir le commandement des archers ; et que je sois pendu haut et court à l'arbre de nos rendez-vous si les assiégés osent se montrer sur les remparts sans être lardés d'autant de flèches qu'il y a de clous de girofle dans un jambon de Noël !

– Bien dit, camarade, reprit le chevalier. Pour moi, si vous me jugez digne de conduire cette affaire, et si parmi ces braves gens il y en a qui veuillent suivre un vrai chevalier anglais, titre que je mérite en toute confiance, je suis prêt, avec l'habileté d'une expérience déjà longue, à les guider à l'attaque de ces murailles.

Les rôles ainsi distribués entre les chefs, on livra le premier assaut, dont le lecteur a vu le résultat.

Aussitôt après la prise de la barbacane, le chevalier Noir fit part de l'heureux succès à Locksley ; il l'invita en même temps à surveiller de près le château, afin d'empêcher l'ennemi de rassembler ses forces pour reprendre, dans une brusque sortie, le poste qu'il venait de perdre. C'était ce retour offensif qu'il voulait surtout éviter : les hommes qu'il avait sous ses ordres, volontaires d'un moment, peu exercés, mal armés et sans discipline, auraient, en cas de surprise, lutté avec trop de désavantage contre les vieux routiers des chevaliers normands ; ceux-ci, en effet, bien pourvus d'armes de toutes sortes, avaient, pour balancer l'enthousiasme et l'ardeur des assaillants, l'assurance qu'inspirent une forte discipline et l'habitude des armes.

Le chevalier Noir employa ce moment de répit à faire construire une espèce de pont flottant ou de long radeau, au moyen duquel il comptait franchir le fossé, malgré la résistance qu'on lui opposerait. Ce travail exigea un certain temps ; mais les chefs le regrettèrent d'autant moins qu'il donnait à Ulrique le loisir d'exécuter son projet de diversion, quel qu'il pût être.

Le radeau terminé, le chevalier Noir parla en ces termes à ceux qui l'entouraient :

– Il ne sert à rien, mes amis, de différer plus longtemps ; le soleil descend à l'horizon, et j'ai sur les bras des affaires, qui ne me permettent pas de passer un jour de plus avec vous. D'ailleurs, il serait étonnant que des cavaliers ne vinssent pas d'York nous surprendre, si l'entreprise n'est promptement menée à fin. Que l'un de vous aille donc dire à Locksley de recommencer le tir et de feindre une attaque sur les derrières du château. Quant à vous, braves Anglais, qui allez me seconder, soyez prêts à jeter le pont sur le fossé, sitôt que la porte de la barbacane sera ouverte. Alors traversez-le hardiment après moi, et venez m'aider à renverser la poterne d'en face. Ceux d'entre vous à qui ne convient pas cette besogne, ou qui sont trop mal armés pour s'en acquitter, monteront sur la plate-forme de la barbacane, et de là harcèleront d'une nuée de flèches tout ce qui paraîtra sur les remparts. Noble Cedric, voulez-vous commander ce corps de réserve ?

– Non, de par l'âme d'Hereward ! répondit le Saxon. Commander n'est pas mon affaire. Mais, que ma mémoire soit maudite à jamais, si je ne marche l'un des premiers, dès que vous aurez montré le chemin ! La querelle me concerne, et le devoir m'ordonne d'être à l'avant-garde.

– Mais pensez-y, noble Saxon : vous n'avez ni haubert ni corselet, rien autre chose qu'un léger casque, un bouclier et une épée.

– Tant mieux ! J'en serai moins lourd à l'escalade des murailles. Et, pardonnez ce mouvement de vanité, sire chevalier, vous verrez aujourd'hui qu'un Saxon ne craint pas d'aller au combat la poitrine nue aussi hardiment qu'un Normand bardé de fer.

– Alors, s'écria le chevalier, au nom de Dieu ! qu'on ouvre la porte et qu'on lance le pont !

La porte de la barbacane, qui correspondait avec l'entrée principale du château, s'ouvrit tout à coup : le pont, jeté avec force, fit jaillir l'eau et s'étendit jusqu'à l'autre bord, laissant à deux hommes de front un passage vacillant et difficile. Convaincu de la nécessité de surprendre l'ennemi, le chevalier Noir, que Cedric suivait de près, sauta sur le radeau et parvint de l'autre côté. Là, il se mit à attaquer à grands coups de hache la porte du castel. Le templier, en se retirant, avait détruit le pont-levis ; mais les poutres en saillie au-dessus du seuil, et qui servaient à le suspendre, protégeaient tant bien que mal le Saxon et le chevalier contre les pierres et les traits que lançaient sur eux les assiégés. Parmi ceux qui se hasardèrent à leur suite, deux furent tués par des carreaux d'arbalète et deux autres précipités dans le fossé ; le reste battit en retraite.

La situation des deux assaillants devint alors très critique ; elle l'eût été davantage si les archers postés sur la barbacane n'avaient tiré sans relâche sur les

remparts, détournant ainsi l'attention de ceux qui les occupaient et les empêchant d'écraser leurs chefs sous une grêle de projectiles. Le péril n'en était pas moins extrême et une catastrophe imminente.

– Honte à vous ! cria Bracy aux soldats qui l'entouraient. Vous vous dites archers, et vous souffrez que deux coquins se maintiennent au pied du château ! Démolissez ce parapet, faute de mieux. Allons, des pics, des leviers, et jetez bas cette pierre, ajouta-t-il, en désignant un énorme créneau sculpté qui surplombait la porte.

En ce moment, une bannière rouge s'éleva à l'angle de la tour dont la vieille Saxonne avait parlé à Cedric. Ce fut Locksley qui l'aperçut le premier, pendant qu'impatient de connaître les progrès de l'attaque, il courait à la barbacane.

– Saint Georges ! cria-t-il. Saint Georges et l'Angleterre ! À l'assaut, mes braves ! Laisserez-vous ce bon chevalier et le noble Cedric forcer seuls le passage ?

En avant, prêtre enragé ! fais voir que tu sais te battre pour ton rosaire. En avant compagnons ! Le château est à nous... Nous y avons des amis. Voyez-vous cette bannière ? C'est le signal convenu. Torquilstone est à notre merci. Songez à l'honneur, songez au butin. Un dernier effort, et la place est à nous !

À ces mots, Locksley banda son arc et décocha une flèche en pleine poitrine d'un homme d'armes, qui, sous les ordres de Bracy, était en train de déchausser le créneau en saillie pour le précipiter sur Cedric et le chevalier Noir. Un second soldat prit la pince de fer des mains de son camarade expirant, et il avait déplacé l'énorme pierre lorsque atteint d'une flèche à la tête, il tomba mort dans le fossé. Le découragement paralysa le zèle des autres, quand ils virent qu'aucune arme défensive n'était à l'épreuve des traits du terrible archer.

– Lâches ! vous reculez ? dit Bracy. Montjoye Saint-Denis ! donnez-moi le levier.

Et, s'emparant de l'outil, il attaqua à son tour le créneau, détaché de son alvéole. C'était une masse d'un tel poids que, dans sa chute, elle aurait non seulement brisé les poutres qui servaient d'abri aux deux assaillants, mais aurait même coulé à fond le grossier pont de planches sur lequel ils avaient traversé le fossé. Tous virent le danger, et les plus hardis, jusqu'à l'intrépide ermite, n'osèrent risquer le pied sur le radeau. Trois fois Locksley ajusta Bracy, et trois fois sa flèche rebondit sur l'armure impénétrable du chevalier.

– Maudite soit ta cotte d'Espagne ! dit-il. Si elle eût été de fabrique anglaise, mes flèches l'auraient percée comme de la soie ou du camelot. Puis il se mit à crier : Camarades... amis... noble Cedric.. en retraite ! Gare la pierre !

Sa voix se perdit dans le bruit que faisait le chevalier Noir, dont les coups de hache sur la poterne auraient couvert les sons de vingt trompettes de guerre. Pourtant, le fidèle Gurth s'élança sur le pont pour avertir son maître du péril qui le menaçait ou s'y exposer avec lui ; mais il serait arrivé trop tard : déjà le créneau déchaussé basculait, et Bracy, qui le poussait vivement, aurait achevé sa besogne, s'il n'avait été interrompu par Bois-Guilbert.

– Tout est perdu, Bracy, dit ce dernier ; le château est en flammes.

– Hein ? Es-tu fou ?

– Le feu a éclaté dans les bâtiments de l'ouest ; j'ai vainement essayé de l'éteindre.

Avec le farouche sang-froid qui formait la base de son caractère, le templier communiqua l'affreuse nouvelle à son compagnon d'armes.

– Saint du paradis ! s'écria Bracy, qui de la surprise tomba dans un trouble extrême. Qu'allons-nous devenir ? Je fais vœu à saint Martial de Limoges d'un chandelier d'or massif...

– Laisse là ton vœu, et écoute-moi. Descends avec les tiens pour une sortie, et ouvre la porte. Il n'y a derrière que deux hommes... jette-les dans le fossé, et pousse jusqu'à la barbacane. J'irai l'attaquer par dehors, en sortant par la porte principale. Ce poste une fois repris, nous saurons nous y maintenir jusqu'à un prochain secours ou obtenir de l'ennemi des conditions raisonnables.

– Le plan est bon. J'en accepte ma part... Et toi, me seras-tu fidèle ?

– Comme le gant à la main. Mais, au nom de Dieu, dépêche-toi !

Bracy réunit ses hommes à la hâte, descendit à la poterne et en fit brusquement ouvrir la porte. Au même instant, elle cédait aux efforts extraordinaires de Cedric et du chevalier Noir, qui se précipitèrent ensemble dans l'étroit passage ; deux soldats tombèrent sous leurs coups, et les autres, sourds à la voix du capitaine, reculèrent.

– Coquins ! cria Bracy. Ils ne sont que deux ; en avant ! Il y a pas d'autre voie de salut.

– C'est le diable en personne ! dit un vieux routier,

en cherchant à se garantir des atteintes du chevalier Noir.

– Et, quand cela serait, faut-il tomber en enfer pour éviter les griffes du diable ? Le feu est au château, poltrons... Ayez au moins le courage du désespoir, ou faites-moi place : que j'aille lutter avec ce démon.

Dans cette rencontre, Bracy soutint noblement la haute renommée qu'il avait acquise durant les guerres civiles de cette époque désastreuse. Le passage voûté auquel la poterne donnait accès, et où les deux formidables champions combattaient corps à corps, retentissait des coups furieux qu'ils se portaient l'un à l'autre, Bracy avec son épée à deux mains, le chevalier inconnu avec sa lourde hache. Enfin, le Normand tomba frappé à la tête, et, si son bouclier n'eût amorti le coup, c'eût été fait de lui.

– Rends-toi, Bracy, dit le vainqueur, en se baissant vers lui, et en appuyant sur la visière de son casque le poignard qui servait aux chevaliers à achever leurs ennemis, et qu'on nommait *dague de merci* pour cette raison. Rends-toi, Maurice de Bracy, secouru ou non secouru, ou bien tu es un homme mort.

– Je ne veux pas me rendre à un inconnu, répondit celui-ci d'une voix éteinte. Dis-moi ton nom ou traite-moi à ta guise. Il ne sera pas dit que Bracy est tombé sous les coups d'un aventurier sans nom.

Le chevalier Noir murmura quelques mots à l'oreille du vaincu.

– C'est bien ; je suis votre prisonnier, secouru ou non secouru, dit, d'un air sombre, le Normand, qui fit succéder au ton d'une altière arrogance celui d'une soumission absolue.

– Rends-toi à la barbacane, reprit le vainqueur, et attends-y mes ordres.

– Auparavant, laissez-moi dire une chose qu'il vous importe de savoir. Wilfrid d'Ivanhoé est ici, prisonnier et blessé ; il périra dans les flammes si l'on ne vient à son secours.

– Wilfrid en danger de mort ! Qu'il coure le moindre risque, et la vie de tous les gens du château payera pour la sienne ! Où l'a-t-on mis ?

– Montez-là bas cet escalier tournant ; il mène à sa chambre. Voulez-vous que je vous y conduise ?

– Non. Va attendre mes ordres. Je ne me fie pas à toi, Bracy.

Pendant le duel des chevaliers et le court entretien qu'ils eurent à la suite, Cedric, à la tête d'une troupe d'archers, qui, l'ermite au premier rang, avaient franchi le pont dès que la poterne fut ouverte, poursuivait les partisans découragés de Bracy ; quelques-uns demandèrent quartier, d'autres opposèrent une vaine résistance, et la plupart s'enfuirent vers la cour intérieure.

Quant à Bracy, après s'être relevé, il jeta sur son vainqueur un long regard chargé d'amertume.

– Il ne se fie pas à moi, répéta-t-il. Mais ai-je mérité sa confiance ?

Ensuite, il ramassa ses armes, ôta son casque en signe de soumission, et se rendit à la barbacane ; avant d'y entrer, il remit son épée à Locksley, qu'il rencontra.

À mesure que l'incendie s'étendit, les indices en devinrent visibles dans la chambre où Ivanhoé recevait les soins de Rébecca. Son sommeil n'avait pas été long : réveillé par le bruit de la seconde attaque, il avait supplié la jeune juive de reprendre à la fenêtre son poste d'observation. Bientôt une vapeur suffocante, qui se répandait de tous côtés, lui déroba le spectacle du champ de bataille ; des tourbillons de fumée envahirent la chambre, et les cris : *Au feu* ! sinistre appel qui tranchait sur les clameurs guerrières, lui firent comprendre le nouveau péril qui la menaçait.

– Le feu ! s'écria-t-elle. Le feu est au château... Comment nous sauver ?

– Fuis, Rébecca ! Songe à ta vie, dit Ivanhoé. Pour moi, je n'ai point de secours à attendre.

– Je ne fuirai pas, répondit-elle. Nous serons sauvés ou nous périrons ensemble. Mais, grand Dieu ! mon père, mon père... que va-t-il devenir ?

La porte s'ouvrit soudain, et le templier parut. Avec sa riche armure faussée et tachée de sang, et le panache à demi brûlé de son casque, il avait un aspect effrayant.

– Enfin, je t'ai trouvée, dit-il à Rébecca. Tu le vois, je tiens ma promesse de partager avec toi le bonheur et la peine. Il ne reste plus qu'une voie de salut : j'ai franchi bien des obstacles pour te l'indiquer. Allons, suis-moi sans tarder.

– Partir seule ? répondit Rébecca. Je n'en ferai rien. Si tu es né d'une femme, si tu as une lueur de charité, si ton cœur n'est pas aussi dur que ta cuirasse, sauve mon vieux père, sauve ce chevalier blessé !

– Un chevalier, Rébecca, répliqua le templier, sans se départir de son calme stoïque, doit regarder la mort en face, qu'il la rencontre dans le feu ou dans la bataille ; mais un juif, sait-on où et comment il affronte la sienne ?

– Homme barbare ! plutôt mourir dans les flammes que te devoir mon salut !

– Tu n'es pas libre de choisir. Une fois tu t'es jouée de moi ; mais deux, cela n'est arrivé à personne.

À ces mots, il saisit la jeune fille, qui remplissait l'air de ses cris d'effroi, et l'emporta dans ses bras hors de la chambre, sans s'inquiéter des menaces et des injures qu'Ivanhoé proférait contre lui.

– Chien de templier, criait-il à pleine gorge, opprobre de ton ordre, laisse là cette jeune fille... Traître de Bois-Guilbert, c'est Ivanhoé qui te l'ordonne !... Misérable, je t'arracherai le cœur !

– Sans tes cris, Wilfrid, dit le chevalier Noir, qui se précipita en ce moment dans la chambre, je ne t'aurais pas trouvé.

– Si tu es un véritable chevalier, dit Ivanhoé, ne songe pas à moi ; poursuis le ravisseur qui s'enfuit... Sauve lady Rowena, cherche le noble Cedric !

— Ils auront leur tour, dit l'inconnu ; le tien d'abord.

S'emparant alors du blessé, il l'enleva avec autant d'aisance que le templier en avait mis pour la juive, et reprit le chemin de la poterne. Là, il confia son fardeau à deux archers, et rentra dans le manoir pour contribuer à la délivrance des autres prisonniers.

L'incendie faisait rage dans une des tourelles, d'où les flammes s'échappaient par la fenêtre et la meurtrière. En d'autres endroits, l'épaisseur des murs et la solidité des voûtes mettaient obstacle à ses progrès ; aussi la fureur des hommes s'y déployait avec une violence égale à celle de l'élément destructeur. Les assiégeants traquaient de salle en salle les défenseurs du château, et assouvissaient dans leur sang la haine qu'ils nourrissaient depuis longtemps contre les satellites d'un tyran abhorré. La majeure partie de la garnison se défendit jusqu'à la mort ; le petit nombre demanda grâce de la vie, aucun ne l'obtint. On n'entendait que le fracas des armes et les cris de douleur ; on glissait dans le sang des combattants blessés ou expirants.

Au milieu de cette scène de confusion, Cedric errait de côté et d'autre à la recherche de Rowena, et Gurth, qui s'était attaché à ses pas, négligeait le soin de sa propre sûreté pour détourner les coups destinés à son maître. Cedric parvint enfin à retrouver sa pupille au moment même où, ayant renoncé à tout espoir de salut, elle attendait, en pressant une croix contre son sein, une mort qui lui semblait prochaine. Il la remit entre les mains de Gurth pour la conduire à la barbacane ; le passage était libre, et les flammes ne le menaçaient pas encore.

Cette tâche accomplie, le loyal Saxon se mit en quête d'Athelstane, résolu à braver tous les dangers pour sauver le dernier rejeton des princes de sa race. Mais, avant que Cedric eût pénétré dans l'antique salle où il avait été lui-même prisonnier, Wamba avait trouvé, dans son fertile cerveau, le moyen de se délivrer, lui et son compagnon d'infortune. Averti par le vacarme du dehors qu'on était au plus fort du combat, il se mit à crier de toute la vigueur de ses poumons : « Saint Georges et le Dragon ! Saint Georges pour l'Angleterre ! Le château est à nous. » Et, pour rendre ces appels plus effrayants, il frappa avec bruit, l'une contre l'autre, de vieilles armures rouillées, suspendues aux murailles. Un garde, posté dans l'antichambre et déjà en proie à de vives alarmes, prit peur, et, sans penser à fermer la porte, courut annoncer à Bois-Guilbert que l'ennemi avait pénétré dans la grand-salle saxonne. Il ne fut donc pas difficile aux prisonniers de gagner l'antichambre et, de là, la cour intérieure, où se passait le dernier acte de cette tragédie.

Là, se tenait à cheval l'intrépide templier, au milieu d'un certain nombre d'hommes d'armes et de cavaliers, qui s'étaient ralliés autour de ce chef illustre, afin de s'assurer la dernière chance de retraite qui leur restât. D'après ses ordres, on avait baissé le pont-levis, mais le chemin était entouré d'ennemis. Jusqu'alors les archers n'avaient inquiété cette façade du château que par des volées de flèches ; à peine virent-ils surgir les flammes et baisser le pont qu'ils accoururent en foule de ce côté, dans l'intention de s'opposer à la sortie de la garnison, et aussi d'avoir leur part du butin avant que le feu eût tout détruit. En outre, ceux qui étaient entrés par la poterne commençaient à envahir la cour, et attaquaient avec furie le reste des assiégés, qui se trouvaient ainsi exposés à une double agression.

Enflammée de désespoir et soutenue par l'exemple de leur indomptable chef, cette poignée de braves déploya le plus ferme courage, et, comme elle était bien armée, elle parvint à refouler plusieurs fois un adversaire bien supérieur en forces. Rébecca, placée en travers de la selle d'un des esclaves sarrasins, occupait le centre de la petite troupe, et Bois-Guilbert, malgré la confusion de cette sanglante mêlée,

veillait sur elle avec sollicitude. À chaque instant, il revenait à ses côtés, et négligeait le soin de sa propre défense pour la couvrir de son écu lamé d'acier ; puis, poussant son cri de guerre, il bondissait en avant, renversait les plus acharnés de ses ennemis, et allait reprendre sa place auprès de la juive.

Athelstane, indolent de nature comme on l'a vu, mais d'une bravoure incontestable, crut reconnaître Rowena dans cette femme voilée, dont le templier s'était fait le protecteur jaloux et qu'il semblait résolu à enlever en dépit des obstacles.

– Par l'âme de saint Édouard ! s'écria-t-il. Je l'arracherai à ce présomptueux chevalier, et il ne périra que de ma main !

– Pas si vite ! lui dit Wamba. Qui trop se hâte risque de prendre l'ombre pour le corps. Par ma marotte ! la femme de là-bas n'est pas notre demoiselle. Voyez plutôt ses longues tresses noires... Si vous ne savez plus distinguer le noir du blond, allez de l'avant, je ne vous suivrai pas. Me faire rompre les os sans savoir pour qui, nenni !.. Et puis, vous n'avez pas d'armure... Prenez-y garde : jamais toque de soie n'a paré un coup d'épée. Vous y tenez ? Soit. Qui veut aller à l'eau se mouille. *Deus vobiscum*, valeureux Athelstane !

Et, sur cette recommandation, le fou, qui retenait le Saxon par sa tunique, lâcha prise.

S'emparer d'une masse d'armes que la main d'un soldat mourant avait laissée tomber à terre, courir sus au templier, frapper aveuglément de droite et de gauche en abattant un homme à chaque coup, ce fut l'affaire d'un moment pour Athelstane, dont un transport de fureur doublait la force déjà redoutable. Bientôt il fut à deux pas de Bois-Guilbert et l'apostropha d'une voix de tonnerre.

– Arrête, templier félon ! Laisse aller celle que tu es indigne de toucher. Arrête, suppôt d'une bande de voleurs et d'assassins hypocrites !

– Chien, riposta le templier en grinçant des dents,

je vais t'apprendre à blasphémer le saint ordre du Temple.

À ces mots, enlevant son cheval, il lui fit faire une demi-courbette du côté du Saxon, et, debout sur ses étriers, il lui déchargea, avec une violence irrésistible, un terrible coup sur la tête.

Wamba avait eu raison : une toque de soie ne préservait pas d'un coup d'épée. Si tranchante était l'arme du templier qu'elle fendit en deux, comme une baguette de saule, le solide manche de la masse que le thane avait levée pour parer le coup ; l'infortuné mesura la terre de tout son long.

– Beauséant ! s'écria Bois-Guilbert. Ainsi périsse quiconque ose diffamer les chevaliers du Temple !

Profitant, sans hésiter, du désarroi occasionné par la chute d'Athelstane, il ajouta : « Qui veut vivre me suive ! » et traversa le pont-levis, en dispersant devant lui tout ce qui prétendait lui faire obstacle. Il était accompagné de ses Sarrasins et d'une demi-douzaine d'hommes d'armes, tous à cheval. Sa retraite ne fut pas sans danger, à cause de la volée de flèches qu'il eut à essuyer ; mais il ne s'en dirigea pas moins au galop vers la barbacane, dont Bracy pouvait s'être rendu maître, suivant le plan qu'ils avaient arrêté ensemble.

– Bracy ! Bracy ! cria-t-il. Es-tu là ?

– Me voici, répondit le capitaine ; mais je suis prisonnier.

– Puis-je te secourir ?

– Non, je me suis rendu, secouru ou non secouru, et je tiendrai ma promesse. Sauve-toi : les faucons sont lâchés. Mets la mer entre toi et l'Angleterre... Je n'ose t'en dire davantage.

– Eh bien, puisque tu ne veux pas quitter d'ici, souviens-toi que j'ai racheté ma parole. Quant aux faucons, qu'ils se démènent à leur aise : les murs de la commanderie de Templestowe offrent un refuge assuré, et c'est là que j'irai, comme l'aigle dans son aire.

À ces mots, il partit au galop, avec sa suite.

Les défenseurs du château, qui, faute de chevaux, n'avaient pu s'échapper, continuèrent à se battre avec l'énergie du désespoir, en hommes qui n'avaient ni quartier à attendre ni chance aucune de salut.

L'incendie avait promptement gagné tous les bâtiments de Torquilstone, quand Ulrique, qui l'avait allumé, se dressa au sommet d'une tourelle, semblable à l'une des furies scandinaves, et se mit à entonner un de ces chants de guerre que les scaldes des Saxons païens faisaient jadis entendre sur les champs de bataille. Elle avait la tête nue, ses longs cheveux gris flottaient en désordre ; ses yeux égarés accusaient à la fois le paroxysme de la folie et l'ivresse d'une vengeance satisfaite. Elle brandissait une quenouille, ainsi que les Nornes, ces sœurs fatales qui filaient entre leurs doigts le tissu de la vie humaine. La tradition a conservé quelques-unes des strophes de l'hymne barbare (b) qu'elle chantait, dans un accès de joie farouche, au milieu de cette scène d'incendie et de carnage.

La bataille est prochaine, et le corbeau croasse ;
   L'enfer s'agite... Ô Dragon blanc,
Entraîne tes enfants à la sanglante chasse,
   La torche en main, le fer au flanc !
   Est-ce pour le festin qu'on forge sur l'enclume
      Le fer, orgueil des vaillants cœurs ?
Est-ce pour l'hymen seul que la torche s'allume
   Avec ses rougeâtres lueurs ?

La nuée aux flancs noirs qui recèlent l'orage
   S'abaisse... Au faîte du manoir,
L'aigle plane parmi les éclairs et fait rage ;
   Son banquet sera prêt ce soir.
Le Walhalla regarde, et ses vierges farouches
   Frappent sur leur bruyant tambour.
Que de héros, promis à leurs funèbres couches,
Auront vécu leur dernier jour !

Plus sombre encor descend la nue, affreux suaire
      Que va trouer de mille dards
Le feu, que la vengeance attise en son repaire.
      Oh ! quand ses rouges étendards
Flottent comme un signal de mortelles alarmes,
      On livre le suprême assaut ;
Plus rude est le combat, plus vif le choc des armes...
      Odin se réjouit là-haut.

C'est la fête du glaive. Hourra ! Que le fort meure,
      Ou qu'il sache enfin s'affranchir !
Sous des torrents de feu, brûle, infâme demeure !
      Croulez, remparts ! Tout doit périr.
Hengist n'est plus ; Horsa, qui te connaît encore ?
      Vous, guerriers, vengez les aïeux
Dans la flamme et le sang ! Au tyran que j'abhorre
      Tels sont, en mourant, mes adieux.

L'incendie, ayant enfin surmonté tout ce qui lui faisait obstacle, projetait dans le ciel du soir d'immenses colonnes de flammes, qu'on pouvait apercevoir à de grandes distances. Chaque tour s'écroula, l'une après l'autre, avec son toit et ses poutres embrasées. Il fut impossible aux combattants de tenir dans la cour du château : les vaincus profitèrent de l'occasion pour se débander et chercher, en petit nombre, un asile dans les bois du voisinage ; quant aux vainqueurs, rassemblés en groupes nombreux, ils contemplaient, avec un étonnement mêlé d'effroi, cet incandescent foyer, dont les reflets allumaient sur leurs figures et leurs armes des teintes rougeâtres. La fantastique apparition d'Ulrique resta longtemps visible sur le faîte élevé qu'elle avait choisi ; la vieille Saxonne agitait les bras d'un air de sauvage triomphe, comme si elle eût commandé à l'élément destructeur qu'elle avait déchaîné. Enfin, la tourelle s'effondra avec un fracas épouvantable, et Ulrique disparut au milieu des flammes qui avaient dévoré son tyran.

Un long frisson d'horreur parcourut cette foule armée, qui, muette et immobile, n'osa, pendant quelques instants, secouer sa torpeur que pour faire des signes de croix.

Locksley rompit le premier ce silence pénible.

– Réjouissez-vous, compagnons ! s'écria-t-il. Le repaire de la tyrannie n'existe plus. Qu'on porte le butin au lieu ordinaire de nos rendez-vous, sous le chêne du Mont-aux-Cerfs ; et demain, à la pointe du jour, nous en ferons un juste partage, sans oublier les dignes alliés qui ont contribué à cet acte de légitimes représailles.

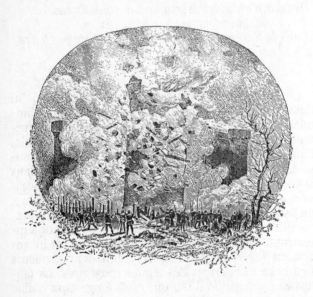

CHAPITRE XXXII

Crois-moi, chaque État doit avoir
sa police : les royaumes ont leurs
édits, les cités leurs chartes ; il
n'est pas jusqu'au proscrit farouche qui, dans ses forêts, ne retien-
ne un reste de discipline civile.
Car, depuis le jour où Adam cei-
gnit son tablier de feuillage,
l'homme n'a pu vivre en accord
avec l'homme, et les lois ont été
faites pour rendre cet accord plus
étroit.

Ancienne comédie.

L'aurore pointait sur les clairières de la forêt, et à
chaque buisson de verdure perlaient mille gouttes de
rosée. La biche et son faon, quittant les hautes fougè-
res où ils cachaient leur gîte, allaient paître en liberté
dans les endroits découverts ; et aucun chasseur ne
pensait encore à surprendre au passage le cerf majestueux, qui guidait une harde sous la ramée.

Les *outlaws* étaient tous réunis autour de l'arbre du
rendez-vous. C'est là qu'ils avaient passé la nuit pour
réparer leurs forces des fatigues du combat, les uns à
boire, les autres à dormir, la plupart à causer des incidents de la journée et à calculer la valeur des mon-
ceaux de butin que la victoire avait mis à la disposition de leur chef.

Il y avait, en effet, abondance de dépouilles. Malgré la part du feu qui était considérable, une grande quantité de vaisselle d'argent, d'armes de prix et de vêtements magnifiques était tombée entre les mains de ces hommes endiablés, qui ne reculaient devant rien pour se saisir d'une telle proie. Mais les règles de leur association étaient si rigoureuses que pas un d'entre eux n'osa s'approprier une parcelle du butin : tout fut mis en commun, en attendant l'heure de la distribution.

Le lieu du rendez-vous était un vieux chêne, non celui sous lequel Locksley avait conduit Gurth et Wamba dans la nuit de l'embuscade, mais un autre qui s'élevait au sommet d'une colline agreste, dite *le Mont-aux-Cerfs*, à un quart de lieue des ruines fumantes de Torquilstone. Au pied du chêne immense et sous un dôme de verdure, Locksley prit place sur un trône de gazon, et ses gens se groupèrent autour de lui. Il invita le chevalier Noir à s'asseoir à sa droite, et Cedric à sa gauche.

— Excusez la liberté que je prends, nobles sires, leur dit-il ; mais ici je suis roi ; ces forêts sont mes États, et mes sauvages sujets feraient peu de cas de ma puissance si, sur mes domaines, je cédais la place à qui que ce soit. A propos, compagnons, et notre chapelain, notre frère de la porte, où est-il ? l'a-t-on aperçu ? En pays chrétien, messe entendue fait une bonne journée.

Personne n'avait vu l'ermite de Copmanhurst.

— A Dieu ne plaise ! reprit le chef. Le joyeux clerc s'est sans doute attardé auprès d'une bouteille. L'a-t-on rencontré depuis la prise du château ?

— Je l'ai vu, dit le Meunier, fort affairé à la porte d'un cellier, et jurant par tous les saints du calendrier qu'il goûterait au bouquet des vins de Gascogne de Front de Bœuf.

— Que toute la séquelle de saints nous en préserve ! Il aura trop tâté de ces futailles, et sera tombé sous les ruines du donjon. Allons, Meunier, prends du monde avec toi, et tâche de retrouver l'endroit où tu l'as vu ;

puise de l'eau dans le fossé et jettes-en sur les décombres qui fument encore. Je les fouillerai pierre à pierre plutôt que de perdre l'aumônier de notre confrérie !

Le grand nombre d'hommes qui s'offrit à exécuter ces recherches, juste au moment où le partage du butin allait avoir lieu, fit voir combien la troupe avait à cœur le salut de son père spirituel.

— En attendant, continua Locksley, commençons ; car, sitôt que la nouvelle de cette expédition audacieuse sera connue, les soldats de Bracy, de Malvoisin et des autres alliés de Front de Bœuf marcheront contre nous, et il est prudent de déloger d'ici au plus vite. Noble Cedric, ajouta-t-il en se tournant vers le Saxon, deux parts ont été faites de ces dépouilles : choisissez celle qu'il vous plaira pour la distribuer entre ceux de vos gens qui ont concouru avec nous à cette entreprise.

— Brave archer, répondit Cedric, mon cœur est accablé de tristesse. Athelstane de Coningsburgh, le noble rejeton du saint roi confesseur, n'existe plus ! Avec lui ont péri des espérances qui ne renaîtront jamais ; dans son sang s'est éteinte une étincelle, que nul souffle ne saurait rallumer. Mes gens, sauf le petit nombre de ceux qui sont ici, n'attendent que moi pour transporter ses honorables restes à leur dernière demeure. Lady Rowena soupire après Rotherwood, et il faut qu'elle y rentre avec une escorte suffisante. Je devrais donc être déjà parti ; si j'ai différé – l'espoir du butin n'y est pour rien, car, de par Dieu et saint Withold, ni moi ni aucun des miens nous n'en toucherons une parcelle, – si j'ai différé, c'est pour te remercier, toi et tes courageux archers, de nous avoir sauvé la vie et l'honneur.

— D'accord, dit le chef des *outlaws* ; mais nous n'avons fait tout au plus qu'une moitié de la besogne. Prenez donc parmi le butin de quoi récompenser vos serfs et vos voisins.

— Je suis assez riche, dit Cedric, pour m'en charger tout seul.

– Et il y en a eu, fit observer Wamba, d'assez sages pour se payer de leurs mains ; ils ne s'en reviendront pas les poches vides. Nous ne portons pas tous la marotte.

– Tant mieux pour eux ! reprit Locksley. Nos lois n'obligent que nous-mêmes.

– Mais toi, mon pauvre garçon, dit Cedric, en s'adressant au bouffon qu'il serra dans ses bras, quelle sera ta récompense, toi qui n'as pas craint de t'exposer, à ma place, à la prison et à la mort ? Quand tout le monde m'oubliait, l'humble fou m'a seul été fidèle !

A ces mots, une larme roula dans l'œil du rude Saxon, marque de sensibilité que n'avait pu lui arracher la mort d'Athelstane ; mais il y avait dans l'attachement à demi instinctif du bouffon quelque chose qui le remuait plus intimement qu'une douleur morale.

– Ah ! bien, s'écria Wamba, en se dérobant à l'accolade de son maître, si vous payez mes services avec l'eau de vos yeux, il faudra que le fou en répande aussi de compagnie, et alors bonsoir, le métier ! Cependant, notre oncle, si vous voulez me faire un véritable plaisir, pardonnez à mon camarade Gurth d'avoir consacré à votre fils la semaine qu'il vous devait.

– Lui pardonner ! dit Cedric, je veux qu'il reçoive à la fois son pardon et sa récompense. A genoux, Gurth !

Au même instant, le porcher tomba aux pieds de son maître.

– Tu n'es plus esclave (*theow*) ni serf (*esne*), continua celui-ci en le touchant avec une baguette ; dorénavant, tu seras affranchi (*folk-free*) et libre (*sackless*), en ville et hors ville, dans les bois comme aux champs. Je te concède, sur mon domaine de Walburgham, un lot de terre que tu tiendras de moi et des miens, dès à présent et pour toujours, et que la malédiction de Dieu s'appesantisse sur la tête de celui qui me démentira !

L'ancien esclave, que cette formule rendait libre et
propriétaire, se releva vivement et fit deux ou trois
bonds d'allégresse.

– Un forgeron et une lime, s'écria-t-il, pour débar-
rasser le cou d'un homme libre ! Cette donation a
doublé mes forces, mon noble maître, et j'en combattrai deux fois plus pour vous. Dans ma poitrine bat
un cœur libre... Je ne me sens plus le même, et tout a
changé autour de moi. Ah ! Fangs, reconnais-tu encore ton maître ?

En effet, le fidèle animal, en voyant les joyeux
transports de Gurth, s'étais mis à lui sauter aux jambes, pour lui exprimer sa sympathie.

– Oui, dit Wamba, il te reconnaît encore, et j'en
fais autant, bien qu'il nous faille garder le collier ;
c'est plutôt toi qui oublieras l'un et l'autre, et l'homme que tu as été.

– Que j'oublie mon passé, dit Gurth, cela se peut,

mais un excellent camarade, jamais ! Et si la liberté te convenait, le maître ne t'en laisserait pas chômer.

– Bah ! répliqua Wamba, c'est un bien que je ne t'envierai pas, frère. Le serf se dorlote au coin du feu quand l'homme libre est forcé d'aller se battre, et, comme dit Adhelm de Malmesbury : « Mieux vaut fou à table que sage à la bataille. »

Un bruit de chevaux se fit entendre, et l'on vit paraître lady Rowena, au milieu d'un cortège de serfs, quelques-uns à cheval, la plupart à pied, qui témoignaient, en agitant leurs piques et haches d'armes, leur joie de l'avoir retrouvée. Richement vêtue, et montée sur un cheval bai, elle avait repris toute la dignité de son maintien, et la pâleur seule de ses traits indiquait à quel point elle avait souffert. A travers les nuages qui voilaient encore son front charmant se glissait un rayon d'espérance en l'avenir, ainsi qu'un sentiment de gratitude pour l'œuvre de sa délivrance. Elle avait appris qu'Ivanhoé était en sûreté, et qu'Athelstane n'existait plus. La première nouvelle la remplit d'une joie sans mélange ; quant à la seconde, si elle s'en montra peu touchée, on le lui pardonnera en songeant qu'elle en retirait l'inappréciable avantage d'être délivrée des importunités de son tuteur sur l'unique sujet de leur mésintelligence.

Lorsque lady Rowena arrêta son cheval devant Locksley, le fier *outlaw* et tous ceux qui l'entouraient, cédant à un mouvement de courtoisie, se levèrent pour lui faire accueil. Le sang afflua à ses joues, elle fit de la main un salut gracieux, et de la tête une inclination profonde, qui confondit un instant les boucles flottantes de ses beaux cheveux avec la longue crinière de son palefroi ; puis, en quelques paroles bien senties, elle exprima sa reconnaissance à Locksley et à ses autres libérateurs.

– Que Dieu vous bénisse, braves gens ! dit-elle en terminant. Que Dieu et Notre-Dame vous récompensent d'avoir si vaillamment exposé vos jours pour la cause des opprimés ! Si jamais la faim vous presse, rappelez-vous que Rowena a de quoi vous nourrir ; si vous avez soif, qu'elle a plus d'un tonneau de vin et de bière brune. Enfin, si les Normands vous chassaient de ces retraites, Rowena possède des forêts, où ses braves libérateurs pourront circuler en toute liberté, sans que jamais garde s'inquiète d'où viendra la flèche qui aura abattu un daim.

– Merci, noble dame, répondit Locksley ; merci pour moi et mes compagnons ! La part que nous avons prise à votre salut nous est une récompense suffisante. Nous autres, coureurs de bois, n'avons pas toujours la conscience bien nette, et la délivrance de lady Rowena pourra nous servir de compensation.

La jeune Saxonne s'inclina de nouveau, et fit faire volte-face à son cheval ; mais, s'étant arrêtée pour attendre Cedric qui, avant de l'accompagner, prenait congé de Locksley, elle se trouva brusquement à côté de Bracy. Le prisonnier, adossé à un arbre, les bras croisés sur la poitrine, paraissait plongé dans une méditation si profonde qu'elle se flattait de passer près de lui sans être remarquée. Il leva les yeux : l'ayant reconnue, une vive rougeur lui monta au front et la honte le cloua un moment à sa place ; puis, il s'avança, saisit la bride de son cheval et mit un genou en terre.

– Lady Rowena, dit-il, daignera-t-elle jeter un regard sur un chevalier captif, sur un guerrier déshonoré ?

– Sire chevalier, répondit-elle, dans les entreprises telles que la vôtre, c'est de réussir, non d'échouer, qui déshonore.

– La clémence sied au vainqueur, Madame. Que lady Rowena pardonne à la violence où m'a jeté une fatale passion, je ne demande pas autre chose, et elle apprendra bientôt que Bracy connaît des moyens plus nobles de la servir.

– Je vous pardonne, sire chevalier, en qualité de chrétienne.

– Ce qui veut dire, pensa Wamba, qu'elle ne lui pardonne pas du tout.

– Mais, poursuivit Rowena, il est impossible d'oublier les malheurs et le deuil dont votre folie a été cause.

– Lâche cette bride ! s'écria Cedric en survenant. Par le soleil qui nous éclaire ! je ne sais ce qui me retient de te clouer à terre avec ma javeline. Mais sois bien assuré, Maurice de Bracy, qu'il t'en cuira de cette infâme expédition.

– C'est un triste courage, reprit Bracy, de menacer un prisonnier. Un Saxon a-t-il jamais rien connu des lois de la courtoisie ?

Reculant de quelques pas, il laissa le chemin libre à lady Rowena.

Cedric, avant de partir, s'adressa en particulier au chevalier Noir, et, en lui marquant sa reconnaissance, il le sollicita vivement de l'accompagner à Rotherwood.

– Vous autres, lui dit-il, chevaliers errants, vous aimez, je le sais, à chercher fortune à la pointe de la lance, sans nul souci des biens de ce monde ; mais la guerre est une maîtresse changeante, et il arrive au paladin le plus aventureux de soupirer parfois après le repos. Personnellement, vous l'avez bien gagné, et Rotherwood vous le donnera, sire chevalier. Cedric est assez riche pour réparer les injustices du sort : tout ce qu'il possède appartient à son libérateur. Venez donc à Rotherwood, non comme un hôte, mais en fils ou en frère.

– Cedric m'a déjà fait riche, répondit le chevalier, en m'apprenant ce que vaut le courage d'un Saxon. Oui, digne thane, j'irai à Rotherwood, et même avant peu ; mais, à présent, des affaires graves m'appellent d'un autre côté. Peut-être, quand je m'y rendrai, vous demanderai-je une faveur qui mettra votre générosité à l'épreuve.

– Elle est accordée d'avance, dit Cedric en plaçant

sa main dans celle du chevalier Noir ; oui, s'agirait-il de la moitié de ma fortune.

– Ne vous engagez pas si vite ; néanmoins, j'ai bon espoir d'obtenir ce que je demanderai. Jusque-là, adieu !

– Il me reste à vous dire, ajouta le Saxon, que, durant les cérémonies qui vont avoir lieu en l'honneur du noble Athelstane, je me tiendrai dans son château de Coningsburgh. Il sera ouvert à tous ceux qui voudront prendre part au banquet des funérailles, et de plus – je parle ici au nom de la noble Édith, mère du feu prince –, il ne sera jamais fermé à celui dont les généreux efforts n'ont pu réussir à sauver Athelstane des chaînes et de l'épée des Normands.

– Oui, oui, dit Wamba, qui avait repris son office auprès de Cedric, il y aura, ce jour-là, une fameuse ripaille. Quel dommage que le noble Athelstane n'en puisse prendre sa part ! Mais, ajouta-t-il en levant les yeux au ciel, il soupe en paradis et doit faire honneur à la cuisine.

– Silence, et partons ! dit le thane, irrité de cette plaisanterie malséante, mais encore sous l'impression du service que son fou lui avait rendu.

Rowena adressa un gracieux salut au chevalier Noir ; le Saxon appela sur lui la protection divine, et ils s'éloignèrent par une des larges percées de la forêt.

A peine étaient-ils hors de vue qu'on vit tout à coup émerger des bois taillis une procession, qui, après avoir contourné la colline du grand chêne, s'engagea dans la même direction que Rowena et son escorte. Elle était composée des religieux d'un monastère du voisinage : excités par l'appât d'une riche offrande (*soul-scot,* rachat des âmes), que Cedric leur avait promise, ils accompagnaient, en chantant des hymnes funèbres, le cercueil d'Athelstane, que ses serviteurs portaient, à pas lents, jusqu'au manoir de Coningsburgh, où il devait être déposé dans le monument d'Hengist, l'ancêtre de la famille. Au bruit de sa mort, les vassaux du défunt s'étaient assemblés en grand nombre, et suivaient à la file, en donnant, au dehors du moins, tous les signes de l'abattement et de la douleur. L'assistance se leva une seconde fois, et rendit à la mort le même tribut d'hommages simples et spontanés qu'elle venait de rendre à la beauté. Les accents lugubres et la marche solennelle des moines rappelèrent à plus d'un le souvenir des compagnons qui avaient péri dans le combat de la veille ; mais de semblables impressions s'effacent vite de la mémoire chez des hommes qui mènent une vie de dangers et

d'aventures, et le vent n'avait pas emporté les derniers échos de l'hymne lugubre qu'ils étaient revenus à l'affaire du jour, le partage du butin.

Adressant la parole au chevalier inconnu, le chef des *outlaws* lui dit :

– Valeureux guerrier, dont le grand courage et le bras puissant nous ont donné la victoire, vous plaît-il de choisir parmi ces dépouilles celle qui vous conviendra, comme un souvenir de notre rencontre ?

– J'accepte l'offre aussi franchement qu'elle est faite, et je vous demande la permission de disposer à mon gré du sire de Bracy.

– Il vous appartient déjà, et c'est tant mieux pour lui ! Sans cela l'oppresseur aurait servi d'ornement à la plus haute branche de ce chêne, avec autant de ses francs routiers que nous en aurions pu saisir, et pendus à ses côtés, drus comme glands. Mais il est votre prisonnier, et il n'a rien à craindre, eût-il tué mon père !

– Bracy, dit le chevalier Noir, tu es libre : retire-toi. Celui dont tu es le captif dédaigne de tirer du passé de mesquines représailles. Mais prends garde à l'avenir, il pourrait t'arriver pis. Je te le répète, Maurice de Bracy : prends-y garde !

Le prisonnier s'inclina profondément, et il s'éloignait en silence lorsqu'une clameur subite s'éleva contre lui, mêlée de railleries et de malédictions. Il s'arrêta aussitôt, se retourna fièrement vers les insulteurs, et les bras croisés, redressant sa haute taille :

– Paix, chiens hargneux ! s'écria-t-il. Vous aboyez de loin après le cerf, sans oser lui tenir tête. Bracy fait cas de vos injures aussi peu que de vos éloges. Rentrez dans vos trous et vos broussailles, gibier de potence, et ne bougez mie toutes les fois qu'à une lieue de vos terriers on parlera de noblesse ou de chevalerie !

Cette apostrophe hors de saison aurait attiré sur Bracy une volée de flèches, si le chef des *outlaws* ne s'y fût énergiquement opposé. On permit même au prisonnier d'emmener un des chevaux qu'on avait pris tout harnachés dans les écuries de Front de Bœuf, et qui formaient un des lots précieux du butin ; il se mit en selle, et partit au galop à travers la forêt.

Lorsque l'effervescence causée par cet incident commença à s'apaiser, Locksley, ôtant de son cou le cor et le riche baudrier qu'il avait gagnés au concours d'Ashby, les présenta au chevalier Noir.

– Noble chevalier, lui dit-il, si vous ne dédaignez pas d'accepter le cor d'un archer anglais, je vous prierai de garder celui-ci en témoignage de vos exploits d'hier. Si vous avez affaire dans les forêts qui s'étendent du Trent à la Tees, et que vous soyez dans l'embarras, ce qui arrive souvent au plus brave, sonnez trois *mots* sur le cor, comme ceci : OUA-SA-HOA ! et il ne serait pas impossible que vous trouviez de l'aide.

Embouchant alors l'instrument, il y sonna plusieurs fois l'appel en question, afin d'en graver les notes dans la mémoire du chevalier.

– Merci du cadeau, brave archer, répondit celui-ci ; je ne souhaite avoir, dans le plus pressant besoin, d'autre aide que la tienne ou celle de tes compagnons.

Et, à son tour, il tira du cor les trois mots, de façon à réveiller tous les échos de la forêt.

– Voilà qui est clair et vigoureux ! dit Locksley. Misère de moi si tu n'es pas aussi habile à la chasse qu'à la guerre ! Je gage que, dans son temps, tu as été un abatteur de daims. Camarades, rappelez-vous ces trois notes : c'est l'appel du chevalier au Cadenas ; quiconque l'aura entendu sans lui prêter assistance sera chassé de la compagnie à coups de corde.

– Vive le capitaine ! crièrent les *outlaws*. Vive le chevalier Noir au Cadenas ! Qu'il nous mette à l'épreuve, et il verra si nous lui sommes dévoués.

Locksley procéda alors à la répartition du butin, ce dont il s'acquitta avec la plus louable impartialité. Un dixième fut mis à part pour l'Église et pour des œuvres pies ; une portion alla grossir le fonds commun de réserve, et une autre fut destinée aux veuves et aux enfants des combattants qui avaient péri, ou à faire dire des messes pour le repos de l'âme de ceux qui n'avaient point de famille. Quant au reste, on le divisa entre les survivants, selon le rang et le mérite de chacun ; dans les cas douteux, le chef tranchait la difficulté avec beaucoup de finesse, et l'on se soumettait de bonne grâce à ses décisions. Ce ne fut pas pour le chevalier Noir un mince sujet d'étonnement de voir des hommes livrés à une vie de désordres se gouverner entre eux avec tant de discipline et d'équité ; aussi, tout ce qu'il observa ne fit qu'ajouter à l'opinion qu'il avait conçue de l'esprit de justice et du bon sens de leur chef.

Le partage une fois terminé, le trésorier, avec le concours de quatre vigoureux archers, transporta en lieu sûr et retiré ce qui appartenait à la communauté. Restait la portion dévolue à l'Église, à laquelle on ne toucha point.

– Il me tarde, dit Locksley, d'avoir des nouvelles de notre joyeux chapelain. Jamais, au moment de bénir les victuailles ou de partager le butin, il n'a failli à l'appel ; c'est lui d'ailleurs qui doit se charger de la dîme prélevée sur les fruits de notre expédition. Et puis, il y a, non loin d'ici, un de ses confrères qu'on a fait prisonnier, et je ne serais pas fâché que l'ermite m'aidât à le traiter dans les règles. Le sort de notre gros réjoui m'inspire de sérieuses craintes.

– S'il lui advenait malheur, j'en serais fort marri, dit le chevalier au Cadenas ; car je suis son obligé : il a été mon hôte, et m'a fait passer quelques bonnes heures dans sa cellule. Allons à Torquilstone ; il est probable que nous y aurons de ses nouvelles.

Tandis qu'il achevait de parler, de grands cris, poussés par les *outlaws*, annoncèrent l'arrivée de celui qu'ils craignaient de ne plus revoir, arrivée confirmée par l'ermite lui-même, dont la voix de tonnerre se fit entendre avant qu'on pût distinguer sa corpulente personne.

– Place, mes gaillards ! criait-il. Place à votre père spirituel et à son prisonnier ! Oui, oui, souhaitez-moi la bienvenue. Glorieux capitaine, j'arrive, ainsi que l'aigle, avec ma proie dans mes serres.

Et se frayant un passage à travers la foule, au milieu des éclats de rire universels, il s'avança, de l'air d'un triomphateur, tenant d'une main sa lourde pertuisane et de l'autre une corde dont le bout était passé au cou d'Isaac d'York ; plié en deux par la terreur et la souffrance, l'infortuné se laissait traîner à la remorque du moine victorieux, qui continuait de crier à tue-tête :

— Où est Allan Dale, pour composer là-dessus une ballade ou rien qu'un simple lai ? Par sainte Herménégilde ! ce maudit rimailleur n'est jamais là quand il se présente une belle occasion de célébrer nos exploits.

— Prêtre ambulant, lui dit Locksley, tu as arrosé ta messe, quoi qu'il soit bon matin. Par saint Nicolas ! que nous amènes-tu ?

— Un captif de ma lance et de mon épée, illustre capitaine, répondit l'ermite, ou plutôt de mon arc et de ma pertuisane, et pourtant je l'ai tiré, par mes lumières, d'une captivité pire encore. Parle, juif, ne t'ai-je pas racheté de l'enfer ? Ne t'ai-je pas enseigné ton *Credo*, ton *Pater* et ton *Ave Maria* ? Toute la nuit, ne l'ai-je point passée à boire à ta santé et à t'expliquer les saints mystères ?

— Pour l'amour de Dieu ! s'écria le pauvre juif, ne me débarassera-t-on pas de la compagnie de ce fou... non, je me trompe, de ce saint homme.

— Qu'est-ce à dire, juif ? dit le clerc d'un ton menaçant. Vas-tu te rétracter ? Songes-y bien, ne retombe pas dans ton infidélité ; autrement, bien que tu ne sois pas aussi tendre qu'un cochon de lait — et pour mon déjeuner ce serait bien mon affaire — tu n'es pas trop dur pour être mis à la broche. De la tenue, Isaac, et répète après moi : *Ave... Maria...*

— Assez ! Pas de profanation, tête fêlée ! dit Locksley. Raconte-nous plutôt où tu as fait ce prisonnier.

— Par saint Dunstan ! dit l'ermite, c'est dans un endroit où je cherchais mieux.

Pour lors, j'étais entré dans les caves afin de voir ce qu'on en pourrait sauver ; car, si un bol de vin chaud mêlé d'épices fait, le soir, un régal d'empereur, il me semblait qu'en laisser tant brûler à la fois serait un pur gaspillage. J'avais mis la main sur un tonnelet de vin des Canaries, et j'allais appeler à mon aide un de ces fainéants, qu'on ne rencontre jamais lorsqu'il s'agit d'une bonne action. Par hasard, j'avise une porte solide. « Oh ! oh ! me dis-je, voici la cachette où l'on serre les meilleurs crus, et le fripon du sommelier, troublé dans son ministère, a justement oublié la clef sur la porte. » Naturellement, je m'y introduis, et qu'est-ce que je trouve ? tout un assortiment de chaînes rouillées et ce chien de juif, qui, du premier coup, se reconnaît mon prisonnier, secouru ou non secouru. Je vide, avec l'infidèle, une modeste rasade, histoire de me refaire un peu des fatigues du combat, et je me dispose à emmener mon captif, quand patatras ! des craquements subits éclatent comme des coups de tonnerre entremêlés d'éclairs, une tour dégringole — au diable qui l'avait bâtie si légère ! – et la retraite est coupée. Puis, l'une après l'autre, les murailles s'écroulent...

Adieu, tout espoir de revoir le jour ! C'était, pour un homme de ma robe, un déshonneur de quitter ce monde en société d'un juif : aussi je lève ma pertuisane pour lui casser la tête ; mais j'ai pitié de ses cheveux blancs, et il me vient à l'esprit qu'il était préférable de recourir aux armes spirituelles pour opérer sa conversion. Idée lumineuse ! Grâce à saint Dunstan, la semence est tombée en bonne terre... Seulement, à force de l'entretenir toute la nuit des saints mystères, sans m'être garni l'estomac – est-ce la peine de parler des quelques gouttes de vin que j'ai bues pour me dégourdir ? – j'ai la cervelle qui m'en saute. Enfin, j'étais aux trois quarts éreinté. Demandez à Gilbert et à Wibbold dans quel état ils m'ont trouvé... fourbu, éreinté !

– Nous en sommes témoins, dit Gilbert. Après avoir écarté les décombres et, avec l'aide de saint Dunstan, dégagé l'escalier du donjon, nous avons trouvé le tonnelet presque vide, le juif à moitié mort, et le frère plus qu'à moitié... éreinté, comme il dit.

– Vous mentez, garnements ! s'écria le moine indigné. C'est vous et vos goinfres de camarades qui avez nettoyé la futaille, en appelant cela le coup du matin. Que je sois un païen si je ne l'avais mise de côté pour la bouche du capitaine ! Qu'importe après tout ! Le juif est converti, c'est l'essentiel ; il comprend presque aussi bien que moi, sinon à fond, ce que je lui ai enseigné.

– Cela est-il vrai, juif ? demanda Locksley. As-tu renié ton erreur ?

– Puissé-je trouver merci à vos yeux, répondit Isaac, mais je n'ai pas saisi un mot de tout ce que m'a dit le révérend durant cette horrible nuit. Hélas ! j'étais si éperdu d'épouvante et de douleur que notre père, le bienheureux Abraham, fût-il venu lui-même, m'aurait trouvé sourd à sa parole.

– Mensonge ! et tu le sais bien, juif, riposta l'ermite. Il suffit d'une seule preuve. Que m'as-tu promis dans notre conférence ? D'abandonner à notre ordre toutes tes richesses.

– J'en atteste mon salut éternel ! dit Isaac, de plus en plus alarmé. Jamais une telle chose n'est sortie de mes lèvres, mes beaux seigneurs. Ah ! pauvre vieux que je suis !... Ma fille n'est plus, j'en ai peur... Ayez pitié de moi, laissez-moi aller.

– Tu rétractes tes vœux envers l'Église ? dit le frère. Eh ! bien, tu vas t'en repentir.

Aussitôt, levant sa pertuisane, il en aurait rudement caressé les épaules du malheureux si le chevalier Noir n'eût arrêté le coup.

– Par saint Thomas de Cantorbéry ! s'écria-t-il, en tournant sa colère contre celui-ci, attends un peu, sire de la Fainéantise, je vais t'apprendre, malgré ton fourreau d'acier, à te mêler de mes affaires !

– Allons, ne fais pas le méchant, dit le chevalier ; tu n'ignores pas que nous sommes une paire d'amis.

– Je n'en sais rien du tout, et je te mets au défi comme un fat et un intrigant que tu es.

– Soit, dit le chevalier, qui paraissait prendre un secret plaisir à irriter son ancien hôte. As-tu donc oublié comment – sans parler de la tentation où le vin et le pâté t'avaient fait tomber –, tu as rompu, en ma faveur il est vrai, ton vœu d'abstinence ?

– Ah ! cher ami, dit le frère en serrant son énorme poing, quelle bourrade tu vas recevoir !

– Je n'accepte pas les cadeaux de ce genre ; le tien sera, si tu veux, un emprunt que je te rembourserai avec des intérêts plus formidables que jamais ton prisonnier n'en a exigés dans son industrie.

– Voyons la preuve, tout de suite.

– Holà ! s'écria le capitaine. Que prétends-tu faire, tête à l'envers ? Une querelle sous notre grand chêne ?

– Une querelle ? reprit le chevalier. Oh ! non ; tout au plus, un échange de politesses entre amis. Frappe, moine, si tu l'oses ; je recevrai ton coup, à condition de te rendre ensuite (c).

— Avec ton pot de fer en tête, l'avantage te reste. Mais serais-tu Goliath avec son casque d'airain, gare à toi ! Je vais te faire baiser la terre.

L'ermite retroussa jusqu'au coude son bras musculeux, et, rassemblant toute sa force, détacha sur la tempe de son adversaire un coup qui aurait assommé un bœuf. Ce dernier pourtant, ferme comme un roc, ne broncha pas. Tous les assistants poussèrent de grandes acclamations ; le coup de poing du frère était chez eux passé en proverbe, et il y en avait bien peu qui, sérieusement ou pour rire, n'en eussent à l'occasion éprouvé la vigueur.

— A mon tour, dit le chevalier, en ôtant son gantelet. Si j'ai eu l'avantage sur la tête, je n'en veux point à la main. Tiens ferme, en homme de cœur.

— *Genam meam dedi vapulatori*, j'ai donné des verges pour me fouetter. Que je bouge d'un cran, camarade, et la rançon du juif t'appartient.

Ainsi s'exprimait le robuste ermite, en prenant un ton d'emphatique bravade. Mais qui peut échapper à son destin ? Le coup du chevalier fut administré avec tant de nerf et de justesse que le moine alla culbuter sur l'herbe, à l'ébahissement des spectateurs.

Se relevant, sans montrer ni honte ni dépit :

— Frère, dit-il au vainqueur, tu aurais pu ménager un peu ta force. A peine aurais-je pu bredouiller une messe boiteuse si tu m'avais cassé la mâchoire, et une mâchoire cassée n'aide pas à jouer de la cornemuse. Cependant, voici ma main en signe de bonne amitié. Quant à échanger de nouvelles bourrades, c'est fini, je perds trop à ce marché-là. Plus de brouille entre nous ! Réglons la rançon du juif ; semblable au léopard qui ne change pas les rayures de sa robe, juif il est, juif il reste.

— Eh ! eh ! dit un des archers, l'ermite n'est plus si certain d'avoir converti Isaac, depuis la taloche qu'il a reçue.

– Va donc, sacripant ! Qu'est-ce que tu radotes, avec ta conversion ? On ne respecte plus rien ici... Tous maîtres, quoi ! Les jambes me flageolaient un peu, entends-tu, vaurien ? quand est venu le tour du brave chevalier ; sans quoi, je n'aurais pas bronché. Plus de gouaillerie là-dessus, ou tu apprendras à tes dépens que je sais donner aussi bien que recevoir.

– Silence ! dit le capitaine. Pour toi, juif, songe à ta rançon. Ta race, tu le sais de reste, est réputée maudite dans toute société chrétienne, et ta présence parmi nous n'est rien moins qu'agréable. Pense donc à ce que tu peux nous offrir, pendant que j'interrogerai un prisonnier d'une autre espèce.

– A-t-on pris beaucoup des soldats de Front de Bœuf ? demanda le chevalier.

– Pas un d'assez marquant pour le rançonner, répondit Locksley. Il y avait encore une poignée de pauvres diables, à qui j'ai permis de chercher un autre maître ; nous avions assez fait pour la vengeance et le butin ; ce qui restait ne valait pas un quart d'écu. Le prisonnier dont je parle est de haute volée ; c'est un galant moine qui s'était mis en route pour aller voir sa belle, à en juger par le train de son équipage et le luxe de ses habits. Voici le digne homme, aussi sémillant qu'une pie.

Et, sous la garde de deux *outlaws*, fut amené devant le trône champêtre de leur chef notre ancienne connaissance Aymer, prieur de l'abbaye de Jorvaulx (d).

CHAPITRE XXXIII

> – Fleur des guerriers, que fait
> Titus Lartius ?
> *Coriolan.* Il est occupé à ren-
> dre des décrets : il condamne les
> uns à mort, les autres à l'exil ; il
> rançonne celui-ci, et gracie celui-
> là ; il fait peur au reste.
> SHAKESPEARE, *Coriolan.*

La contenance et la physionomie de l'ecclésiasti-
que prisonnier offraient un bizarre mélange d'orgueil
offensé, de coquetterie froissée et de terreur physi-
que.

– Eh ! bien, qu'est-ce donc, mes maîtres ? dit-il
d'un ton où se confondaient ces diverses impressions. Que signifie une telle conduite ? Êtes-vous
Turcs ou chrétiens pour toucher à un homme d'Église ? Savez-vous ce que c'est que *manus imponere in
servos Domini* ? Vous avez pillé mes malles, déchiré
ma chape à festons de fine dentelle, qui n'eût pas été
indigne d'un cardinal ! Tout autre, à ma place, aurait
lancé l'*excommunicabo vos* ; mais j'ai un grand
fonds d'indulgence... Ainsi, tenez, rendez-moi mes
bêtes et mes malles, relâchez mes frères, comptez sur
l'heure cent couronnes pour faire dire des messes au
maître-autel de l'abbaye de Jorvaulx, enfin engagez-
vous à ne pas manger de venaison d'ici à la Pentecô-
te, et à ces conditions vous n'entendrez point parler
de cette folle équipée.

– Vénérable prélat, dit le chef des *outlaws*, il m'est pénible de penser que vous ayez subi, de la part de mes gens, un traitement qui ait appelé vos censures paternelles.

– Traitement, dites-vous ? répéta le prieur, réconforté par ce ton de douceur. On ne traiterait pas de la sorte un chien de race, encore moins un chrétien, un prêtre bien moins encore, et à plus forte raison le prieur de la sainte communauté de Jorvaulx. Vous avez, par exemple, un impie, un ivrogne de ménestrel, nommé Allan Dale, *nebulo quidam*, un polisson... Ne m'a-t-il pas menacé de peine corporelle, que dis-je ? de mort même, si je ne payais une rançon de quatre cents couronnes, en sus des trésors qu'il m'a déjà volés, chaînes d'or et bagues jumelles d'une valeur inestimable, sans parler de tout ce que leurs mains grossières ont brisé et gâté, comme ma boîte à parfums et ma pince à friser en argent.

– Il est impossible qu'Allan Dale se soit ainsi conduit vis-à-vis d'une personne si respectable.

– C'est aussi vrai que l'évangile de saint Nicodème ! Il a juré, dans son patois du Nord, avec les serments les plus affreux, qu'il me pendrait lui-même à l'arbre le plus élevé de la forêt.

– Oui-dà ! Alors, mon révérend, m'est avis que vous ferez bien de le satisfaire ; car Allan Dale est homme à tenir sa parole, une fois qu'il l'a donnée.

Le prieur parut interdit, et se mit à rire de mauvaise grâce.

– Vous plaisantez, sans doute, dit-il ; moi aussi, j'aime à plaisanter, et de bon cœur. Pourtant, ah ! ah ! ah ! quand le jeu a duré tout le long de la nuit, il est temps d'être sérieux le lendemain.

– Un confesseur n'est pas plus sérieux que moi. Il faudra payer une forte rançon, sire prieur, ou bien votre couvent aura probablement une élection à faire ; la place que vous y aviez ne vous connaîtra plus.

– Êtes-vous chrétien pour tenir à un membre de l'Église un pareil langage ?

– Chrétiens ! oui, pardieu, nous le sommes, et qui plus est, il y a parmi nous des théologiens. Que notre joyeux chapelain s'avance et qu'il cite au prieur les textes qui se rapportent à la chose.

L'ermite, qui était encore entre deux vins, endossa à la hâte un froc par-dessus sa casaque verte, et, repassant dans sa tête les bribes d'instruction qu'il avait autrefois apprises de routine, il apostropha ainsi le prieur :

– Vénérable père, *Deus faciat salvam benignitatem vestram,* Dieu protège votre benoîte personne, et soyez le bienvenu dans nos bois.

– Quelle est cette profane jonglerie ? dit Aymer. Si tu appartiens réellement à l'Église, mon brave, il serait plus décent de m'apprendre comment je puis me tirer des mains de ces gens-là que d'être là à faire des singeries et des grimaces comme un danseur mauresque.

– De vrai, mon révérend, je ne vois qu'un moyen de vous tirer d'affaire ; c'est notre Saint-André aujourd'hui, nous cueillons nos dîmes.

– Non pas sur le clergé, j'espère ?

– Clercs et laïques, tout est bon. Par conséquent, sire prieur, *facite vobis amicos de Mammone iniquitatis,* faites-vous bien venir du Mammon d'iniquité : il n'y a pas d'ami qui puisse vous rendre un meilleur office.

– Les forestiers sont de joyeux compères, qui me plaisent fort, reprit Aymer d'un ton radouci. Allons, ne m'écorchez pas trop. Moi aussi, je connais à fond la vénerie, et je sais tirer du cor des sons clairs et prolongés à faire trembler tous les arbres de la forêt.

– Qu'on lui donne un cor, dit Locksley. Nous verrons bien s'il se vante.

Le prieur sonna une fanfare ; mais le capitaine, secouant la tête :

– Sire prieur, dit-il, la musique est agréable, mais ce n'est pas une rançon suffisante. La liberté, comme dit la devise d'un bon chevalier, ne s'achète pas pour une bouffée de vent. D'ailleurs, je t'ai reconnu : tu es de ceux qui dénaturent nos vieux airs de trompe en les surchargeant d'agréments et des *tralala* de France. Prieur, la ritournelle ajoutée à ta fanfare te coûtera cinquante couronnes de plus : c'est corrompre les mâles sonneries de chasse de nos aïeux.

– Ma foi ! l'ami, dit Aymer d'un air piqué, ta science est difficile à contenter. Espérons que tu seras plus coulant sur l'article de ma rançon. En somme, puisqu'il me faut, une fois par hasard, brûler un cierge en l'honneur du diable, qu'aurai-je à débourser pour qu'il me soit permis de traverser vos bois sans avoir cinquante curieux à mes trousses ?

– Ne serait-il pas juste, dit le lieutenant de la bande à l'oreille du capitaine, que le juif fixât la rançon du prieur et le prieur celle du juif ?

– Drôle d'idée, mais superbe ! répondit le capitaine. Holà ! juif, viens ici. Vois-tu ce révérend père Aymer, prieur de la riche abbaye de Jorvaulx ? Dis-nous un peu quelle rançon nous devons lui imposer. Tu connais, j'en suis sûr, l'état de ses revenus.

– Assurément, dit Isaac. J'ai été en relation avec les bons pères, et je leur ai acheté du blé, de l'orge et beaucoup de laine. Oh ! l'abbaye est riche ! Ils font bonne chère et boivent des vins fins, ces bons pères de Jorvaulx ! Si un déclassé de ma sorte avait une telle résidence et de tels revenus à l'année et au mois, j'aurais à donner pas mal d'or et d'argent pour ma liberté.

– Chien de juif ! s'écria le prieur. Nul ne sait mieux que ta maudite personne que notre sainte maison est endettée, à cause de l'achèvement du chœur...

– Et de l'approvisionnement de vos celliers, l'an passé, en vins de Gascogne, interrompit le juif ; mais c'est peu de chose.

– L'entendez-vous, ce traître d'infidèle ! Ne dirait-on pas que notre pieuse communauté s'est couverte de dettes pour avoir acheté des vins que nous avons congé de boire *propter necessitatem et ad frigus depellendum* ? Ce coquin-là blasphème la sainte Église, et des chrétiens l'écoutent sans horreur !

– Tout cela ne mène à rien, dit Locksley. A quelle somme le taxes-tu, Isaac, sans l'écorcher vif ?

– A six cents couronnes, dit le juif. Après les avoir comptées à Vos Seigneuries, le bon prieur n'en aura pas moins ses aises dans sa stalle.

– Six cents couronnes, dit gravement le chef, je m'en contente. Tu as bien parlé, Isaac. Six cents couronnes ! L'arrêt est rendu, sire prieur.

– Oui, oui, s'écria l'assistance. Salomon n'eût pas mieux jugé.

– Tu es condamné, prieur, reprit le chef.

– Ah ! çà, vous perdez l'esprit, mes maîtres, dit Aymer. Où trouver une pareille somme ? En vendant jusqu'au ciboire et aux chandeliers du grand autel, j'en réunirais à peine la moitié. Encore faudra-t-il pour cela que j'aille moi-même à Jorvaulx ; vous garderez mes deux frères en otage.

– Ce serait pécher par excès de confiance, dit Locksley. Tu resteras avec nous, et tes deux acolytes iront quérir la rançon. En attendant, tu ne chômeras ni d'un coup de vin ni d'une grillade de venaison, et, puisque tu as la passion de la chasse, on te servira à souhait et tu n'auras rien vu de pareil dans ton pays du nord.

Isaac, qui désirait se concilier la faveur des *outlaws,* proposa un moyen terme.

– Sauf votre bon plaisir, dit-il, je puis faire venir d'York les six cents couronnes, à condition que le très respectable prieur, ici présent, m'en délivre quittance, à valoir sur les paiements que je lui dois.

– Il t'accordera tout ce que tu voudras, Isaac, reprit le chef, et tu feras venir la rançon du prieur en même temps que la tienne.

— La mienne, vaillants seigneurs ?... à moi, un homme ruiné sans ressources ? s'écria le juif. En supposant même que je vous donne cinquante couronnes, je n'aurais plus qu'à mendier mon pain pour le reste de mes jours.

— Le prieur en jugera, répliqua le capitaine. Qu'en pensez-vous, père Aymer ? Peut-on exiger du juif une rançon quelconque ?

— Si on le peut ! répondit le prieur. Ne s'appelle-t-il pas Isaac d'York, et n'est-il pas assez riche pour racheter de la captivité les dix tribus d'Israël, que les Assyriens avaient réduites en servage ? Personnellement, je ne le connais guère, mais le cellerier et le trésorier du couvent ont traité beaucoup d'affaires avec lui, et sa maison, à ce qu'ils disent, regorge d'or et d'argent à un point que c'est une honte en pleine terre chrétienne. Comment souffre-t-on que de tels vampires dévorent jusqu'aux entrailles le royaume et notre mère l'Église elle-même, à force d'usure et de voleries infâmes ? Tous les cœurs vraiment chrétiens s'en indignent.

– Doucement, mon père, repartit Isaac ; ne vous échauffez pas la bile. Que Votre Révérence daigne se souvenir que je ne force personne à prendre mes écus. Lorsqu'il arrive à quelqu'un, clerc ou laïque, prince ou prieur, chevalier ou prêtre, de frapper à la porte du juif, ce n'est pas en ces termes malsonnants qu'il lui emprunte de l'argent. On dit : « Cher Isaac, voulez-vous me faire ce plaisir ? Je vous rembourserai sans faute, Dieu m'en est témoin ! » Ou bien : « Mon bon Isaac, si vous avez jamais rendu service, c'est le moment de vous montrer mon ami. » Puis, au jour de l'échéance, quand je réclame mon dû, l'on chante une autre antienne : « Damné juif ! Malédiction sur toi et les tiens ! » et tout ce qui peut exciter une populace violente et grossière contre de pauvres étrangers.

– Prieur, fit observer le capitaine, tout juif qu'il est, en ceci il a frappé juste. Fixez le taux de sa rançon comme il a fait pour la vôtre, en laissant les gros mots de côté.

– Il n'y a, dit le prieur, qu'un *latro famosus* – ce que je vous expliquerai en temps et lieu – pour peser dans les mêmes balances un dignitaire de l'Église et un juif non baptisé. Mais, puisque vous exigez de moi que je mette à prix ce ver de terre, vous seriez de véritables dupes, je vous le dis tout franc, de lui demander un sou de moins que mille couronnes.

– L'arrêt est rendu, prononça le chef des *outlaws*.

– Oui, c'est jugé, s'écrièrent ses compagnons. Le chrétien a fait preuve de supériorité en nous traitant plus libéralement que le juif.

– Le Dieu de mes pères me vienne en aide ! s'écria Isaac. Voulez-vous mettre en terre un vieillard déjà accablé ? Le jour où je perds mon enfant, voulez-vous me ravir tous moyens d'existence ?

– Bah ! fit Aymer. Si tu n'as plus d'enfant, tu auras moins de besoins.

– Hélas ! Messire, votre religion ne vous permet pas de connaître les mille liens qui rattachent l'enfant de nos entrailles aux fibres de notre cœur. Ô Rébecca ! fille de ma Rachel bien-aimée ! Si chaque feuille de ce chêne était un sequin et que chaque sequin fût à moi, cette masse d'or... je la donnerais pour savoir si tu vis encore et si tu as échappé aux mains du Nazaréen !

– Ta fille n'a-t-elle pas des cheveux noirs ? demanda l'un des *outlaws*, et ne portait-elle pas un voile de soie brodé d'argent ?

– Oui, oui, dit le vieillard, frémissant d'impatience comme tout à l'heure il avait tremblé de crainte. Que Jacob te bénisse ! Sais-tu ce qu'elle est devenue ?

– Alors c'est elle, reprit *l'outlaw,* que le templier enleva hier soir en culbutant nos rangs au galop. J'ai tendu mon arc pour lui décocher une flèche, mais je l'ai épargné à cause de la jeune fille qui aurait pu être blessée.

– Ah ! plût à Dieu que la flèche fût partie, quand elle aurait dû lui percer le sein ! La tombe de ses pères était préférable à l'infâme couche du sauvage et licencieux templier. *Ichabod ! Ichabod !* La gloire de ma maison est éteinte !

– Amis, dit Locksley en jetant un regard à la ronde, ce vieillard n'est qu'un juif, pourtant son désespoir me touche. Voyons, Isaac, n'y va pas par quatre chemins : cette rançon de mille couronnes te laissera-t-elle absolument à sec ?

Rappelé à la pensée de ses biens terrestres, dont l'amour, par suite d'une habitude invétérée, luttait même chez lui avec la tendresse paternelle, Isaac pâlit, balbutia et ne nia pas qu'il lui resterait « quelque petite chose en plus ».

– Eh ! bien, va, quoi qu'il te reste, reprit Locksley, nous ne compterons pas trop rigoureusement avec toi. Sans argent, tu peux aussi bien t'attendre à retirer ta fille des griffes du sire qu'à tuer un cerf dix-cors avec une flèche sans pointe. Nous te demanderons la même somme qu'au prieur de Jorvaulx, ou plutôt cent couronnes de moins ; cette diminution, que je porterai à mon compte personnel, ne retombera pas sur l'honorable compagnie. Par ainsi, nous esquiverons l'abominable péché d'avoir taxé un marchand juif aussi haut qu'un prélat chrétien, et tu auras encore cinq cents couronnes pour négocier la rançon de ta fille. L'éclat d'une pièce d'or ne plaît pas moins aux templiers que la flamme d'un œil noir. Hâte-toi de faire sonner cette musique à l'oreille de Bois-Guilbert, avant qu'il arrive malheur. Tu le trouveras, d'après le rapport qu'on m'en a fait, à la commanderie voisine de son ordre. Ai-je bien fait, camarades ?

Il y eut de la part des *outlaws* un cri général d'approbation sans réserve. De son côté, Isaac, soulagé de la moitié de ses angoisses par l'assurance que sa fille était vivante et par l'espoir de la délivrer, se précipita aux pieds du généreux capitaine, et, frottant sa barbe contre ses brodequins, chercha à baiser le pan de sa casaque. Celui-ci recula de quelques pas et se dégagea de son étreinte, non sans un geste de mépris.

– Allons, vieillard, relève-toi ! dit-il. Je suis Anglais, et je n'aime pas ces génuflexions à l'orientale. Mets-toi à genoux devant Dieu, et non devant un pauvre pécheur tel que moi.

– Oui, juif, dit Aymer, prosterne-toi devant Dieu dans la personne du serviteur de ses autels ; et, qui sait ? avec un sincère repentir et les offrandes de rigueur à la châsse de saint Robert, si tu n'obtiendras pas ta grâce et celle de ta fille ? J'en suis fâché pour elle, qui est jolie et avenante ; je l'ai remarquée au tournoi d'Ashby. Quant à Bois-Guilbert, je ne suis pas sans crédit auprès de lui, et il ne tient qu'à toi de gagner mon appui.

– Hélas ! hélas ! soupira le juif. De toutes parts on ne pense qu'à me dépouiller. L'Assyrien et l'Égyptien me traitent comme leur proie.

– Et quel pourrait être le lot de ta race maudite ? dit le prieur. Que dit la sainte Écriture : *Verbum Domini projecerunt et sapientia est nulla in eis*, ils ont rejeté la parole du Seigneur et perdu toute sagesse ? Et encore : *Propterea dabo mulieres eorum exteris,* c'est pourquoi je donnerai leurs femmes aux étrangers, c'est-à-dire au templier, comme il arrive de ta fille ; *et thesauros eorum hæredibus alienis,* et leurs trésors à d'autres que leurs héritiers, à ces honnêtes gens d'ici par exemple, comme tout à l'heure.

Isaac poussa de profonds gémissements, se tordit les mains et retomba dans un transport de douleur et de désespoir.

Le chef des *outlaws,* l'ayant tiré à part, lui dit :

– Réfléchis bien, Isaac, à ce qu'il convient de faire. Selon moi, tu dois mettre le prieur dans tes intérêts. C'est un homme vain autant qu'avide, ou du moins il a besoin d'argent pour suffire à ses prodigalités. Sur ce point, il t'est facile de le satisfaire ; car, ne t'imagine pas que je sois dupe de tes protestations de pauvreté. Je connais parfaitement le coffre-fort où tu serres tes sacs d'écus. Oui, Isaac, et la dalle de pierre placée sous un pommier de ton jardin à York, et par laquelle on descend à un caveau voûté, je la connais aussi.

Le vieillard pâlit affreusement.

– Mais de moi tu n'as rien à craindre, continua le chef ; nous sommes de vieilles connaissances. Ne te souvient-il pas d'un archer malade, que ta charmante fille racheta des fers à York ? Il fut soigné dans ta maison jusqu'à ce qu'il fût guéri, et tu le congédias en lui donnant une pièce d'argent. Tout usurier que tu es, jamais tu n'as placé tes fonds à si gros intérêts, car cette humble piécette t'a rapporté aujourd'hui cinq cents couronnes.

– C'est donc toi, dit Isaac, qu'on appelait Dick l'Archer ? Il me semblait bien que le son de ta voix ne m'était pas inconnu.

– Oui, je suis Dick l'Archer, et je suis Locksley, et j'ai un autre nom qui vaut mieux encore.

– Mais au sujet du caveau, mon brave Dick, tu es dans l'erreur. Il n'y a rien, j'en atteste le ciel, que des ballots de marchandises, dont je céderai de bon cœur une partie à tes hommes : une centaine d'aunes de drap vert de Lincoln pour leur faire des casaques, une centaine de cotterets d'if d'Espagne pour tailler des arcs, et autant de cordes souples, rondes et résistantes. Je t'enverrai le tout, honnête Dick, pour tes bonnes intentions ; mais sois muet sur le caveau.

– Muet comme un loir. Quant au malheur de ta fille, je te le dis en toute sincérité, cela me peine beaucoup ; mais je n'y puis rien. Les lances du Temple sont, en rase campagne, trop fortes pour mes archers : elles les éparpilleraient comme de la poussière. Si j'avais été prévenu de l'enlèvement de Rébecca, dans le moment j'aurais tenté quelque chose ; à présent, il ne reste plus qu'à user de politique. Voyons, veux-tu que j'arrange cette affaire avec le prieur ?

– Au nom du Seigneur ! Dick, si tu le peux, aide-moi à sauver l'enfant de mes entrailles !

– Que ton avarice ne vienne pas mal à propos se jeter à la traverse, et je me charge de ta cause.

Locksley s'éloigna, suivi du juif, qui s'attacha à ses pas comme son ombre.

– Prieur Aymer, dit le capitaine, venez avec moi sous ces arbres. On dit que vous aimez le vin et les sourires d'une dame plus qu'il ne sied à votre caractère ; cela vous regarde. On prétend aussi que vous aimez un couple de bons chiens et un cheval de race, et il est très possible qu'avec le goût des choses coûteuses, vous ne détestiez pas une bourse bien garnie. Mais je n'ai pas ouï dire que vous eussiez le cœur dur ou méchant. Or, Isaac, que voilà, est tout disposé à vous donner de quoi vous réjouir et passer le temps, c'est-à-dire un sac contenant cent marcs d'argent, si votre intervention auprès du templier, votre ami, peut lui procurer la liberté de sa fille.

— Saine et pure, telle qu'il me l'a prise, dit le juif; sinon, marché nul.

— Silence, Isaac, ou j'abandonne tes intérêts! Que dites-vous de ma proposition, prieur Aymer?

— Hum! répondit ce dernier. L'affaire est d'un genre mixte. Si, d'une part, je fais le bien, il tourne, de l'autre, à l'avantage d'un juif, ce qui est contre ma conscience. Toutefois, que l'Israélite fasse honneur à l'Église en ajoutant un supplément pour la bâtisse de notre dortoir, et je prendrai sur ma conscience de lui venir en aide au sujet de sa fille.

— Pour une vingtaine de marcs au dortoir... C'est bon, Isaac; tais-toi!... ou pour une paire de chandeliers d'autel, nous n'aurons pas de chicanes ensemble.

— Mais, mon brave Dick... essaya de dire Isaac.

— Brave juif, bonne bête, excellent ver de terre, s'écria Locksley perdant patience, si tu continues à vouloir mettre tes immondes bénéfices en balance avec l'honneur et la vie de ta fille, de par le ciel! avant trois jours, je t'enlève jusqu'au dernier liard de ce que tu possèdes au monde!

Isaac se tut, prêt à rentrer sous terre.

— Et quelle sera ma garantie? fit observer le prieur.

— Si, repartit l'archer, Isaac réussit par votre médiation, à son retour je veillerai à ce qu'il s'acquitte envers vous en bon argent, ou, j'en jure par saint Hubert, il aura un tel compte à me rendre qu'il aimerait mieux en débourser vingt fois autant.

— Eh! bien donc, juif, dit Aymer, puisqu'il faut

absolument me mêler de cette affaire, passe-moi tes tablettes... ou plutôt, non ! Toucher la plume d'un juif, j'aimerais mieux jeûner vingt-quatre heures ! Mais où en trouver une autre ?

– Si vos pieux scrupules vous défendent de toucher aux tablettes, je me charge du reste.

Ce disant, Locksley banda son arc et lança une flèche contre une oie sauvage qui passait au-dessus d'eux, sentinelle avancée d'une phalange de son espèce qui dirigeait son vol vers les marécages éloignés et solitaires d'Holderness. L'oiseau, percé de part en part, vint s'abattre à leurs pieds en tournoyant.

– Voilà, prieur, ajouta le chef, de quoi fournir de plumes tous vos moines pour cent ans au moins, car ceux-là, que je sache, n'écrivent pas de chroniques.

Aymer s'assit et composa tout à loisir son épître à Briand de Bois-Guilbert. Après l'avoir scellée avec soin, il la remit au vieillard en disant :

– Tu n'as pas besoin d'autre sauf-conduit pour la commanderie de Templestowe. Avec cela, je pense, on te rendra probablement ta fille. Aie soin de l'appuyer pourtant d'offres avantageuses et d'articles de ton commerce, car, c'est le point important, le brave chevalier de Bois-Guilbert est d'une confrérie où l'on ne fait rien pour rien.

– Sur ce, prieur, dit le capitaine, je ne vous retiens plus que le temps de donner à Isaac reconnaissance des six cents couronnes, montant de votre rançon. Je l'accepte pour trésorier. Mais attention ! ne vous faites pas tirer l'oreille, restituez-lui de bonne grâce la somme qu'il aura payée, ou, que la Vierge m'abandonne si je ne brûle pas le couvent à votre barbe, dussé-je être pendu dix ans plus tôt !

Ce fut avec bien plus de répugnance que le révérend prit de nouveau la plume pour écrire l'acte en question : outre la décharge des six cents couronnes avancées par Isaac d'York, il s'engagea à lui tenir un compte fidèle de cette somme.

– Maintenant qu'en loyal prisonnier, ajouta-t-il, j'ai satisfait au payement de ma rançon, veuillez me faire rendre mes mules et mon palefroi, les révérends frères qui m'accompagnaient, ainsi que mes bagues jumelles, joyaux et vêtements de prix.

– Vos moines, sire prieur, sont libres dès à présent ; il y aurait injustice à les retenir. On vous rendra aussi vos montures, avec l'argent nécessaire pour aller à York ; il y aurait méchanceté à vous ôter les moyens de voyager. Pour les bagues, joyaux et le reste, c'est autre chose : nous avons la conscience trop délicate, sachez-le bien, pour exposer un homme aussi vulnérable que vous l'êtes, et qui doit être mort aux vanités du monde, à l'irrésistible tentation de violer la règle de ses fondateurs en portant un de ces futiles hochets.

– Songez à ce que vous faites, mes maîtres, avant d'étendre la main sur les biens de l'Église. Ces objets sont sacrés, *inter res sacras*, et vous ignorez quelle peine frapperait le laïque qui oserait s'en parer.

– J'y veillerai, révérend prieur, en les portant moi-même, dit l'ermite.

– Ami ou frère, répliqua Aymer à cette façon de

lever ses scrupules, si tu as réellement reçu les ordres, comment expliqueras-tu à tes supérieurs la part que tu as prise à ce qui vient de se passer ? Cela mérite réflexion.

– Cher prieur, dit l'ermite, apprenez que j'appartiens à un petit diocèse, dont je suis moi-même l'évêque, et que je ne me soucie pas plus du primat d'York que de l'abbé de Jorvaulx, de son prieur et de sa communauté.

– Tu es hors de toute règle, un de ces hommes sans principes qui, ayant revêtu le caractère sacré sans y être appelés, profanent les saintes cérémonies et mettent en péril les âmes de ceux qui se confient à leur direction ; *lapides pro pane condonantes iis*, leur donnant des pierres en place de pain, comme dit la Vulgate.

– Oh ! s'il n'avait fallu que du latin pour me fendre la tête, elle n'aurait pas résisté si longtemps. Moi, je prétends que soulager un tas d'orgueilleux prêtres tels que toi de leurs bijoux et colifichets est une œuvre aussi légitime que dépouiller des Égyptiens.

– Vil prestolet (e) ! dit le prieur, enflammé de colère. Gare à l'excommunication ! *Excommunicabo vos !*

– Hérétique et voleur, voilà ton portrait ! dit l'ermite tout aussi furieux. Je n'avalerai pas l'affront que tu viens de me faire devant mes paroissiens, à moi ton respectable frère, sans te rompre les os, *ossa ejus perfringam*, comme dit la Vulgate.

– Holà ! s'écria le capitaine. Des frères en venir à un tel esclandre ! Tenez-vous en paix. Prieur, si vous n'êtes pas en état de grâce, ne poussez pas davantage notre chapelain ; et toi, l'ermite, laisse le père s'éloigner en repos, comme un débiteur libéré.

On sépara les deux antagonistes ; mais telle était leur exaspération qu'ils continuèrent à vociférer, l'un contre l'autre, des injures dans un mauvais latin, que le prieur débitait avec plus de facilité, l'ermite avec plus de véhémence. Le premier, à la fin, recouvra assez de sang-froid, pour s'apercevoir qu'il compromettait sa dignité en se chamaillant avec un prêtre aussi débraillé que le chapelain des *outlaws*. Les moines de sa suite l'ayant rejoint, il se remit en route, d'un train bien moins fastueux, et par conséquent plus apostolique, du moins en ce qui touchait aux choses d'ici-bas, qu'avant cette malencontreuse aventure.

Il ne restait plus qu'à obtenir d'Isaac une garantie pour la rançon qu'il avait à payer, tant au nom du prieur qu'au sien. Il donna donc à un de ses confrères d'York l'ordre, scellé de son sceau, de remettre au porteur la somme de mille couronnes et différentes marchandises nommément détaillées.

— Mon frère Séba, ajouta-t-il avec un gémissement, a les clefs de mes magasins.

— Même celle du caveau ? dit tout bas Locksley.

— Non, non, le ciel m'en préserve ! répondit Isaac. Maudite soit l'heure où ce secret a été connu !

— Il est en sûreté avec moi, aussi vrai que ce chiffon de papier vaut la somme qui y est mentionnée et couchée par écrit. Eh ! bien, Isaac, qu'est-ce donc ? Es-tu mort ou engourdi ? Le paiement d'un millier de couronnes te fait-il oublier le malheur de ta fille ?

Le vieillard se leva tout à coup.

— Non, Dick, non, dit-il. Je pars à l'instant. Adieu, toi que je ne puis appeler bon, et que je ne veux ni ne dois appeler méchant !

Cependant, le chef des *outlaws* ne le laissa pas s'éloigner avant de lui donner ce suprême conseil :

— Sois libéral dans tes offres, Isaac, et n'épargne pas ta bourse pour le salut de ta fille. Crois-moi, l'or que tu épargneras à cause d'elle te causera dans la suite autant de tortures que si on te le versait tout brûlant dans la gorge.

Isaac en convint avec d'interminables soupirs, et partit, accompagné de deux grands diables d'archers, qui devaient lui servir de guides et d'escorte à la fois durant la traversée de la forêt.

Le chevalier Noir, qui avait assisté, non sans un vif intérêt, à tout ce qui s'était passé, vint, à son tour, prendre congé de Locksley, et il ne put s'empêcher de lui témoigner sa surprise d'avoir vu un régime bien ordonné chez une classe d'hommes qui s'étaient soustraits à la protection comme à l'influence des lois sociales.

— Il pousse quelquefois de bons fruits sur de vilains arbres, répondit Locksley, et du malheur des temps ne sort pas toujours un mal sans mélange. Parmi ceux que le sort a jetés dans cette existence illégale, il en est beaucoup certes qui désirent en tempérer les excès, et quelques-uns peut-être qui regrettent d'être obligés de la suivre.

— Et, je le présume, c'est à l'un de ceux-ci que je parle.

— Sire chevalier, nous avons chacun notre secret. Jugez-moi selon votre idée, vous êtes libre, et je puis agir de même à votre égard ; autant de flèches perdues qui n'iront pas au but qu'on se propose. Comme je n'ai pas sollicité vos confidences, ne trouvez pas mauvais que je ne vous fasse pas les miennes.

— Pardonnez-moi, brave proscrit : le reproche est juste. Il se peut toutefois que nous nous revoyons un jour, et avec moins de mystère de part et d'autre. En attendant, quittons-nous bons amis ; le voulez-vous ?

— Voici ma main pour preuve ; c'est la main d'un loyal Anglais, je ne crains pas de le dire, bien que ce soit maintenant celle d'un proscrit.

— En retour, voici la mienne ; je la tiens pour honorée de presser la vôtre. Faire bien alors qu'on a toute puissance de mal faire, cela est digne d'éloges, et pour le bien accompli et pour le mal dont on s'abstient. Adieu, généreux proscrit !

Ils se séparèrent sur ce pied d'amitié, et le chevalier Noir, montant sur son vigoureux destrier, s'engagea à travers la forêt.

CHAPITRE XXXIV

> *Jean.* Oui, mon ami, je te le
> répète : c'est un véritable serpent
> qui me barre le chemin ; partout
> où mon pied se pose, il se dresse
> devant moi. M'as-tu compris ?
> SHAKESPEARE, *le Roi Jean.*

Il y avait grand gala au château d'York, où le
prince Jean avait invité les nobles, les prélats et les
chefs par le concours desquels il espérait réaliser ses
ambitieuses visées sur le trône de son frère. Valdemar Fitzurse, son habile ministre, travaillait en secret
à leur inspirer le degré d'énergie nécessaire pour faire
une déclaration publique de leur dessein. Mais l'absence de quelques-uns des principaux membres du
complot en retardait l'exécution.

Parmi les chances de succès, on avait escompté
d'avance le courage opiniâtre, quoique brutal, de
Front de Bœuf, la pétulante ardeur et la hardiesse de
Bracy, et l'adresse, l'expérience, la valeur renommée
de Bois-Guilbert. Tout en maudissant leur absence
aussi frivole qu'inexplicable, ni Jean ni son conseiller
n'osaient rien entreprendre sans eux. Le juif Isaac
semblait aussi avoir disparu, et avec lui l'espoir de
compléter l'emprunt que le prince avait déjà négocié :
dans une situation critique, le défaut d'argent pouvait
amener de graves embarras.

Dans la matinée qui suivit la chute de Torquilstone, un bruit vague se répandit en ville, d'après lequel Bracy et Bois-Guilbert, ainsi que leur allié, Front de Bœuf, auraient été pris ou tués. Valdemar, en communiquant cette nouvelle au prince, ajouta qu'il inclinait d'autant plus à la croire vraie, que Bracy et le templier étaient, à sa connaissance, partis, avec une faible escorte, dans l'intention d'enlever de force Cedric le Saxon et sa suite. En toute autre occasion, Jean eût regardé cet acte de violence comme une bonne plaisanterie ; mais, y voyant un obstacle à ses projets, il s'emporta contre ceux qui l'avaient commis, et parla de mépris des lois, d'attentat à l'ordre public et à la propriété, sur un ton que n'aurait pas désavoué le grand roi Alfred.

– Pillards éhontés ! s'écria-t-il. « Si jamais je deviens roi d'Angleterre, je ferai pendre leurs pareils au pont-levis de leurs propres châteaux !

– Pour devenir roi d'Angleterre, dit froidement son conseiller, il faut non seulement que Votre Grâce souffre en silence les forfaitures de ces pillards éhontés, mais qu'elle les couvre de sa protection, malgré son louable zèle pour les lois qu'ils respectent si peu. Nous irions loin si la canaille saxonne s'avisait de réaliser la chimère de Votre Grâce, en transformant les ponts-levis de nos manoirs en autant de potences ! Qu'une telle fantaisie vienne à l'esprit d'un Cedric, à la bonne heure ! Votre Grâce n'ignore pas qu'il serait dangereux de faire un pas sans le concours de Front de Bœuf, de Bracy et du templier ; et, d'autre part, nous nous sommes trop avancés pour pouvoir reculer sans crainte.

Le prince se frappa le front d'un air d'impatience, et se mit à arpenter la salle à grands pas.

– Les scélérats ! dit-il. Les vils et traîtres scélérats ! Me planter là au dernier moment !

– Dites plutôt, répondit Fitzurse, les fous, les brouillons, les étourdis, qui vont s'amuser à des fariboles, alors que de si graves intérêts sont en jeu !

– Que faire ? dit Jean, en s'arrêtant tout à coup devant Valdemar.

– Rien de plus que ce que j'ai déjà ordonné. Je ne suis pas venu gémir avec Votre Grâce sur cette mésaventure, sans avoir pris d'avance des mesures pour y remédier.

– Tu es toujours mon bon ange, Valdemar, et avec un chancelier tel que toi pour m'aider de ses conseils, le règne de Jean marquera dans notre histoire. Quelles mesures as-tu prises ?

– J'ai donné ordre à Louis Winkelbrand, lieutenant de Bracy, de faire sonner la trompette pour réunir sa compagnie, de déployer sa bannière et de se rendre sur le champ au château de Front de Bœuf ; là, il devra faire tout son possible pour secourir nos amis.

Le prince rougit à la fois de colère et d'orgueil blessé, comme un enfant gâté qui croit avoir reçu un affront.

– Par la face de Dieu ! dit-il. C'est pousser bien loin la hardiesse, Valdemar Fitzurse ! Qui t'a rendu si malappris de faire sonner la trompette et flotter une bannière dans une ville où nous sommes en personne, sans un exprès commandement.

– Que Votre Grâce daigne me pardonner ! dit Fitzurse, maudissant à part lui la sotte vanité de son maître. Comme le temps pressait et que le moindre retard pouvait être funeste, j'ai cru devoir prendre en main cette grave affaire, qui touche de si près aux intérêts de Votre Grâce.

– En faveur de l'intention, Fitzurse, reprit Jean d'un air sérieux, j'excuse cet excès de témérité. Mais qui vient là ? Par la sainte croix ! c'est Bracy... et dans un étrange attirail, ma foi !

En effet, c'était le chef de la compagnie franche. Haletant et le visage échauffé, couvert de boue et de poussière de la tête aux pieds, il portait, sur son armure faussée et maculée de sang, mainte trace de la lutte acharnée qu'il venait de soutenir. Dénouant son casque, il le plaça sur une table, et garda un moment le silence, comme s'il avait besoin de se recueillir avant de faire son récit.

— Qu'y a-t-il donc, Bracy ? demanda le prince. Parle, je te l'ordonne. Les Saxons sont en révolte ?

— Parle, Bracy, dit Fitzurse presque en même temps que son maître. N'es-tu plus un homme ? Où est le templier ? où est Front de Bœuf ?

— Le templier est en fuite, répondit Bracy. Quant à Front de Bœuf, vous ne le verrez plus : il a trouvé une tombe flamboyante parmi les ruines embrasées de son manoir. Seul, je me suis échappé pour vous prévenir.

— Tes nouvelles me glacent, dit Valdemar, quoique tu parles de flammes et d'embrasement.

— Je n'ai pas dit la plus mauvaise. Et là-dessus Bracy s'approcha du prince et ajouta, en baissant la voix et en accentuant ses paroles : Richard est en Angleterre... je l'ai vu et je lui ai parlé.

Le prince pâlit, chancela et s'appuya sur le dossier d'un banc de chêne pour ne pas tomber, comme un

homme qui vient d'être atteint d'une flèche en pleine poitrine.

– Tu as le délire, dit Fitzurse. C'est impossible !

– Rien n'est plus vrai. J'ai été son prisonnier, et je lui ai parlé, te dis-je.

– Tu as parlé à Richard Plantagenet ?

– À Richard Plantagenet, à Richard Cœur de Lion, à Richard d'Angleterre enfin.

– Et tu as été son prisonnier ? Il est donc à la tête d'un parti ?

– Non ; il n'avait autour de lui qu'un petit nombre d'*outlaws*, qui même ne le connaissaient pas. Je l'ai ouï dire qu'il allait les quitter. Il ne s'était joint à eux que pour les aider à s'emparer de Torquilstone.

– Oui, c'est bien là un trait à la Richard. Véritable chevalier errant, il court les aventures, confiant dans la force de son bras, comme un Gui ou un Bevis, ces héros de ballades, tandis qu'il laisse dormir les intérêts de son royaume et néglige le soin de sa propre sûreté. À présent, que vas-tu faire, Bracy ?

– Moi ? J'ai offert à Richard ma compagnie franche, il l'a refusée. Je vais la conduire au port de Hull, où je me saisirai d'un navire, et puis en route pour la Flandre ! À la faveur de ces temps de troubles, un homme d'action trouve toujours du service. Mais toi, Valdemar, que ne troques-tu les affaires contre la lance et le bouclier ? Viens avec moi partager la fortune que le ciel nous réserve.

– Je suis trop vieux, Maurice, et puis j'ai ma fille.

– Donne-la-moi pour femme ; avec ma bonne épée, je la maintiendrai dans un rang digne de sa naissance.

– Non. Je suis assuré d'un asile ici même, dans l'église de Saint-Pierre ; l'archevêque est de mes meilleurs amis.

Pendant cet entretien, Jean était peu à peu revenu de l'état de stupeur où l'avait plongé la foudroyante nouvelle du retour de son frère, et il avait prêté une oreille attentive aux discours de ses partisans.

« Ils m'abandonnent, pensa-t-il ; ils ne tiennent pas plus à moi que, par un coup de vent, une feuille flétrie ne tient à la branche. Enfer et damnation ! Ne trouverai-je pas de ressources en moi-même, à défaut de ces lâches ? »

Il réfléchit un instant, et une expression de rage diabolique se peignit sur sa physionomie lorsque, avec un rire forcé, il interrompit la conversation.

– Ah ! ah ! ah ! mes bons seigneurs, je vous croyais des gens sages, des gens résolus, des gens avisés ; et pourtant, par la glorieuse face de Notre-Dame ! vous jetez bas richesses, honneurs, plaisirs, tout ce que vous promettait notre sublime partie, juste au moment où il suffirait d'un coup d'audace pour la gagner.

– Je ne vous comprends pas, dit Bracy. Dès qu'on apprendra le retour de Richard, il aura une armée à ses ordres, et alors tout est fini pour nous. Vous feriez bien, Monseigneur, de passer en France ou de réclamer la protection de la reine-mère.

– Qu'ai-je besoin de sauvegarde ? dit le prince d'un ton de hauteur. Je n'ai qu'un mot à dire à mon frère pour être en sûreté. Cependant, malgré votre empressement à me quitter, je ne serais pas précisément charmé de voir vos têtes pourrir au-dessus d'une des portes d'York. L'archevêque est malin, Fitzurse, et pour faire sa paix avec Richard, il te laisserait arrêter au pied même de l'autel ; ne le penses-tu pas ? Et toi, Bracy, as-tu oublié que Robert d'Estouteville te ferme le chemin du port de Hull avec toutes ses forces, et que, plus loin, le comte d'Essex rassemble ses vassaux ? Si nous avions raison de craindre leurs mouvements avant le retour du roi, peut-on conserver aucun doute sur le parti qu'ils vont prendre ? Crois-moi : Estouteville est, à lui seul, assez fort pour jeter dans les eaux de l'Humber toute ta compagnie.

Fitzurse et Bracy se regardèrent d'un air consterné.

– Il ne reste qu'un moyen de tout sauver, poursuivit Jean, dont le front s'assombrit ; l'objet de nos frayeurs voyage seul... il faut aller à sa rencontre.

– Ce ne sera pas moi, s'écria vivement Bracy. J'ai été son prisonnier, il m'a reçu à merci : je ne toucherai pas à une plume de son cimier.

– Qui parle d'y toucher ? reprit Jean avec un rire sardonique. Le coquin dira bientôt que j'ai voulu le faire tuer. Non, une prison vaut mieux, et, qu'elle soit en Angleterre ou en Autriche, qu'importe ? Les choses en seront au même état qu'au début de notre entreprise. Sur quoi se fondait-elle ? Sur l'espoir que Richard serait retenu en Allemagne. Notre oncle Robert n'est-il pas mort prisonnier dans le château de Cardiff ?

– Oui, dit Valdemar, mais votre père Henri était plus solidement assis sur le trône que vous ne sauriez l'être. À mon avis, la meilleure prison est celle qu'a creusée le fossoyeur ; nul donjon ne vaut un caveau d'église. Voilà ce que je prétends.

– Tombe ou prison, dit Bracy, je m'en lave les mains.

– Lâche ! dit Jean. Tu ne voudrais pas me trahir ?

– Je n'ai jamais trahi personne, riposta fièrement Bracy, et ce n'est pas moi qu'il faut appeler lâche.

– Tout beau, chevalier ! dit Fitzurse. Et vous, Monseigneur, excusez les scrupules de notre vaillant capitaine ; j'espère en venir à bout.

– Votre éloquence n'est pas de force, dit Bracy.

– Allons, mon cher Maurice, dit le rusé politique, ne te cabre pas comme un cheval ombrageux, sans avoir au moins examiné ce qui nous épouvante. Ce Richard, hier encore ton plus vif désir n'eût-il pas été de te mesurer corps à corps avec lui dans une bataille ? Tu me l'as exprimé cent fois.

– Sans doute, et, comme tu le dis, corps à corps et dans une bataille ! Mais l'assaillir seul, en plein bois, jamais je n'ai soufflé mot de chose pareille.

– Un vrai chevalier ne fait pas de ces distinctions-là. Est-ce en bataille rangée que Tristan et Lancelot acquirent tant de renom ? ou n'est-ce pas plutôt en assaillant des géants dans les profondeurs de forêts inconnues ?

– C'est possible, mais je te garantis qu'en combat singulier Tristan ou Lancelot n'eût pu tenir tête à Richard Plantagenet, et ces paladins n'avaient pas coutume, que je sache, de se réunir dix contre un.

– Tu déraisonnes. Que te propose-t-on, à toi chef mercenaire d'une compagnie franche engagée au service du prince ? Tu sais où est notre ennemi, et il te vient des scrupules, alors qu'il y va de la fortune de ton maître, de celle de tes soldats, de la tienne, enfin de la vie et de l'honneur de nous tous !

– Faut-il le répéter ? dit Bracy d'un air sombre. Il m'a fait grâce de la vie. Il est vrai qu'il m'a banni de sa présence et a refusé mes services ; je ne lui dois donc ni foi ni hommage ; mais lever la main contre lui, non.

– On n'en demande pas tant. Il suffit d'envoyer Winkelbrand, ton lieutenant, avec une vingtaine de lances.

– Vous avez assez de bandits sous la main pour une telle besogne ; aucun de mes hommes ne s'en mêlera.

– Quel entêtement ! dit Jean. Tu veux donc m'abandonner, Bracy, après tant de protestations de dévouement ?

– Ce n'est pas mon intention. Je soutiendrai votre cause, en loyal chevalier, dans les tournois et dans les camps ; quant à ces manœuvres de grand chemin, elles ne s'accordent pas avec mes vœux.

– Approche, Valdemar, reprit Jean. Suis-je assez malheureux ! Mon père, le roi Henri, avait des serviteurs fidèles... Un jour, il n'eut qu'à se plaindre des insolences d'un prêtre, et le sang de Thomas Becket, tout saint qu'il était, baigna l'autel de sa propre église. Tracy, Morville, Briton, hardis et loyaux sujets, votre dévouement a disparu comme votre nom, et quoique Réginald Fitzurse, votre allié, ait laissé un fils, il n'a point hérité du courage et de la fidélité de son père.

– Vous aurez la preuve du contraire, répondit Valdemar ; car à défaut d'un plus capable, c'est moi qui veux conduire cette périlleuse expédition. Ce renom d'ami fervent a coûté cher à mon père, et pourtant le gage qu'il donna de sa loyauté au roi Henri est bien au-dessous de celui que je vais vous fournir de la mienne ; car j'aimerais mieux assaillir tous les saints du calendrier que de lever la lance contre Cœur de Lion. Toi, Bracy, je te charge de ranimer les esprits chancelants et de veiller sur la personne du prince. Si les nouvelles que vous recevrez bientôt sont telles que je l'espère, le succès de notre entreprise ne sera pas longtemps en question. Ayant appelé un page : Cours chez moi, lui dit-il, et dis à mon écuyer d'apprêter mes armes. Va trouver ensuite Étienne Wetheral, le gros Thoresby et les trois lances de Spyinghow : qu'ils me rejoignent sans tarder, ainsi que le prévôt Hugues Bardon. Et se tournant vers Jean, il ajouta : Adieu, mon prince, jusqu'à des temps meilleurs.

Sans s'expliquer davantage, il sortit de l'appartement.

– Il va faire Richard prisonnier, dit Jean avec aussi peu d'émotion que s'il s'agissait d'un obscur franklin. Je me flatte qu'il se conformera à nos ordres et qu'il aura pour la personne de notre frère bien-aimé tout le respect qui lui est dû.

Bracy se contenta de sourire.

– Par la face de Notre-Dame ! continua le prince, nous lui avons donné à cet égard les ordres les plus précis ; peut-être n'en avez-vous rien entendu, parce que nous étions dans l'embrasure de la fenêtre. Oui, notre recommandation de veiller à la sûreté de Richard était des plus claires et des plus formelles. Malheur à Valdemar s'il ne l'observe point ! il y va de sa tête.

– Alors je ne ferais pas mal de passer chez lui pour

le bien assurer du bon plaisir de Votre Grâce ; comme je n'ai rien ouï de semblable, il se pourrait que Valdemar eût eu l'oreille aussi dure.

– Inutile ! dit Jean avec impatience. Il m'a compris, j'en suis sûr. D'ailleurs, j'ai à t'entretenir d'autre chose. Viens ici, Maurice ; laisse-moi m'appuyer sur ton épaule.

Ils firent un tour de salle dans cette posture familière, et Jean, sur le ton de la plus intime confidence, se mit à lui dire :

– Que penses-tu de Fitzurse, mon cher ami ? Il compte devenir notre chancelier. Diable ! nous réfléchirons à deux fois avant d'accorder une charge de cette importance à un homme qui, par son zèle à ourdir des trames contre Richard, affiche clairement le peu de cas qu'il fait de notre famille. Tu t'imagines, je gage, avoir quelque peu déchu dans notre estime en refusant tout net cette besogne déplaisante. Au contraire, Maurice ; une si vertueuse résistance t'honore. Il est des actes que la nécessité commande, et dont notre amitié ni nos grâces ne vont chercher les exécuteurs, tandis que certains refus de nous servir attirent des égards particuliers à ceux qui ne cèdent point à nos exigences. L'arrestation de mon malheureux frère peut être un titre à la haute dignité de chancelier, mais ta chevaleresque, ta courageuse désobéissance t'en donne un bien supérieur au bâton de grand maréchal. Songe à cela, Maurice, en faisant ton service.

En effet, dès qu'il fut seul, Bracy se prit à y songer.

– Tyran capricieux ! pensa-t-il. Malheur à qui se fie à toi ! Ton chancelier, vraiment ! Celui qui gardera ta conscience n'aura pas là une tâche commode. Mais grand maréchal d'Angleterre – il étendit le bras comme pour saisir le bâton de commandement et parcourut l'antichambre d'un pas solennel – c'est un prix qui vaut la peine d'être disputé.

Le capitaine venait à peine de s'éloigner que Jean donna l'ordre de lui amener son prévôt, aussitôt que celui-ci en aurait fini avec Fitzurse. Au bout de quelques instants, ce bas personnage se présenta devant le prince, qui allait et venait, d'un air inquiet, dans son appartement.

– Bardon, lui dit-il, que t'a demandé Valdemar ?

– Deux hommes résolus, connaissant bien les cantons du Nord, et habiles à suivre cavaliers et piétons à la piste.

– Les lui as-tu procurés ?

– En toute conscience, Votre Grâce. L'un, natif d'Hexham, est accoutumé à dénicher les voleurs de la Tyne et du Teviot comme un lévrier ferait d'un daim blessé. L'autre est un enfant du comté d'York ; maintes fois il a tendu son arc dans les belles forêts de Sherwood, et, d'ici à Richmond, il n'y a pas de clairière et de vallon, de taillis et de grand bois dont il ne connaisse les coins et recoins.

– C'est bien. Valdemar part-il avec eux ?

– À l'instant même.

– Et son escorte ? demanda Jean négligemment.

– Il emmène le gros Thoresby ; Wetheral, qu'on a surnommé *Cœur d'acier* pour ses instincts féroces ; et trois hommes d'armes du Nord qui faisaient partie de la bande de Ralph Middleton : on les appelle les *Lances de Spyinghow.*

– C'est bien, répéta le prince. Puis il reprit, après un instant de réflexion : Bardon, il importe, à notre service que tu exerces sur Maurice de Bracy une étroite surveillance, sans qu'il s'en doute pourtant. De temps en temps tu viendras m'instruire de ses démarches, des gens qui lui auront parlé, de ce qu'il aura fait. N'y manque pas, tu m'en réponds.

Le prévôt fit un salut et se retira.

– Si Maurice me trahit, se dit Jean, et sa conduite me donne lieu de le craindre, j'aurai sa tête, quand même Richard jetterait feu et flamme aux portes de la ville !

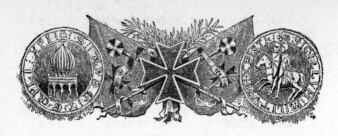

CHAPITRE XXXV

À exciter le tigre d'Hyrcanie ou
à disputer sa proie au lion affamé,
il y a moins de péril qu'à rallumer
le feu mal éteint du sauvage fanatisme.

Anonyme

Revenons maintenant sur les traces d'Isaac.

Monté sur une mule dont Locksley lui avait fait présent, et accompagné de deux *outlaws*, le juif s'était acheminé vers la commanderie de Templestowe, dans l'intention de négocier la délivrance de sa fille. La commanderie n'était éloignée que d'une journée de marche des ruines de Torquilstone, et Isaac comptait y arriver avant la nuit. En conséquence, à la lisière des bois, il congédia ses guides en leur remettant une pièce de monnaie à chacun, et poursuivit sa route avec toute l'activité que lui permit son état de faiblesse. À plus d'une lieue de Templestowe, les forces lui manquèrent tout à fait : il ressentit dans tous les membres des douleurs que les angoisses de son âme lui rendaient encore plus aiguës, et fut incapable de dépasser un gros bourg, où demeurait un rabbin de sa tribu, renommé pour son savoir en médecine et qui le connaissait bien.

Nathan ben Samuel accueillit son coreligionnaire souffrant avec cette générosité que la loi divine commande, et que les juifs exerçaient les uns envers les autres. Il insista pour qu'il s'accordât un peu de repos, et lui administra les remèdes qui jouissaient alors d'une grande efficacité, pour combattre les progrès de la fièvre, allumée dans les veines du pauvre vieillard par la terreur, la fatigue, les mauvais traitements et le chagrin.

Le lendemain matin, lorsque le malade voulut se lever pour continuer son voyage, Nathan essaya de s'opposer à ce dessein, comme hôte et médecin à la fois : il pouvait lui en coûter la vie, disait-il. Même Isaac répondit qu'un intérêt plus pressant que la vie exigeait sa présence à Templestowe, dans la matinée.

– À Templestowe ! répéta le rabbin surpris ; et lui ayant de nouveau tâté le pouls : La fièvre est tombée, murmura-t-il, et pourtant il a l'air d'avoir la tête peu solide.

– Et pourquoi n'irais-je pas à Templestowe ? demanda Isaac. Là, j'en conviens, habitent des hommes pour qui les misérables enfants de la Promesse sont une pierre d'achoppement et une abomination ; mais, tu le sais, des affaires urgentes nous amènent quelquefois parmi ces Nazaréens sanguinaires, et nous forcent de visiter les commanderies du Temple comme celles de Saint-Jean.

– Oui, je le sais. Mais, à ton tour, ignores-tu que Lucas de Beaumanoir, le chef de l'ordre, celui qu'ils appellent grand maître, se trouve en ce moment à Templestowe ?

– Je l'ignorais. D'après les dernières nouvelles de nos frères de Paris, il était dans cette ville, sollicitant du roi Philippe des secours contre le sultan Saladin.

– Il a débarqué en Angleterre à l'improviste, et il arrive le bras levé pour corriger et punir. Son cœur est enflammé de colère contre ceux qui n'ont pas gardé les vœux, et grande est la frayeur chez ces fils de Bélial. Tu as sans doute entendu parler de lui ?

– Plus d'une fois. Au dire des gentils, c'est un fanatique, toujours prêt à verser le sang pour n'importe quel point de la foi chrétienne, et il a mérité de nos frères les surnoms de « féroce bourreau des Sarrasins » et de « cruel tyran des enfants de la Promesse ».

– Oh ! certes, il les a mérités. On a vu des templiers sacrifier leurs projets à l'attrait du plaisir ou à l'appât de l'argent. Beaumanoir est d'une autre trempe : ennemi des jouissances sensuelles, méprisant les richesses, il brûle d'atteindre à ce qu'ils nomment « la couronne du martyre ». Que le Dieu de Jacob la lui envoie au plus vite, ainsi qu'à tous ses chevaliers ! C'est surtout contre les enfants de Juda, comme le saint roi David contre l'Idumée, que cet homme orgueilleux a levé la main, et il tient le meurtre d'un juif pour une offrande aussi agréable au ciel que la mort d'un Sarrasin. Que d'absurdités, que d'impiétés même n'a-t-il pas proférées contre nos médicaments, inventions de Satan à ses yeux ! Détournez-vous de lui, Seigneur !

– Malgré tout, il faut que j'aille à Templestowe, dût sa face être aussi brûlante qu'une fournaise sept fois chauffée !

Alors le vieillard apprit à son hôte les motifs de son voyage. Celui-ci l'écouta avec intérêt, et lui témoigna de la sympathie à la manière de sa nation, en déchirant ses vêtements et en s'écriant :

– Ah ! pauvre fille, pauvre fille ! Hélas ! qu'est devenue la beauté de Sion ? Hélas ! quand finira la captivité d'Israël ?

– Tu le vois, reprit Isaac, il est de la dernière importance que je ne tarde pas davantage. Peut-être la présence du chef de l'ordre décidera-t-elle Bois-Guilbert à renoncer à ses coupables desseins et à me rendre ma Rébecca bien-aimée.

– Pars donc, dit Nathan, et que la sagesse te conduise, comme elle inspira Daniel dans la fosse aux lions ! Puisses-tu réussir au souhait de ton cœur ! Toutefois, si c'est possible, évite la présence du grand maître : tempêter contre nous est son régal du matin au soir. Un entretien particulier avec Bois-Guilbert répondrait mieux à tes vues ; car, dit-on, les maudits Nazaréens de cette commanderie ne s'accordent guère entre eux. Que Dieu confonde leurs projets et les couvre de honte ! En tous cas, reviens ici, comme dans la maison paternelle, pour m'apprendre ce qui sera arrivé ; j'espère surtout que tu m'amèneras ta chère Rébecca, l'élève de la savante Miriam, dont les gentils attribuaient les cures au pouvoir de la nécromancie.

Isaac fit ses adieux au rabbin, et une heure plus tard il mettait pied à terre devant la commanderie de Templestowe (f).

Cet établissement était situé au milieu de prairies et de pâturages fertiles, dont le dernier commandeur avait fait donation à l'ordre. Il était solide et bien fortifié, précaution que les moines-guerriers ne négligeaient jamais et que les troubles de l'Angleterre à cette époque rendaient particulièrement nécessaire. Deux hallebardiers, armés de piques et vêtus de noir, gardaient le pont-levis ; d'autres, également en livrée sombre, allaient et venaient sans bruit sur les remparts, ressemblant plutôt à des fantômes qu'à des soldats. Tel était le costume des frères lais depuis qu'une ligue de faux templiers, habillés de blanc comme les chevaliers et les écuyers, avaient déshonoré l'ordre par leurs brigandages dans les montagnes de la Palestine. De temps à autre, on voyait un chevalier traverser la cour, en long manteau blanc, les bras en croix et la tête inclinée sur la poitrine. S'il en rencontrait un autre, il le saluait en silence, d'un air grave et solennel ; car la règle, rappelant le texte sacré, disait : « Parler beaucoup ne chasse pas le péché ; » et encore : « La vie et la mort sont esclaves de la langue. » En un mot, la discipline, qui avait fait place au relâchement et au désordre, semblait avoir repris un nouvel empire sous l'œil sévère de Lucas de Beaumanoir.

Isaac s'arrêta un instant à la porte, pour réfléchir à

la manière dont il pourrait obtenir l'entrée, sans s'attirer trop de rebuffades. Pour sa malheureuse race, il ne l'ignorait pas, le fanatisme renaissant de l'ordre ou la licence effrénée qui y régnait naguère offraient un égal danger, et si sa religion allait le mettre en butte à la haine et aux persécutions, sa fortune l'aurait auparavant exposé aux extorsions de ces tyrans impitoyables.

Pendant ce temps-là, Lucas de Beaumanoir se promenait dans un petit jardin, dépendant de la commanderie et enclos dans l'enceinte des fortifications extérieures ; il s'entretenait, d'un air triste et confidentiel, avec un chevalier du Temple, venu avec lui de la Palestine.

Le grand maître était un homme avancé en âge, ainsi que l'indiquaient une longue barbe blanche et des sourcils grisonnants en broussailles, qui ombrageaient des yeux dont les années n'avaient pu amortir la vivacité. Guerrier redoutable, son visage sec et dur avait gardé l'air farouche du soldat ; ascète fanatique, il trahissait le mystique orgueil du dévot infatué de lui-même. Cependant, sur ses traits rébarbatifs, amaigris par l'abstinence, on démêlait quelque chose d'imposant et de noble, qu'il devait sans doute à sa haute dignité, à ses relations avec les princes et les rois, à l'habitude du commandement suprême qu'il exerçait sur les vaillants et illustres chevaliers qui, en vertu des statuts, ne formaient qu'un même corps. Il était d'une taille élevée, et l'âge ni les fatigues n'avaient point courbé sa démarche ferme et majestueuse. Son manteau blanc, coupé suivant les règles minutieuses prescrites par saint Bernard, était d'une grosse étoffe de laine dite *burel* (bure), et portait, sur l'épaule gauche, la croix rouge à huit pointes qui distinguait les templiers. Ce vêtement n'était rehaussé ni de vair ni d'hermine ; mais, en raison de son âge, le grand maître avait un pourpoint doublé et bordé d'une peau d'agneau, dont la laine soyeuse était mise en dehors : unique infraction tolérée dans un siècle

où les fourrures passaient pour un grand luxe. Il tenait à la main l'abaque, cet insigne de commandement avec lequel on représente souvent les templiers : la tête de ce singulier bâton se terminait par une plaque ronde, où était gravée la croix professionnelle, inscrite dans un cercle ou, en termes de blason, dans une *orle*.

Le chevalier qui accompagnait ce haut personnage était revêtu, à peu de chose près, d'un semblable costume ; mais l'extrême déférence qu'il témoignait à son supérieur montrait qu'il n'y avait pas entre eux d'autre rapport d'égalité. Le commandeur (tel était son titre) marchait sur la même ligne que le grand maître, quoique un peu en arrière, de façon toutefois à ce que celui-ci pût lui parler sans tourner la tête. Il s'appelait Conrad de Montfichet.

– Conrad, lui disait Beaumanoir, cher compagnon de mes combats et de mes fatigues, ce n'est que dans ton cœur dévoué que je puis déposer mes chagrins. Oui, à toi seul je puis dire combien de fois, depuis mon arrivée dans ce royaume, j'ai souhaité d'être réduit en poudre et rappelé au sein des justes ! Je n'ai rien vu en Angleterre où reposer mes yeux avec plaisir, sauf les tombeaux de nos frères ensevelis sous les voûtes massives de notre église du Temple, à Londres. En contemplant les images sculptées de ces intrépides soldats du Christ, je m'écriais du fond de l'âme : « Ô vaillant Robert de Ros ! ô digne Guillaume Mareschal ! ouvrez vos cellules de marbre et partagez votre repos avec un frère bien las, qui aimerait mieux avoir cent mille païens à combattre que d'assister à la décadence de notre sainte communauté ! »

– C'est la vérité, répondit Conrad, la pure vérité : le désordre est encore plus profond chez nos frères d'Angleterre que chez ceux de France.

– Parce qu'ils sont plus riches, dit le grand maître. Ne me juge pas trop sévèrement, frère, s'il m'arrive de parler de moi avec un peu d'orgueil. Tu connais l'existence que j'ai menée, suivant ponctuellement la règle, aux prises avec les démons visibles et invisibles, et, en bon chevalier comme en bon prêtre, guerroyant partout contre Satan, ce lion rugissant qui cherche sans cesse une proie à dévorer ; car le glorieux saint Bernard nous l'a prescrit au XLVe chapitre de nos statuts : *Ut semper leo feriatur.* Mais, par le saint Temple, par le zèle qui a consumé ma substance et ma vie, oui, jusqu'à mes nerfs et à la moelle de mes os, excepté toi et quelques autres qui ont conservé l'antique austérité de l'ordre, il n'y a personne ici, je te le jure, que je puisse honorer sans répugnance du nom sacré de frère.

Que disent nos statuts, et comment les observe-t-on ? Défense de porter aucun ornement inutile ou mondain, ni plumes au casque, ni freins ou éperons d'or ; et qui se pare avec plus d'ostentation et de recherche que le pauvre soldat du Temple ? Défense de chasser au vol et à courre, à l'arc ou à l'arbalète, de sonner du cor ; et aujourd'hui qui s'adonne avec plus de passion que les templiers à ces folles vanités ? Défense de rien lire, sinon avec permission des supérieurs, ou d'écouter une lecture, à part celle qui est faite durant le repas ; mais voilà qu'ils prêtent l'oreille à des coureurs de ménestrels et se fatiguent les yeux sur d'oiseux romans. Ordre d'extirper la magie et l'hérésie ; et on les accuse d'étudier la cabale diabolique des juifs et la magie païenne des Sarrasins. Ordre d'avoir une nourriture frugale : racines, légumes, bouillie d'avoine, de la viande trois fois la semaine seulement parce que l'habitude d'en manger engendre la corruption du corps ; et voyez leurs tables : quelle abondance de mets délicats ! Ordre de ne boire que de l'eau ; et tout mauvais sujet se fait gloire de boire comme un templier ! Ce jardin même, rempli de plantes rares et d'arbres qui proviennent de l'Orient, conviendrait bien mieux au sérail d'un émir musulman qu'au couvent où des moines chrétiens devraient cultiver de leurs mains les herbes dont ils se nourrissent.

Encore, Conrad, si le relâchement de la discipline n'allait pas plus loin ! Mais non... Il nous a été défendu de recevoir dans nos murs ces pieuses femmes qui, dès l'origine, était associées à l'ordre comme des sœurs, et cela parce que l'éternel ennemi, dit la règle en son chapitre XLVIᵉ, s'est servi de la femme pour détourner maint juste des voies du paradis. Bien plus, le dernier article, qui est, pour ainsi dire, le couronnement de l'admirable édifice élevé par notre législateur, nous interdit de donner le baiser d'affection, même à nos mères et à nos sœurs, *ut omnium mulierum fugiantur oscula*. Or, quel torrent de corruption nous a inondés ! La pensée seule m'en fait rougir. Ames de nos saints fondateurs, Hugues de Payens et Godefroi de Saint-Omer, et vous, bienheureux Sept, qui vous joignîtes à eux pour vous dévouer au service du Temple, n'en êtes-vous pas bouleversés dans vos célestes jouissances ? Oui, Conrad, parmi les visions de la nuit, ils m'ont apparu : de leurs prunelles sacrées tombaient des larmes sur les erreurs et les folies de leurs frères, sur l'immonde et grossière luxure où ils se vautrent. Et ils criaient : « Tu dors, Beaumanoir. Réveille-toi ! Il y a sur le Temple une souillure, infecte et profonde comme celle que la lèpre laissait jadis jusque dans les murailles. Les soldats du Christ, qui devraient fuir le regard de la femme comme l'œil du basilic, vivent au grand jour dans le péché, non seulement avec les créatures de leur croyance, mais avec celles des païens maudits et des juifs plus maudits encore. Tu dors, Beaumanoir. Lève-toi et sois notre vengeur ! Prends le glaive du grand prêtre Phinée pour mettre à mort tous ces coupables, hommes et femmes ! » La vision s'évanouit, et, en me réveillant, Conrad, il me semblait ouïr s'entrechoquer leurs armures et voir flotter leurs manteaux blancs. Oui, j'exécuterai leurs ordres, je purifierai le sanctuaire du Temple et j'en arracherai les pierres que la contagion a souillées !

– Considère pourtant, révérend père, dit Conrad,

qu'avec le temps et l'habitude le mal a jeté de profondes racines. Que ta réforme soit prudente, autant qu'elle est juste et sage !

– Non, Conrad, elle doit être tranchante et soudaine. La destinée de l'ordre touche à sa crise. La tempérance, le dévouement de la piété de nos devanciers nous valurent des amis puissants ; notre orgueil, nos richesses, notre luxe ont suscité contre nous de puissants ennemis. Il faut renoncer à ces richesses, qui tentent l'avidité des princes ; il faut abattre cet orgueil, qui les offense ; il faut purifier ces mœurs, qui portent scandale à toute la chrétienté. Sinon, fais-y bien attention, l'ordre sera détruit et disparaîtra de la face de la terre.

– La miséricorde divine nous épargne une telle calamité !

– Ainsi soit-il ! dit le grand maître d'un ton solennel ; mais il faut nous en rendre dignes. Je te dis, Conrad, que ni les puissances du ciel ni celles de la terre ne sauraient supporter plus longtemps les débordements de cette génération. J'ai là-dessus des avis certains : le terrain sur lequel s'élève le Temple est miné de toutes parts, et chaque accroissement à l'édifice de notre grandeur ne fait que hâter l'heure de sa chute. Retournons donc en arrière, montrons-nous les fidèles champions de la croix, sacrifions-lui notre vie et notre sang, nos convoitises et nos vices, jusqu'au bien-être, aux distractions, aux sentiments de la nature. Agissons en hommes convaincus que plus d'un plaisir permis à autrui est interdit aux serviteurs prédestinés du Temple !

En ce moment, un écuyer, couvert d'un manteau usé jusqu'à la corde – car les aspirants portaient, durant leur noviciat, les vieux vêtements des chevaliers – entra dans le jardin, s'inclina devant le grand maître, et attendit en silence qu'il lui fût permis de parler.

– Regarde Damien, Conrad, dit Beaumanoir : n'est-il pas plus décent de le voir sous la livrée de l'humilité chrétienne, et dans une attitude respectueuse, qu'attifé comme un damoiseau et bavardant comme une pie, ainsi qu'il était il y a deux jours ? Parle, Damien, nous te le permettons. Que viens-tu nous annoncer ?

– Noble et révérend père, un juif est à la porte, et demande à voir le frère Briand de Bois-Guilbert.

– Tu as bien fait de m'en instruire. En notre présence, un commandeur n'est pas plus qu'un simple compagnon, qui doit agir, non d'après sa volonté, mais sur l'ordre de son maître, en vertu du passage : « Entendre, c'est obéir. » Je tiens beaucoup à être au courant des faits et gestes de ce Bois-Guilbert.

– On le dit vaillant et brave.

– Et l'on ne se trompe pas. Ce n'est qu'en valeur que nous n'avons pas dégénéré de nos devanciers, les héros de la croix. Le frère Briand est entré dans l'ordre sous une impression de colère et de désappointement ; un coup de tête, j'en ai peur, et non une vocation sincère, l'a poussé à prononcer les vœux et à renoncer au monde ; c'est là le fait d'un homme qu'une sorte de disgrâce jette dans les voies de la pénitence. Depuis, il est devenu un agitateur remuant et ambitieux, un mécontent, un ourdisseur d'intrigues et le chef de ceux qui attaquent notre autorité, sans réfléchir que le gouvernement est remis au grand maître sous les symboles du bâton et de la verge, le bâton pour soutenir les faibles, la verge pour corriger les coupables. Damien, amène le juif en notre présence.

L'écuyer se retira en faisant un profond salut, et bientôt après il revint, suivi d'Isaac. Jamais humble esclave, introduit devant un puissant monarque, n'approcha de son tribunal avec des marques de vénération et de terreur plus grandes que n'en montra Isaac en s'avançant vers le grand maître. Lorsque celui-ci le vit à la distance d'environ trois pas, il lui fit signe, avec son bâton, de s'arrêter. Isaac s'agenouilla, baisa la terre en guise d'hommage respectueux, et resta ensuite debout, à la même place, les bras en croix et la tête inclinée sur la poitrine, dans l'attitude passive des esclaves de l'Orient.

– Retire-toi, Damien, dit Beaumanoir. Qu'un garde soit prêt à répondre au premier appel, et ne laisse entrer personne dans le jardin avant que nous en soyons sorti.

Après un nouveau salut, l'écuyer s'éloigna.

– Écoute, juif, poursuivit le grand maître d'un air hautain. Il ne sied pas à notre sang d'avoir de longs rapports avec toi, ni de perdre du temps ou des paroles avec qui que ce soit. Donc, sois bref en répondant aux questions que je t'adresserai, et ne t'écarte pas de la vérité, car si ta langue triche, je la ferai arracher de ta chienne de bouche.

Isaac allait répondre, mais le grand maître continua :

– Silence, infidèle ! Pas un mot devant nous, qui ne soit pour satisfaire à nos questions. Qu'as-tu de commun avec notre frère Briand de Bois-Guilbert ?

Au comble de la terreur et de l'anxiété, Isaac resta muet. Parler, c'était courir la chance de calomnier l'ordre ; se taire, c'était renoncer à l'espoir de délivrer Rébecca. Témoin de ses angoisses, Beaumanoir daigna le rassurer.

– Explique-toi sans détour, lui dit-il, et tu n'as rien à craindre pour ta misérable personne. Je répète ma question : qu'as-tu de commun avec Briand de Bois-Guilbert ?

– N'en déplaise à Votre Vénérable Valeur, bégaya Isaac, je suis porteur d'une lettre pour ce brave chevalier, de la part du prieur Aymer, de l'abbaye de Jorvaulx.

– Quel triste temps, Conrad ! N'avais-je pas raison de le dire ? Un prieur de Cîteaux, pour faire tenir une lettre à un soldat du Temple, ne trouve pas de messager plus convenable qu'un mécréant de juif... Donne-moi cette lettre.

De ses mains tremblantes, Isaac entrouvrit les plis

de son bonnet arménien, où il avait, pour plus de sûreté, placé la missive du prieur, et, le bras étendu, le corps penché en avant, il allait s'approcher pour la mettre à la portée de son rigide interrogateur.

– Arrière, chien ! s'écria celui-ci. Je ne touche les infidèles qu'avec l'épée. Conrad, prends cette lettre et donne-la-moi.

Ainsi mis en possession du message, Beaumanoir l'examina attentivement et se disposa à dénouer les lacs de soie qui en tenaient les plis fermés.

– Révérend père, dit Conrad en intervenant avec beaucoup de déférence, allez-vous rompre le sceau ?

– Pourquoi pas ? répondit le grand maître en fronçant le sourcil. N'est-il pas écrit, au XLIIe chapitre de la règle, *de Lectione litterarum*, qu'un templier ne recevra de lettre, fût-ce même de son père, sans la communiquer au grand maître et sans la lire en sa présence ?

Il en prit connaissance à la hâte, en laissant voir

sur son visage un sentiment mêlé d'horreur et de surprise ; il la relut ensuite plus posément, puis la tendant d'une main à Conrad et la frappant légèrement de l'autre, il s'écria :

– Voilà une jolie façon de correspondre entre chrétiens, et, qui plus est, entre dignitaires de congrégations religieuses ! Ô Seigneur, ajouta-t-il en levant les yeux au ciel, quand tes vanneurs viendront-ils purifier l'aire ?

Montfichet prit la lettre des mains de son supérieur, et comme il la parcourait des yeux :

– Lis-la tout haut, Conrad, dit le grand maître, et toi, juif, fais attention à ce qu'elle contient ; car nous aurons à t'interroger là-dessus.

La lettre était conçue dans les termes qui suivent :

« Aymer, par la grâce de Dieu prieur de la maison de Sainte-Marie de Jorvaulx, de l'ordre de Cîteaux, au sire Briand de Bois-Guilbert, chevalier du saint ordre du Temple, salut, santé et faveurs de monseigneur Bacchus et de madame Vénus !

En ce qui touche notre condition présente, cher frère, nous sommes captif entre les mains d'hommes sans foi ni loi, qui ont osé détenir notre personne et la mettre à rançon. Ils nous ont appris le désastre de Front de Bœuf et comment tu t'es échappé avec cette belle enchanteresse juive, dont les yeux noirs t'ont ensorcelé. Nous sommes réjoui de te savoir en sûreté. Néanmoins, nous t'avertissons d'être sur tes gardes au sujet de cette nouvelle magicienne d'Endor ; car on nous assure secrètement que votre grand maître, qui se soucie des joues roses et des yeux noirs comme d'une fève, arrive de Normandie pour troubler vos joies et corriger vos méfaits. En conséquence, nous te supplions cordialement d'être aux aguets et de veiller, comme il est écrit dans l'Évangile : *Inveniantur vigilantes.*

Le père de la belle, l'opulent juif Isaac d'York, m'ayant demandé d'intervenir en sa faveur, je lui ai remis cette lettre et te conseille sérieusement, et avec les plus vives instances, d'accepter une rançon pour la demoiselle ; il paiera de sa poche de quoi t'en procurer cinquante autres avec moins de risques, desquelles je compte bien avoir ma part, la prochaine fois qu'en bons amis nous festoierons ensemble, sans oublier la dive bouteille. L'Écriture ne dit-elle pas : *Vinum lætificat cor hominis ?* et ailleurs : *Rex delecta-*

bitur pulchritudine tua ? Jusqu'à cette partie de plaisir, nous te disons adieu.

Donné dans la caverne des voleurs, vers l'heure
des matines,

AYMER, P.R.S.M.J.

En vérité, ta chaîne d'or n'a pas fait long séjour
avec moi ; passée au cou d'un de ces braconniers, elle
servira dorénavant à suspendre le sifflet avec lequel il
appelle ses chiens. »

Cette lecture terminée, le grand maître reprit la
parole.

– Qu'en dis-tu, Conrad ? Caverne de voleurs ! l'endroit ne convient pas mal à un prieur de cet acabit. Il
n'est pas étonnant que la main de Dieu s'appesantisse
sur nous, et qu'en Palestine nous cédions le terrain
aux infidèles, ville à ville, pied à pied, quand nous
avons ici des prêtres comme cet Aymer. Mais, ajouta-t-il en tirant son confident un peu à l'écart, quelle
est cette allusion à la magicienne d'Endor ?

Conrad de Montfichet était plus versé que son
supérieur – par expérience peut-être – dans le jargon
de la galanterie : il répondit que l'expression embarrassante désignait, en style mondain, une femme
qu'on aimait d'amour ; mais l'explication ne satisfit
point le fanatique Beaumanoir.

– Il y a là-dedans, dit-il à demi voix, plus de choses
que tu ne le crois ; ton cœur simple, Conrad, n'est pas
de force à sonder la profondeur de cet abîme d'iniquité. Le fille de ce juif d'York a été l'élève de la
fameuse Miriam, dont tu as dû entendre parler. Le
juif en conviendra lui-même ; tu vas voir. Se tournant alors vers Isaac, il dit tout haut : Ta fille est
donc captive de Bois-Guilbert ?

– Oui, révérend et valeureux seigneur, murmura le
vieillard, et ce qu'un pauvre homme peut offrir pour
sa délivrance...

– Assez ! Ta fille a exercé l'art de guérir, n'est-ce pas ?

– Oui, gracieux seigneur, dit le juif, qui reprit quelque assurance. Chevalier ou paysan, vassal ou écuyer, chacun peut bénir le don bienfaisant qu'elle a reçu d'en haut. De nombreux témoins attesteraient au besoin qu'elle les a guéris par son savoir, alors que tout secours humain était devenu inutile ; mais la bénédiction du Dieu de Jacob était avec elle !

Beaumanoir se tourna vers Montfichet, en souriant amèrement.

– Vois, frère, à quels artifices recourt Satan, le dévorant ennemi ! dit-il. Tel est l'appât qui lui sert à amorcer des âmes : il accorde ici-bas une courte existence en échange du bonheur éternel. Notre sainte règle a raison : *semper percutiatur leo vorans.* Sus au lion ! à bas le dévorant !

Et il brandit son bâton mystique, comme pour défier les puissances des ténèbres. Revenant à Isaac :

– Ta fille, sans doute, opère ses cures au moyen de formules, de sceaux, d'amulettes et d'autres recettes cabalistiques ?

– Non, révérend et brave chevalier, répondit Isaac ; le plus souvent il lui suffit d'un baume d'une vertu admirable.

– De qui tient-elle ce secret ?

– Il lui a été révélé, dit Isaac non sans quelque hésitation, par une sage matrone de notre tribu... Miriam.

– Ah ! juif perfide, s'écria Beaumanoir, en faisant des signes de croix, n'est-ce pas cette Miriam, dont les abominables maléfices sont connus dans tous les pays chrétiens ? celle-là qui a été brûlée vive, et dont on a dispersé les cendres aux quatre vents du ciel ? Puisse-t-il en être ainsi de moi et de mon ordre, si je n'en fais pas autant à son élève, et plus encore ! Je lui apprendrai à lancer des sorts sur les soldats du saint Temple. Damien, qu'on jette ce juif à la porte, et s'il résiste ou s'il rebrousse chemin, qu'on le tue ! Quant à sa fille, elle sera traitée comme les lois chrétiennes et notre haute dignité nous y autorisent.

On entraîna sur-le-champ le pauvre Isaac, et il fut chassé de la commanderie ; on fut sourd à ses supplications, et l'on ne tint nul compte de ses offres. Faute de mieux, il retourna chez le rabbin Nathan, afin de savoir, par son intermédiaire, ce qui allait advenir de sa fille ; jusque-là il avait tremblé pour son honneur, il lui fallait à présent trembler pour sa vie.

Sur ces entrefaites, le grand maître envoya l'ordre au commandeur de Templestowe de comparaître devant lui.

CHAPITRE XXXVI

Ne dites pas que mon art est
une imposture : les hommes ne
vivent que d'apparences. Pour
mendier, le pauvre escompte
l'apparence, et le brillant courti-
san doit à l'apparence titres et domaines, rang et pouvoir ; le prêtre
n'en fait pas fi, et elle sert au brave soldat à grossir ses états de service. Tous la veulent, tous y ont
recours. Qui se contente de paraître tel qu'il est n'aura pas grand
crédit dans l'Église, à l'armée ou à
la cour. Ainsi va le monde.

Ancienne Comédie.

Albert de Malvoisin, chef, ou, dans le langage de
l'ordre, commandeur de la maison de Templestowe,
était frère de ce Philippe de Malvoisin, dont nous
avons cité le nom plusieurs fois, et comme lui, il
entretenait d'étroites relations avec Briand de Bois-
Guilbert.

Parmi les hommes dissolus et sans principes deve-
nus trop nombreux dans l'ordre du Temple, Albert
pouvait réclamer l'une des premières places ; mais,
entre lui et l'audacieux Bois-Guilbert, il y avait cette
différence qu'il savait couvrir ses vices et son ambition du voile de l'hypocrisie et revêtir les dehors du
zèle religieux, dont il se raillait en lui-même. Si l'arrivée du grand maître n'avait pas été aussi soudaine

qu'inattendue, rien à Templestowe n'eût transpiré du relâchement de la discipline. Bien que pris au dépourvu et en quelque sorte démasqué, Albert écouta avec respect et contrition en apparence, les réprimandes de son supérieur, et apporta beaucoup d'empressement à réformer les choses répréhensibles ; en un mot, il réussit tellement bien à prêter un air de dévotion ascétique à une communauté plongée naguère dans le désordre et les plaisirs, que Lucas de Beaumanoir, revenant sur ses premières impressions, conçut une opinion meilleure de la moralité du commandeur.

Mais ces sentiments favorables se refroidirent singulièrement à la nouvelle qu'une juive, la maîtresse d'un membre de l'ordre, comme il y avait lieu de le craindre, avait été introduite dans une maison religieuse et retenue prisonnière. Aussi, lorsqu'il vit paraître Malvoisin, Beaumanoir jeta-t-il sur lui des regards plus sévères que de coutume.

– Dans cette demeure, consacrée au saint ordre du Temple, dit-il, une juive a été amenée par un de nos frères, d'intelligence avec vous, sire commandeur.

Ainsi pris à l'improviste, Malvoisin resta interdit ; car l'infortunée Rébecca avait été reléguée à l'écart, dans une partie solitaire de l'édifice, et avec les précautions nécessaires pour que rien ne trahît sa présence. Il lut dans les yeux de Beaumanoir la perte de Bois-Guilbert et la sienne, s'il ne parvenait à détourner l'orage qui s'approchait.

– Pourquoi vous taisez-vous ? dit le grand maître.

– M'est-il permis de répondre ? demanda le commandeur sur le ton le plus humble, bien qu'il ne cherchât par là qu'à gagner du temps pour mettre de l'ordre dans ses idées.

– Parle, nous te le permettons, et dis-nous si tu connais le chapitre de la règle où il est question des chevaliers qui entretiennent des relations charnelles avec les femmes avililes.

– Oui, certes, très révérend père ; je ne suis pas monté au rang que j'occupe sans connaître un des devoirs les plus graves de l'ordre.

– Comment se fait-il donc, je le répète, que tu aies souffert qu'un de nos frères amenât dans cette sainte maison, pour la souiller et la déshonorer, sa propre maîtresse, et quelle maîtresse ! une sorcière juive ?

– Une sorcière ? Que les anges nous protègent !

– Oui, frère, une sorcière juive, reprit sévèrement le grand maître. Je sais ce que je dis. Oserais-tu nier que cette Rébecca, la fille d'Isaac d'York, un misérable usurier, et l'élève de Miriam, l'infâme magicienne, ne réside pas en ce moment, j'ai honte de le dire, sous le toit de la commanderie ?

– Votre sagesse, révérend père, vient de dissiper les ténèbres de mon intelligence. C'était pour moi un grand sujet d'étonnement de voir un si digne chevalier que Briand de Bois-Guilbert éperdûment épris des charmes de cette femme ; je ne l'ai admise dans cette maison que pour opposer une barrière aux progrès de leur intimité, qui aurait pu être scellée aux dépens du salut de notre pieux et vaillant frère.

– Alors il ne s'est rien passé entre eux de contraire au vœu qu'il a juré ?

– Oh ! sous ce toit ? dit Albert en se signant. Sainte Madeleine et les onze mille Vierges nous en préservent ! Non, si j'ai péché en l'admettant ici, mon intention, maladroite assurément, était de rompre l'attachement inconcevable de notre frère pour cette juive ; cela me paraissait si étrange, si peu naturel, que je ne pouvais l'attribuer qu'à un accès de folie, plus digne de compassion que de reproches. Mais puisque votre respectable sagesse a découvert une sorcière dans cette coureuse juive, voilà peut-être, clairement expliquée, la cause de ce délire amoureux.

– C'est cela ! c'est cela ! Vois, Conrad, le danger de céder aux premières séductions de Satan ! On regarde une femme, rien que pour satisfaire le désir des yeux et pour prendre plaisir à ce qu'on appelle sa beauté, et l'éternel ennemi, le lion dévorant, s'empare de nous et achève, au moyen de talismans et de maléfices, l'œuvre commencée par la sottise et l'oisiveté. Peut-être notre frère Bois-Guilbert mérite-t-il en cette occasion plutôt la pitié qu'un châtiment sévère, plutôt l'appui du bâton que le cinglement de la verge, et il est possible que nos prières et nos remontrances suffisent à le détacher de sa folie et à le rendre à ses frères.

— Ce serait vraiment une calamité pour l'ordre, dit Montfichet, s'il venait à perdre une de ses meilleures lances, dans un temps où il a besoin du secours de tous ses enfants. Ce Bois-Guilbert a tué trois cents Sarrasins de sa propre main.

— Le sang de ces chiens maudits sera une offrande douce et agréable aux saints et aux anges, qu'ils ont en haine et mépris, et, grâce à leur aide, nous déjouerons l'effet des charmes et des sortilèges où notre frère est enlacé comme en un filet. Il rompra les liens de cette autre Dalila, comme Samson fit éclater les deux cordes neuves dont les Philistins l'avaient lié, et il massacrera encore les infidèles par centaines. En ce qui regarde cette damnée sorcière, qui a répandu ses maléfices sur un soldat du Temple, elle mourra.

— Mais les lois de l'Angleterre...

En faisant cette objection, Malvoisin, tout charmé qu'il était de voir le ressentiment du grand maître se détourner de lui et de Bois-Guilbert et suivre une autre direction, commençait à craindre qu'il ne le poussât trop loin.

— Les lois de l'Angleterre, interrompit Beaumanoir, permettent et enjoignent à chaque juge de faire exécuter ses sentences dans sa propre juridiction. Le plus petit baron peut faire arrêter, juger, condamner toute sorcière trouvée sur son domaine, et un tel pouvoir serait contesté au grand maître du Temple dans une commanderie de son ordre ? Non, nous jugerons et

nous condamnerons. La sorcière disparaîtra de la terre, et le mal qu'elle a fait sera pardonné. Qu'on prépare pour son procès la grand-salle du château.

Malvoisin salua et se retira ; mais, au lieu de songer à l'ordre qu'il avait reçu, il se mit en quête de
Bois-Guilbert, pour lui apprendre quelle allait être la
fin probable de l'aventure. Il le rencontra écumant de
colère, à la suite d'un nouveau refus qu'il venait d'essuyer de la belle juive.

– L'oublieuse ! s'écriait-il, l'ingrate ! Dédaigner celui qui, à travers le sang et les flammes, a voulu la
sauver au péril de sa vie ! De par le ciel ! Albert, j'ai
tenu bon jusqu'au moment où poutres et toiture s'allumaient et craquaient autour de moi. Je servais de
cible à une centaine d'archers ; leurs flèches réson-
naient sur mon armure comme des grêlons contre un
treillis de fenêtre, et l'unique usage que j'ai fait de
mon écu a été pour la protéger. Voilà ce que j'ai souffert pour elle ; maintenant la fantasque fille me reproche de ne pas l'avoir laissée périr, et me refuse non
seulement la plus légère preuve de reconnaissance,
mais même l'espoir que jamais elle m'en veuille
accorder. Le diable, qui souffla tant d'obstination
chez sa race, semble l'avoir amassée toute en sa personne !

– Le diable, à mon avis, répondit Malvoisin, vous
possède tous les deux. Que de fois ne t'ai-je pas prê-
ché la prudence, sinon la sagesse ! Ne t'ai-je pas dit
qu'on trouvait dans le pays assez de demoiselles
chrétiennes de bon vouloir, qui croiraient pécher si
elles refusaient à un brave chevalier le don d'amou-
reuse merci, et tu vas t'enticher d'une juive volontai-
re et opiniâtre ! Par la messe ! le vieux Beaumanoir a
deviné juste en prétendant qu'elle t'a jeté un sort.

– Que dis-tu ? Sont-ce là tes précautions, Malvoisin ? As-tu laissé savoir à ce radoteur que Rébecca est
ici ?

– Comment l'en empêcher ? Rien n'a été négligé
pour tenir ce secret dans l'ombre ; le voilà éventé. Par

la faute de qui ? Le diable seul le sait. Enfin, j'ai arrangé l'affaire de mon mieux : si tu renonces à Rébecca, tu n'as rien à craindre ; on te plaint comme une victime des prestiges de la magie. Pour elle, c'est une sorcière, et elle subira son sort.

– Pardieu, cela ne sera point !

– Si, pardieu, il le faut, et cela sera. Nul ne peut la sauver, ni toi ni personne. Beaumanoir a mis dans sa tête que la mort de la juive serait une expiation de nos faiblesses amoureuses, et il a le pouvoir comme la volonté, tu ne l'ignores pas, de venir à bout d'un dessein aussi pieux que raisonnable.

– Les siècles futurs pourront-ils jamais croire à l'existence d'un si absurde fanatisme ! dit Bois-Guilbert en se promenant à grands pas.

– Ce qu'ils croiront, je n'en sais rien, répliqua tranquillement Malvoisin ; mais je sais fort bien que, dans le nôtre, clercs et laïques, au moins quatre-vingt-dix-neuf sur cent, diront *amen* à la sentence du grand maître.

– Ah ! une idée... Albert, tu es mon ami. Aide-moi à la faire sortir d'ici, et je la conduirai en un lieu plus sûr et moins en évidence.

– Impossible, même quand je le voudrais. La maison est pleine des gens de la suite du grand maître, et il y compte des partisans dévoués. À te parler net, je ne tiens pas, frère, à m'embarquer avec toi dans cette nouvelle campagne, dussé-je être certain d'amener ma barque au port. J'ai déjà couru assez de risques pour toi ; je ne me soucie pas de m'exposer à celui de la dégradation ou à la perte de ma commanderie pour un paquet de chair juive. Quant à toi, veux-tu suivre un bon avis ? Quitte cette chasse à l'oie sauvage, et lance tes faucons sur un gibier plus commode. Songes-y, Bois-Guilbert : ton rang d'aujourd'hui, tes honneurs de demain, tout dépend de ta situation parmi nous. Si tu es assez mal inspiré pour persister dans cette folle passion, tu fourniras à Beaumanoir l'occasion de t'expulser de l'ordre, et il n'y manquera pas.

Il est jaloux de son autorité, et ce bâton, qui va échapper à ses mains défaillantes, il le voit déjà dans les tiennes, prêtes à le saisir. Quel meilleur prétexte à te perdre que celui de protéger une sorcière juive ! Laisse-lui donc le champ libre, puisque tu n'y peux rien. Lorsque le commandement passera dans tes mains viriles, libre à toi de courtiser les filles de Juda ou de les faire brûler, si c'est ton caprice.

– Malvoisin, ce sang-froid est celui d'un...

– D'un ami, dit le commandeur, qui se hâta de couper court à la façon blessante dont Bois-Guilbert allait achever sa phrase. Oui, j'ai le sang-froid d'un ami, et c'est ce qui m'autorise à te donner des conseils. Encore une fois, sauver Rébecca est impossible ; encore une fois, c'est t'exposer à partager son sort. Cours trouver le grand maître, jette-toi à ses pieds et dis-lui...

– M'humilier, jamais ! Je lui dirai, à sa barbe, à ce vieil imbécile...

– À sa barbe, soit ! Raconte-lui donc que tu aimes ta captive à la folie, et plus tu en diras sur la violence de ta passion, plus il mettra de hâte à la réprimer par la mort de la belle enchanteresse. Une fois pris en flagrant délit, ayant confessé le crime d'avoir violé tes serments, ne compte plus sur l'appui de tes frères ; adieu les brillantes perspectives d'ambition et de gloire ! Tu n'auras peut-être d'autre ressource que d'aller, soldat mercenaire, guerroyer obscurément pour l'un des partis en querelle de la Flandre.

– Tu as raison, répondit Bois-Guilbert, après un moment de réflexion. Ce vieux bigot n'aura pas prise sur moi. Pour Rébecca, elle ne mérite pas que je lui sacrifie mon rang et mes espérances. N'y pensons plus. Je l'abandonnerai à son sort, à moins que...

– C'est un parti sage autant que nécessaire, mais point de restriction ! Les femmes ne sont que des jouets pour charmer nos heures de loisir ; il n'y a dans la vie qu'une affaire sérieuse, l'ambition. Périssent mille poupées comme cette juive plutôt que d'interrompre ta marche, au seuil de la brillante carrière qui s'ouvre devant toi ! À présent séparons-nous ; il ne faut pas qu'on nous voie en conversation réglée. Je vais faire disposer la salle pour le procès.

– Hé quoi, si tôt ?

– Un procès ne dure pas longtemps quand le juge a prononcé l'arrêt d'avance.

Le commandeur sortit, laissant Bois-Guilbert à ses réflexions.

– Ah ! Rébecca, tu vas probablement me coûter cher, se dit-il. Que ne puis-je te livrer à ta destinée, ainsi que me le conseillait ce flegmatique hypocrite ! Je ferai encore un effort pour te sauver ; mais ne sois plus ingrate, ne me repousse pas, ou bien, prends-y garde, ma vengeance égalera mon amour. Bois-Guilbert ne risquera pas sa vie et son honneur pour ne récolter que ton mépris et tes reproches.

Malvoisin avait à peine commandé les préparatifs nécessaires que Montfichet le rejoignit dans la grand-salle, pour lui apprendre que la volonté du grand maître était de procéder sur-le-champ au procès de la juive.

– Ceci me paraît un rêve, dit Albert. Beaucoup de juifs se mêlent de médecine, et on ne les accuse pas de sorcellerie, bien qu'ils obtiennent souvent des cures surprenantes.

– Le grand maître est d'un avis différent, répondit Conrad. Parlons franc, Albert : sorcière ou non, la mort de cette misérable donzelle n'est-elle pas préférable à la disgrâce de Bois-Guilbert ou à des querelles intestines parmi nous ? Vois-tu, ni son rang élevé, ni son renom militaire, ni le nombre des partisans qui lui sont dévoués, rien de tout cela ne lui servirait auprès du grand maître, s'il venait à le croire complice, et non victime, de la juive. Réunirait-elle en sa personne les âmes des douze tribus, il vaut mieux qu'elle périsse seule que d'entraîner Bois-Guilbert dans sa chute.

– Oui, certes, il doit y renoncer, et tout à l'heure j'ai travaillé à l'en convaincre. Cependant, y a-t-il des preuves suffisantes pour condamner cette femme ? et le grand maître ne changera-t-il pas d'avis en les voyant si faibles ?

– Bah ! On peut les fortifier. Tu m'entends ?

– Parfaitement. La gloire de l'ordre passe avant les scrupules. C'est le temps qui manque ; où trouver des instruments convenables ?

– Tu en trouveras, Albert, au plus grand bénéfice de l'ordre et au tien. Templestowe est une modeste commanderie ; celle de Maison-Dieu rapporte le double. J'ai du crédit auprès de notre vieux chef... Eh bien, trouve des gens qui fassent aboutir ce procès, et tu seras commandeur de Maison-Dieu, dans le fertile comté de Kent. Cela te convient-il ?

– Parmi les hommes d'armes qui ont suivi Bois-Guilbert jusqu'ici, deux me sont connus à bon escient : du service de mon frère Philippe, ils avaient passé à celui de Front de Bœuf. Peut-être ont-ils connaissance des sorcelleries de cette fille.

– Va les chercher tout de suite. À propos, s'il fallait un besant ou deux pour rafraîchir leur mémoire, n'en sois pas chiche.

– Avec la moitié on leur ferait jurer que la mère qui les a engendrés est une sorcière.

– Va donc. Le procès commencera à midi. Je ne me rappelle pas avoir vu notre ancien manifester tant d'impatience, depuis le jour où il envoya au bûcher Ahmed al-Fadzi, le renégat sarrasin qui était retourné à Mahomet.

La grosse cloche du château venait de sonner midi lorsque Rébecca entendit un bruit de pas sur l'escalier dérobé, qui conduisait à l'appartement où elle avait été confinée. Ce bruit annonçait l'arrivée de plusieurs personnes, circonstance qui ne l'effraya point, car elle redoutait plus les visites solitaires de l'ardent et farouche Bois-Guilbert que tous les maux dont elle était menacée.

La porte de sa chambre s'ouvrit, et donna passage à Conrad de Montfichet et au commandeur de Templestowe ; quatre gardes, vêtus de noir et portant des hallebardes, les accompagnaient.

– Fille d'une race maudite, dit Malvoisin, lève-toi et suis-nous.

– Où et pourquoi ? demanda-t-elle.

– Jeune fille, dit Conrad, il t'appartient, non d'interroger, mais d'obéir. Apprends toutefois que tu vas être conduite devant le tribunal du grand maître pour y répondre de tes crimes

– Le Dieu d'Abraham soit loué ! dit-elle en joignant les mains avec ferveur. Le nom d'un juge, tout ennemi qu'il est de notre peuple, est pour moi celui d'un protecteur. C'est de grand cœur que je vous suivrai. Permettez-moi seulement de mettre mon voile.

Ils descendirent l'escalier d'un pas lent et mesuré, traversèrent une longue galerie, et entrèrent par une porte à deux battants, dans la grand-salle, où était installée la cour de justice.

L'espace réservé au public était rempli d'écuyers et d'hommes d'armes. Ce ne fut pas sans peine qu'ils frayèrent un passage à Rébecca, toujours sous la même escorte, jusqu'au siège qui lui était destiné. Pendant qu'elle traversait la foule, les bras en croix et la tête penchée, on lui glissa un petit rouleau dans la main ; elle le reçut machinalement et le conserva sans en lire le contenu. L'assurance qu'elle avait un ami au sein de cette redoutable assemblée lui rendit le courage de jeter les yeux autour d'elle et d'examiner en présence de qui on l'avait conduite.

Nous essaierons de décrire dans le chapitre suivant la scène qui s'offrit à ses regards.

CHAPITRE XXXVII

Ô foi cruelle, qui défendait à
ses dévots de compatir à des douleurs humaines avec des âmes humaines ! Ô foi cruelle, qui défendait de sourire aux attraits sédui-
sants d'une franche et innocente
gaieté ! Mais, ô plus cruelle encore, lorsqu'elle brandissait la verge
de fer d'un pouvoir tyrannique et
qu'elle osait le nommer pouvoir
de Dieu !

Le Moyen Âge.

Le tribunal, érigé pour le jugement de l'innocente
et malheureuse Rébecca, occupait le dais ou partie
exhaussée au fond de la grand-salle, sorte de plate-
forme que nous avons déjà décrite, comme étant la
place d'honneur destinée aux résidents les plus dis-
tingués et aux hôtes des anciennes demeures.

Sur un siège élevé, juste en face de l'accusée, était
assis le grand maître du Temple, en costume blanc de
cérémonie, ample et flottant ; il tenait à la main le
bâton mystique, décoré du symbole de l'ordre. À ses
pieds une table était occupée par deux scribes, chapelains de la commanderie, qui devaient consigner sur
un registre le procès-verbal de la séance ; les vêtements noirs, les têtes chauves et l'air grave de ces
ecclésiastiques formaient un frappant contraste avec
l'extérieur guerrier des chevaliers présents, les uns

résidant à Templestowe, les autres venus à la suite du grand maître. Les commandeurs, au nombre de quatre, se tenaient un peu en arrière de leur supérieur, et sur des sièges plus bas ; et, à pareille distance de ces derniers, étaient placés, sur des bancs moins élevés, les simples chevaliers, ayant derrière eux, mais toujours sur l'estrade, les écuyers debout, en manteaux blancs, d'un drap de qualité inférieure.

Toute l'assemblée offrait un aspect d'imposante gravité. Dans la contenance des templiers, on voyait les traces des habitudes guerrières sous l'air de recueillement convenable à des religieux, et qu'exigeait d'ailleurs la présence du chef de l'ordre.

Le reste de la salle, disposé en contrebas, était rempli, outre les gardes armés de pertuisanes, d'une foule de gens, attirés par la curiosité de voir, du même coup, un grand maître et une sorcière juive ; et comme la plupart d'entre eux étaient, de façon ou d'autre, affiliés au Temple, ils se distinguaient en conséquence par leurs vêtements noirs. On n'avait pas refusé d'admettre les paysans des environs, car Beaumanoir voulait donner la plus large publicité à l'acte édifiant de justice qu'il allait rendre. Ses grands yeux bleus semblaient s'agrandir encore en les promenant autour de lui, et ses traits se gonfler d'orgueil en songeant à l'importance et au prétendu mérite du rôle qu'il remplissait. Le chant d'un psaume ouvrit la séance ; lui-même l'accompagna, d'une voix forte et bien timbrée, que l'âge n'avait pas privée de ses moyens. Les sons solennels du *Venite, exultemus Domino*, si souvent entonné par les templiers avant d'attaquer leurs ennemis terrestres, lui parurent les plus aptes à préparer son prochain triomphe (tel était son sentiment) sur les puissances des ténèbres. Ces accords graves et prolongés, soutenus par une centaine de voix accoutumées à chanter ensemble, allèrent frapper les voûtes de la salle, et se déroulèrent le long des arceaux, avec le bruit majestueux d'un fleuve à la course rapide et puissante.

Quand le chant eut cessé, le grand maître s'aperçut, en regardant autour de lui, que le siège d'un des commandeurs était vide. Briand de Bois-Guilbert, qui aurait dû l'occuper, avait quitté sa place pour aller se poster, debout, à l'extrémité d'un des bancs réservés aux simples chevaliers : d'une main, il avait ramené son manteau comme pour cacher en quelque sorte sa figure, et, de l'autre, il traçait lentement, avec la pointe de son épée restée au fourreau, des lignes imaginaires sur le plancher.

– Le malheureux ! dit Beaumanoir, en jetant sur lui un œil de pitié. Vois, Conrad, dans quelle sombre affliction le plonge cette œuvre de salut ! Jusqu'où le frivole regard de la femme peut, avec l'aide du prince des puissances mondaines, réduire un vaillant et digne chevalier ! Il lui est impossible, remarque-le, de lever les yeux sur nous, pas même sur elle. Et qui sait par quelle impulsion de notre persécuteur sa main trace sur le plancher ces lignes cabalistiques ? Peut-être y a-t-il là une menace contre nous ; mais je défie l'impur ennemi. *Semper leo percutiatur.*

Après avoir communiqué ces impressions à son confident, le grand maître éleva la voix et s'adressa en ces termes à l'assemblée :

– Vaillants et révérends commandeurs, chevaliers et compagnons du saint ordre du Temple, mes frères et mes enfants ! et vous aussi, nobles et pieux écuyers, qui aspirez à l'honneur de porter la sainte croix ! vous enfin, chrétiens de toutes classes ;

Sachez que ce n'est pas faute d'un pouvoir suffisant que nous avons convoqué cette assemblée ; car, malgré notre indignité, nous avons reçu, avec ce bâton, le pouvoir absolu de poursuivre et de juger tout ce qui intéresse la prospérité de notre ordre. Le bienheureux saint Bernard a dit, au LIXe chapitre de la règle qu'il a tracée pour cette congrégation à la fois guerrière et religieuse, que les frères ne se réuniraient en conseil que par l'ordre et la volonté du grand maître, nous laissant la liberté, comme l'ont eue les respectables pères qui nous ont précédé dans cette charge, d'apprécier l'occasion, le temps et le lieu où l'ordre devait être convoqué, en assemblée partielle ou générale. Dans ces assemblées, quelles qu'elles soient, il nous est prescrit d'écouter l'avis de nos frères et de procéder ensuite selon notre bon plaisir. Mais, quand le loup en fureur, se précipitant sur le troupeau, en emporte une brebis, c'est le devoir du bon pasteur de réunir ses compagnons afin de tuer le ravisseur avec l'arc et la fronde, conformément au précepte bien connu qu'il faut sans cesse combattre l'ennemi.

En conséquence, nous avons fait comparaître en notre présence une juive, nommée Rébecca, fille d'Isaac d'York, réputée infâme pour ses charmes et sortilèges. C'est ainsi qu'elle a enflammé le sang et troublé la cervelle, non d'un paysan mais d'un chevalier, non d'un chevalier séculier mais d'un serviteur du saint temple, non d'un simple compagnon mais d'un commandeur de l'ordre, et l'un des premiers par le rang et l'honneur. Briand de Bois-Guilbert, notre frère, est bien connu de nous et de tous ceux qui m'écoutent comme un sincère et zélé champion de la croix, dont le bras a accompli mainte prouesse en terre sainte et purifié les saints lieux par le sang des infidèles qui les avaient souillés. Il n'avait pas moins de renom par son intelligence et sa sagesse que par son courage et ses talents militaires, à telles enseignes qu'en Orient et en Occident l'on désignait Bois-Guilbert comme un des plus dignes de nous succéder et de prendre en main ce bâton, lorsqu'il plaira au ciel de nous soulager de ce fardeau.

Si l'on venait nous dire qu'un tel homme, si honoré et si honorable, mettant tout à coup en oubli ce qu'il doit à son caractère, à ses vœux, à ses frères, à ses espérances, a fait alliance avec une juive ; qu'il a défendu sa personne de préférence à la sienne ; qu'enfin il a poussé l'aveuglement et la démence jusqu'à l'introduire dans une de nos commanderies, que devrions-nous penser, sinon que le noble chevalier était possédé d'un mauvais esprit ou sous l'influence de quelque abominable sortilège ? À supposer qu'il en pût être autrement, soyez convaincus que ni rang, ni valeur, ni haut renom, ni toute autre considération humaine ne nous empêcherait de le punir, afin de chasser le mal loin de nous, selon la parole de l'Écriture : *Auferte malum ex nobis.*

Car, dans cette lamentable histoire, les infractions à la règle de notre ordre sont diverses et criminelles.

Premièrement, il a marché d'après sa propre volonté, malgré le chapitre XXXIII : *Quod nullus juxta propriam voluntatem incedat.*

Secondement, il a eu des relations avec une personne excommuniée ; chapitre LVII, *Ut fratres non participent cum excommunicatis.* Aussi a-t-il encouru en partie l'excommunication *maranatha.*

Troisièmement, il a conversé avec des femmes étrangères, ce qui est contraire au chapitre : *Ut fratres non conversentur cum extraneis mulieribus.*

Quatrièmement, il n'a pas évité, que dis-je ? il est à craindre qu'il n'ait sollicité les caresses de la femme, par quoi, dit la dernière règle de notre saint ordre : *Ut fugiantur oscula,* les soldats de la croix sont attirés dans le piège.

En raison de crimes aussi nombreux que détestables, Briand de Bois-Guilbert serait retranché et chassé de notre communauté, quand même il en serait l'œil droit et la main droite.

Beaumanoir s'arrêta. Un sourd murmure courut dans l'assemblée. Certains jeunes chevaliers, qui avaient paru disposés à rire de la règle sur les caresses féminines, prirent un air plus grave et attendirent avec inquiétude ce qu'allait proposer le grand maître.

– Oui, reprit-il, tel serait, et tout aussi rigoureux, le châtiment d'un serviteur du Temple, qui aurait outrageusement violé en des points si essentiels les règles de son ordre. Toutefois, il se peut qu'au moyen d'enchantements et de sortilèges, Satan ait acquis de l'empire sur le chevalier, peut-être parce qu'il avait regardé trop légèrement cette fille. Alors nous devons gémir sur son erreur plutôt que la châtier, lui imposer une pénitence qui le purifie de toute iniquité, et tourner le glaive de notre indignation contre l'instrument maudit qui a failli déterminer sa chute.

Levez-vous donc et portez témoignage, vous qui avez connaissance de ces faits déplorables, mettez-nous à même d'en juger le nombre et la gravité, afin que nous décidions si notre justice peut être satisfaite par la punition de cette infidèle, ou s'il faut, en dépit de nous-même, procéder avec plus de rigueur contre notre frère.

On appela plusieurs témoins, pour rendre compte des dangers auxquels Bois-Guilbert s'était exposé en sauvant Rébecca du château en flammes, et de sa sollicitude à veiller sur elle en négligeant le soin de sa propre défense. Ils racontèrent cela avec l'exagération commune aux gens du peuple, quand chez eux l'imagination est fortement excitée par un événement mémorable ; leur penchant au merveilleux reçut une force nouvelle du contentement que de semblables dépositions semblèrent procurer à l'illustre personnage devant qui elles avaient été faites. Ainsi, sur la foi de leurs récits, les périls dont Bois-Guilbert avait triomphé, déjà assez grands par eux-mêmes, s'accrurent jusqu'à l'impossible ; son zèle à protéger Rébecca dépassa non seulement les bornes du dévouement, mais les extravagances des chevaliers de la légende, et sa déférence pour ce qu'elle disait, bien qu'elle le rudoyât souvent et qu'elle l'accablât de reproches, fut poussée si loin que, dans un homme d'un caractère hautain, elle paraissait presque surnaturelle.

Le commandeur Malvoisin fut ensuite invité à raconter comment Bois-Guilbert et la juive étaient arrivés à Templestowe. Sa déposition fut aussi habile que circonspecte. Tout en ayant l'air de ménager la susceptibilité de Bois-Guilbert, il donna à entendre, par des insinuations glissées çà et là, qu'il était sujet à des accès passagers de folie, tant il semblait violemment épris de la jeune fille qu'il amenait. Avec des soupirs de contrition, Malvoisin exprima son repentir d'avoir admis Rébecca et son amant dans les murs de la commanderie.

— Mais, dit-il en terminant, ma justification est dans les aveux que j'ai faits à notre très révérend père le grand maître ; il sait que mes intentions n'étaient pas mauvaises, bien que ma conduite ait pu être irrégulière. C'est avec joie que je me soumettrai à la pénitence qu'il m'imposera.

— Albert, tu as bien parlé, dit Beaumanoir ; tes intentions étaient pures, puisque tu avais jugé bon de retenir ton frère égaré sur la pente d'une imminente folie. Mais ta conduite a été coupable, car tu as agi comme celui qui voudrait arrêter un cheval échappé en le saisissant par l'étrier au lieu de la bride, et qui par là se blesserait lui-même, sans avoir accompli son dessein. Notre pieux fondateur exige de nous chaque jour treize *pater* à matines et neuf à vêpres : tu en réciteras le double ; l'usage de la viande nous est permis trois fois par semaine : tu t'en abstiendras les sept jours durant. Telle est la pénitence que je t'impose ; elle durera six semaines.

Le commandeur, avec l'air hypocrite d'une soumission absolue, salua son supérieur jusqu'à terre et revint à sa place.

— Ne conviendrait-il pas, mes frères, reprit le grand maître, de nous informer des faits et gestes de cette juive ? Il importe grandement de découvrir si elle est femme à user de charmes et de sortilèges. Les véridiques choses que nous venons d'entendre nous inclinent à supposer que, dans cette malheureuse affaire, notre frère égaré a agi sous l'influence d'une tentation ou d'un prestige infernal.

L'un des commandeurs présents se nommait Hermann de Goodalricke ; les trois autres étaient Montfichet, Malvoisin et Bois-Guilbert lui-même. Hermann, vieux guerrier au visage couturé de cicatrices que lui avait faites le cimeterre musulman, jouissait d'une haute estime parmi ses frères. Il se leva et salua le grand maître, qui s'empressa de lui accorder la permission de parler.

– Très révérend père, dit-il, je désirerais savoir de notre vaillant frère Briand de Bois-Guilbert ce qu'il a à répondre à ces étonnantes accusations, et de quel œil il regarde à présent sa regrettable liaison avec cette jeune juive.

– Briand de Bois-Guilbert, dit le grand maître, tu as entendu la question à laquelle notre frère Goodalricke voudrait avoir une réponse. Explique-toi, je te l'ordonne.

À l'appel de son nom, Bois-Guilbert tourna la tête vers le grand maître et garda le silence.

– Il est possédé d'un démon muet, dit Beaumanoir. Retire-toi, Satan ! Parle, Briand de Bois-Guilbert, je t'en conjure par le symbole de notre saint ordre !

Le chevalier fit un effort pour refouler en lui-même l'indignation et le mépris qui lui gonflaient le cœur, et dont la manifestation, il le savait de reste, lui aurait peu servi.

– Briand de Bois-Guilbert n'a rien à répondre, très révérend père, dit-il, à des accusations vagues et chimériques. Si l'on attaque son honneur, il le défendra au péril de ses jours, et avec cette épée qui a plus d'une fois combattu pour la chrétienté.

– Nous excusons, frère Briand, dit le grand maître, cette glorification de tes actes en notre présence : elle t'a été suggérée par le tentateur, pour exalter en toi le sentiment de l'orgueil. Tu as notre pardon, car tu cèdes moins à ton impulsion qu'à la sienne. Mais, avec la grâce de Dieu, nous l'abattrons et le chasserons de cette assemblée.

Un regard de dédain jaillit des yeux farouches de Bois-Guilbert ; mais ce fut tout.

– Maintenant, poursuivit Beaumanoir, puisque

nous n'avons pu obtenir à la question de notre frère Goodalricke une réponse plus satisfaisante, continuons notre enquête et, avec le secours de notre saint patron, nous pénétrerons jusqu'au fond de ce mystère d'iniquité. Que ceux qui ont quelque chose à dire des faits et gestes de cette juive s'avancent !

Il s'éleva alors un certain brouhaha dans le bas bout de la salle ; le grand maître en ayant demandé la cause, on lui apprit qu'il y avait là, parmi les assistants, un paralytique, à qui l'accusée, en se servant d'un baume merveilleux, avait rendu l'usage complet de ses membres.

C'était un artisan, Saxon d'origine, qu'on amena bon gré mal gré à la barre du tribunal ; il tremblait de peur à la pensée des conséquences terribles que pouvait avoir pour lui le crime d'avoir été guéri par une sorcière juive. Et même guéri, il s'en fallait de beaucoup, car il ne marchait qu'avec des béquilles. Ce fut à contre-cœur et en pleurant à chaudes larmes qu'il fit sa déposition. Voici pourtant ce qu'il déclara. Deux ans auparavant, à York où il demeurait, il fut frappé subitement d'un mal violent, pendant qu'il travaillait de son état de menuisier, pour Isaac, le riche Israélite. Il lui fut impossible de quitter le lit jusqu'au moment où les remèdes ordonnés par Rébecca, et surtout un baume réchauffant et aromatique, lui rendirent en partie l'usage de ses membres ; en outre, elle lui avait remis un pot de ce précieux onguent et fait cadeau d'une pièce d'argent pour s'en retourner chez son père, tout près de Templestowe.

– Et n'en déplaise à Votre Gracieuse Révérence, ajouta le pauvre homme, je ne puis me figurer que la jeune fille m'ait rendu un mauvais service, bien qu'elle ait la male chance d'être juive ; car, chaque fois que j'usais de son remède, je disais le *Pater* et le *Credo*, et jamais il n'opérait une idée moins bien.

– Silence, esclave, et va-t'en ! dit Beaumanoir. Il sied bien à des brutes de ta sorte de traiter comme des babioles les cures du démon, toi qui vends ton labeur à des mécréants ! Apprends que le démon peut susciter des maladies, dans l'unique dessein de les faire disparaître et de mettre en crédit quelqu'une de ses drogues infernales. As-tu là le baume dont tu parles ?

L'artisan, fouillant dans son sein d'une main tremblante, en tira une petite boîte, sur le couvercle de laquelle étaient inscrits des caractères hébraïques, preuve certaine aux yeux de la plupart des assistants qu'elle sortait de l'officine du diable. Après avoir fait un signe de croix, Beaumanoir prit la boîte, et, comme il connaissait les langues orientales, il lut sans difficulté la devise qu'elle portait : *La victoire est au lion de Juda.*

– Étrange pouvoir de Satan, dit-il, qui transforme en blasphèmes les paroles sacrées, et mêle le poison à la nourriture de notre esprit ! N'y a-t-il pas ici de médecin qui puisse nous dire quels ingrédients composent cet onguent mystérieux ?

Deux soi-disant médecins, l'un moine, l'autre barbier, s'avancèrent à la barre. Ils déclarèrent ne rien savoir de la nature des éléments mélangés, sinon qu'il s'en dégageait une odeur de myrrhe et de camphre, « *herbes* orientales », dirent-ils. Mais, avec cette haine de métier, jalouse des succès d'un rival étranger, voici ce qu'ils insinuèrent : le remède leur étant inconnu, à eux qui, sans être sorciers, avaient étudié toutes les branches de leur art aussi loin que le permettait la foi d'un chrétien, il devait forcément avoir été composé d'après une recette illicite et par magie.

Cette enquête médicale terminée, l'artisan saxon demanda humblement qu'on lui rendît le baume dont il avait retiré d'excellents effets.

– Quel est ton nom, manant ? dit le grand maître en fronçant le sourcil.

– Higg, fils de Snell, répondit l'artisan.

– Eh bien, Higg, fils de Snell, il vaut mieux être perclus de tous ses membres que de profiter des maléfices d'un mécréant qui te dirait : « Lève-toi et marche ! » Il vaut mieux enlever aux infidèles leurs trésors de vive force que d'accepter des cadeaux de leur charité ou de se mettre à leurs gages. Va, et tiens-toi-le pour dit.

– Hélas ! sauf le respect dû à Votre Révérence, la leçon m'arrive trop tard, car je ne suis plus qu'un infirme ; mais je rapporterai à mes deux frères qui travaillent pour Nathan ben Samuel, le rabbin, qu'il est plus légitime de le voler que de le servir fidèlement.

– Qu'on emmène ce bavard ! dit Beaumanoir, nullement préparé à réfuter cette application pratique de sa maxime générale.

Higg, fils de Snell, rentra dans la foule. Comme il s'intéressait au sort de sa bienfaitrice, il ne voulut pas quitter la salle avant la fin du procès, au risque de s'attirer encore une réprimande de ce juge terrible dont l'aspect le glaçait jusqu'au fond de l'âme.

En ce moment, le grand maître ordonna à Rébecca de lever son voile. Ouvrant la bouche pour la première fois, elle répondit, d'un ton calme mais digne, qu'il n'était pas d'usage aux filles de sa nation d'avoir le

visage découvert quand elles se trouvaient seules au milieu d'étrangers. L'harmonie de sa voix et la simplicité de sa réponse pénétrèrent l'auditoire d'un sentiment de compassion et de sympathie. Mais Beaumanoir se croyait obligé en conscience de réprimer tout mouvement de sensibilité qui aurait pu entraver ce qu'il regardait comme son devoir ; il réitéra l'ordre à sa victime de retirer son voile. Les gardes se disposaient à le lui ôter, lorsqu'elle se leva.

– Non, dit-elle, pour l'amour de vos filles... J'oublie que vous n'en avez point !... Alors par le souvenir de vos mères, par l'affection de vos sœurs, par respect pour la pudeur de mon sexe, ne souffrez pas qu'on porte les mains sur moi en votre présence !... Il ne convient pas à une fille d'être livrée à de tels valets de chambre. Je vous obéirai, ajouta-t-elle avec une expression de douleur résignée, qui attendrit presque le cœur de Beaumanoir lui-même ; vous êtes les anciens de votre peuple, et, puisque vous l'ordonnez, je vous montrerai les traits d'une infortunée.

Elle leva son voile, et regarda ses juges d'un air plein de modestie et de noblesse. Sa rayonnante beauté provoqua un murmure de surprise, et les jeunes templiers se dirent les uns aux autres, dans un langage muet, que la meilleure excuse de Bois-Guilbert était dans la puissance de ces charmes réels, et non dans celle de sortilèges imaginaires. Mais Higg, fils de Snell, ressentit une commotion douloureuse à l'aspect du visage de sa bienfaitrice.

– Laissez-moi sortir, dit-il aux gardes de la porte, laissez-moi sortir ! Sa vue me tuerait... Ah ! c'est moi qui serai cause de sa mort.

– Sois en paix, pauvre homme ! dit Rébecca, qui avait entendu cette exclamation. Tu ne m'as fait aucun mal en disant la vérité ; tes plaintes ni tes lamentations ne peuvent me servir. Console-toi, je t'en prie ; rentre à la maison, et que Dieu te garde !

Les soldats, par pitié pour lui, allaient le mettre

dehors, de crainte que son bruyant chagrin n'attirât sur eux des reproches et sur lui quelque châtiment ; mais il promit de rester tranquille, et ils le laissèrent dans la salle.

On appela les deux hommes d'armes, à qui Malvoisin n'avait pas manqué de faire la leçon. Quoiqu'ils fussent des scélérats endurcis et intraitables, la vue de la prisonnière, non moins que son admirable beauté, parut les ébranler un instant ; mais un coup d'œil expressif du commandeur de Templestowe raffermit leur brutale indifférence. Avec une précision qui eût semblé suspecte à des juges plus impartiaux, ils firent leur déposition ; les choses les plus naturelles devinrent mensongères ou superflues, et surtout propres à éveiller le soupçon par l'exagération et par les sinistres commentaires dont ils les accompagnaient.

À notre époque, un semblable témoignage eût été divisé en deux parts : celle des détails insignifiants, celle des faits matériellement impossibles ; mais, en ces temps d'ignorance et de superstition, l'on admettait sans effort l'une et l'autre comme preuves de culpabilité. De nos jours, on eût laissé de côté des allégations de la force de celle-ci : Qu'on avait entendu Rébecca s'exprimer seule dans une langue inconnue ; qu'elle chantait par moments des chansons d'un charme tellement pénétrant que, sans les comprendre, l'oreille en était ravie et le cœur tout ému ; qu'en se parlant à elle-même, on l'avait vue parfois lever les yeux en l'air pour attendre une réponse ; que ses habits étaient d'une coupe étrange et mystique, à l'opposé de ceux des femmes de bon renom ; qu'elle portait des bagues à devises cabalistiques, et que des signes bizarres étaient brodés sur son voile. Toutes ces particularités, si naturelles et si triviales, on les écouta gravement comme autant de preuves, ou du moins de fortes présomptions, que Rébecca entretenait des rapports illicites avec les puissances invisibles.

Il y eut un témoignage moins équivoque, auquel l'assemblée presque entière fut assez crédule pour donner avidement créance, quelle qu'en fût l'absurdité. Un des hommes d'armes déclara qu'il avait vu Rébecca guérir un blessé, qu'on avait transporté au château de Torquilstone. « Elle fit, dit-il, des simagrées sur la blessure, et prononça des mots mystérieux, que, grâce au ciel, il n'avait pas compris ; aussitôt le fer d'un trait d'arbalète sortit de lui-même, le sang cessa de couler et, un quart d'heure plus tard, le moribond était sur les murailles, aidant le témoin à manœuvrer une machine à lancer des pierres. » Cette fable était probablement fondée sur le fait que la juive avait soigné la blessure d'Ivanhoé, dans le château de Front de Bœuf. Mais il était d'autant plus difficile de contester la véracité du témoin, que, pour appuyer son dire d'une preuve matérielle, il tira de sa poche le fer même si miraculeusement sorti de la blessure ; et comme c'était, selon l'usage, un fer juste du poids d'une once, ce détail corrobora pleinement son allégation audacieuse.

L'autre soldat avait assisté, d'un créneau voisin, à la scène qui s'était passée entre la juive et le templier, lorsqu'elle faillit se jeter en bas de la tourelle. Ne voulant pas rester en arrière de son camarade, il affirma avoir vu Rébecca grimper sur le parapet de la tourelle, se changer en un cygne d'une blancheur éclatante, voler trois fois autour du castel, revenir se poser sur la fenêtre, et y reprendre sa première forme.

Il eût suffi, et au-delà, de la moitié de ces preuves imposantes pour entraîner la condamnation d'une femme vieille, pauvre et laide, n'eût-elle pas été juive ; unies à cette fatale circonstance, elles devaient accabler Rébecca, en dépit de sa jeunesse et de sa beauté.

Après avoir recueilli les suffrages, le grand maître demanda, d'un ton solennel, à l'accusée si elle avait quelque chose à dire pour sa défense.

– Invoquer votre pitié, dit la juive d'une voix trem-blante d'émotion, serait inutile, j'en suis convaincue et je ne veux pas m'abaisser jusque-là ; vous rappeler que soulager des malades et des blessés d'une religion différente ne peut déplaire au fondateur reconnu de ma croyance et de la vôtre, ne me ferait pas plus de bien ; soutenir que plusieurs des choses dont ces hommes m'ont accusée (que Dieu leur pardonne !) sont impossibles, ne servirait pas à grand-chose, puisque vous croyez à leur possibilité ; et j'aurais encore moins d'avantage à vous expliquer que le contraste de mes mœurs, de mes habits tient à mon peuple... à ma patrie, allais-je dire ; mais hélas ! nous n'en avons plus. Je n'essaierai pas même de me justi-fier aux dépens de mon persécuteur : il est là, prêtant l'oreille à ce tissu d'impostures et de calomnies qui semblent faire du tyran une victime. Entre lui et moi que Dieu soit juge ! Mais plutôt souffrir dix fois la mort à laquelle votre bon plaisir peut m'envoyer que de céder aux sollicitations dont cet homme de Bélial m'a poursuivie, moi, seule, sans défense, et sa prison-nière. Il est de votre foi, et la moindre de ses paroles pèserait plus que les solennelles protestations de la juive désolée. Je ne relèverai donc pas contre lui l'ac-cusation portée contre moi ; mais c'est à lui-même... oui, Briand de Bois-Guilbert, c'est à toi que j'en appelle... de dire si ce qu'on m'impute n'est pas men-songe, absurdité, calomnie et cruauté tout ensem-ble !

À ces mots, tous les yeux se tournèrent vers Bois-Guilbert, qui garda le silence.

– Parle ! reprit Rébecca. Si tu es un homme, si tu es chrétien, parle ! Je t'en conjure par l'habit que tu por-tes, par le nom de tes aïeux, par le rang de chevalier dont tu te vantes, par l'honneur de ta mère, par la tombe et les cendres de ton père, oui, je t'en conjure, parle ! Suis-je coupable ?

– Réponds-lui, frère, dit le grand maître, si toutefois l'ennemi, qui est en lutte avec toi, t'en laisse le pouvoir.

En effet, Bois-Guilbert semblait se débattre sous l'influence de passions contraires, qui bouleversaient son visage jusqu'à la convulsion. Ce fut d'une voix étranglée qu'à la fin il répondit, en regardant en face Rébecca :

– Le parchemin ! le parchemin !

– Eh bien, dit Beaumanoir, voilà ce qui s'appelle une preuve. Il est impossible à la victime de cette sorcière de parler d'autre chose que du parchemin fatal, sur lequel, sans doute, est inscrite la cause de son mutisme.

Rébecca donna un sens différent aux paroles arrachées, pour ainsi dire, au templier : jetant à la dérobée un coup d'œil sur le parchemin roulé qu'on lui avait remis et qu'elle tenait encore dans sa main, elle y lut ces mots, tracés en arabe : *Demande le jugement de Dieu.* L'agitation qui se produisit parmi l'auditoire à la singulière réponse de Bois-Guilbert permit à la juive de s'assurer de la teneur du billet et de le faire disparaître, sans qu'on s'en aperçût.

Le silence rétabli :

– Rébecca, dit le grand maître, tu ne saurais tirer aucun profit des paroles de ce malheureux chevalier ; l'ennemi exerce encore trop d'empire sur lui. N'as-tu plus rien à dire ?

– Si. Une dernière chance de salut m'est laissée, dit-elle, et c'est votre dure loi qui me l'offre. Ma vie a été misérable, en ces derniers temps du moins, mais le Créateur me l'a donnée, et je n'y renoncerai pas, tant qu'il me restera un moyen de la défendre. Je repousse l'accusation de sorcellerie et la déclare fausse. Je suis innocente, et je demande le jugement de Dieu, en champ clos et par champion.

– Et qui voudrait lever la lance pour une sorcière ? qui serait le champion d'une juive ?

– Dieu y pourvoira. Eh ! quoi, dans l'heureuse Angleterre, chez cette nation libre, hospitalière, généreuse, où tant d'hommes sont prêts à risquer leurs jours pour l'honneur, il ne s'en trouverait pas un qui veuille combattre pour la justice ? Non, c'est impossible. Mais mon défi est suffisant. Voici mon gage.

Elle retira l'un de ses gants brodés et le jeta aux pieds du grand maître, avec un geste empreint de modestie et de noblesse, qui excita la surprise et l'admiration de tous les spectateurs.

CHAPITRE XXXVIII

Et, pour preuve, voici mon
gage qui répondra de moi jusqu'à
l'extrême limite de la bravoure.
SHAKESPEARE, *Richard II*.

Beaumanoir lui-même se sentit touché de l'air et de l'attitude de Rébecca.

Ce n'était pas un homme foncièrement cruel ou dur ; d'un caractère froid et étranger aux passions, esclave d'une conscience pure mais dévoyée, il s'était, à la longue, endurci le cœur dans les pratiques étroites de la vie dévote, par l'exercice d'un pouvoir absolu et surtout par la prétendue vocation, où il se croyait appelé, de subjuguer les infidèles et de déraciner l'hérésie. Ses traits se relâchèrent de leur sévérité habituelle lorsqu'il leva les yeux sur la belle créature, qui, seule et sans appui, se défendait avec tant d'énergie et de courage. Croyant savoir la cause de cette émotion inusitée dans une âme, qui avait été, en pareille occurrence, aussi rigide que l'acier de son épée, il fit, à deux reprises, le signe de la croix.

– Jeune fille, dit-il enfin, si la compassion que tu m'inspires vient d'un effet de tes artifices diaboliques, ton crime est grand ; mais j'aime mieux y reconnaître un penchant de notre humaine nature, qui s'afflige de voir une si parfaite image de Dieu devenue un vase de perdition. Repens-toi, ma fille ; confesse tes sortilèges, renonce à tes erreurs, adore l'emblème de notre foi, et tout ira bien pour toi dans ce monde et dans l'autre. Placée dans une communauté de la règle la plus austère, tu auras le temps de prier, de faire une juste pénitence et de te repentir sans arrière-pensée. À ces conditions tu auras la vie sauve. Qu'a fait pour toi la loi de Moïse ? Vaut-elle le sacrifice de ta vie ?

– C'est la loi de mes pères, répondit Rébecca ; elle leur fut donnée du haut d'un nuage de feu, parmi les tonnerres et les éclairs, sur le mont Sinaï. Vous le croyez, puisque vous êtes chrétiens. Mais elle a été révoquée, dites-vous ; c'est ce qu'on ne m'a point enseigné.

– Que notre chapelain se lève, et qu'il dise à cette infidèle...

– Pardonnez-moi de vous interrompre. Je ne suis qu'une femme, incapable de discuter sur ma religion, mais prête à mourir pour elle, si c'est la volonté de Dieu. Daignez répondre à la requête que je vous ai présentée.

– Donnez-moi son gant. Et Beaumanoir, à la vue de ce tissu délicat et de ces doigts effilés, ajouta : Voici un gage bien fragile pour une mortelle entreprise ! Rébecca, compare ce gant mince et léger à nos lourds gantelets de fer... Ainsi en est-il de ta cause et de celle du Temple, car c'est l'ordre que tu as défié.

– Mettez mon innocence dans la balance, et le gant de soie l'emportera sur le gantelet de fer.

– Alors tu persistes dans le refus d'avouer ton crime et dans l'audacieux défi que tu nous as porté ?

– Oui, noble seigneur.

– Soit donc fait comme il est requis, et que Dieu fasse justice au bon droit !

– *Amen !* répondirent les commandeurs, et après eux tous les assistants.

– Frères, dit Beaumanoir, nous aurions pu repousser la requête de cette femme ; mais, bien que juive et infidèle, elle est aussi étrangère et sans défense, et lorsqu'elle réclame le bénéfice de nos lois, Dieu nous interdit de le lui refuser. De plus si nous sommes voués à l'état religieux, ce serait une honte à nous, en notre qualité de chevaliers et de soldats, de nous opposer, sous aucun prétexte, au combat qu'elle demande. Voici donc où en sont les choses : Rébecca, fille d'Isaac d'York, accusée, sur un grand nombre de faits et de présomptions, d'avoir ensorcelé un noble chevalier de notre saint ordre, réclame l'épreuve du duel pour prouver son innocence. Quel sera notre champion, frères ? celui à qui nous devons remettre ce gage ?

– Briand de Bois-Guilbert, dit Goodalricke. L'affaire le concerne particulièrement, et il sait ce qu'il y a de vrai, mieux que personne.

– Mais, objecta le grand maître, si notre frère Briand est sous l'influence d'un charme ou d'un sortilège ? Nous ne parlons ainsi que par excès de précaution, car il n'est pas dans l'ordre un bras auquel nous confierions plus volontiers cette cause à défendre, ou même une plus importante.

– Révérend père, reprit le vieux commandeur, nul charme ne peut dominer le champion qui se présente au combat pour le jugement de Dieu.

– Tu as raison, frère, dit le grand maître. Albert de Malvoisin, remets le gage de bataillle à Briand de Bois-Guilbert. Frère, ajouta-t-il en s'adressant à ce dernier, nous te recommanderons de combattre avec fermeté, sans douter du triomphe de la bonne cause. Et toi, Rébecca, nous t'accordons trois jours à compter de celui-ci pour trouver un champion.

– C'est un délai bien court, répondit-elle, pour qu'une étrangère, d'une religion différente de la vôtre, trouve un homme disposé à combattre et à engager pour elle sa vie et son honneur, contre un adversaire qui passe pour un guerrier renommé.

– Nous ne pouvons faire davantage. Le duel doit avoir lieu en notre présence, et des affaires graves nous appellent ailleurs le quatrième jour.

– À la grâce de Dieu ! Je mets ma confiance en

celui à qui, pour me sauver, les instants tiennent lieu de siècles.

– Tu parles d'or, jeune fille ; mais nous savons quel est celui qui peut au besoin emprunter les dehors d'un ange de lumière. Il ne reste plus qu'à désigner le lieu du combat, qui sera, si le sort en décide, celui de l'exécution. Où est le commandeur de Templestowe ?

Malvoisin, tenant encore à la main le gant de Rébecca, était allé rejoindre Bois-Guilbert et lui parlait tout bas avec beaucoup d'animation.

– Qu'y a-t-il ? dit le grand maître. Refuserait-il le gage ?

– Non, très révérend père, il l'accepte, répondit Albert, en cachant le gant sous son manteau. Quant au lieu du combat, il n'en est pas, à mon avis, de plus convenable que le clos Saint-Georges, dépendance de la commanderie qui nous sert aux exercices militaires.

– Fort bien, dit Beaumanoir. C'est là, Rébecca, que tu présenteras ton champion, et s'il est vaincu ou s'il ne vient point, c'est là que tu subiras la mort des sorcières, suivant ce qui a été résolu. Que notre jugement soit consigné sur les registres, et qu'on en fasse lecture à haute voix, afin que nul n'en ignore.

Un des chapelains, greffiers ordinaires du chapitre, écrivit en français ce jugement sur un grand registre affecté aux procès-verbaux des séances solennelles du Temple, et, lorsqu'il eut fini, son confrère le lut à haute voix, en le traduisant en langue vulgaire :

« Rébecca, juive, fille d'Isaac d'York, atteinte et convaincue de sorcellerie, enchantement et autres pratiques damnables sur un chevalier du très saint ordre du temple de Sion, nie les choses susdites, et prétend que les témoignages portés contre elle en ce jour sont faux, méchants et mensongers. Étant, par légitime *essoine* (excuse) de son corps, incapable de combattre en sa propre cause, elle offre de la faire soutenir à sa place par un champion, qui accomplira loyalement son devoir, selon les règles de la chevalerie, avec telles armes qu'il appartient au gage de bataille, et cela à ses risques et périls. En foi de quoi, elle a donné son gage.

Lequel gage ayant été remis au noble sire et chevalier Briand de Bois-Guilbert, du saint ordre du temple de Sion, il a été nommé pour faire la bataille, au nom de son ordre et de lui-même, en tant qu'ayant souffert affront et préjudice des pratiques de l'appelante.

En conséquence, le très révérend père et puissant seigneur Lucas, marquis de Beaumanoir, ayant admis ledit défi et ladite *essoine* de l'appelante, a fixé le troisième jour en delà pour ledit combat, le lieu étant le clos Saint-Georges, près la commanderie de Templestowe. Le grand maître somme l'appelante d'y comparaître par champion, sous peine de la sentence comme convaincue de sorcellerie et d'enchantement, et aussi le défendeur, sous peine d'être tenu et déclaré lâche en cas de défaut. Et le noble seigneur et très révérend père susdit a ordonné que le combat soit livré en sa présence, suivant les us et coutumes déterminés en pareil cas.

Dieu soit en aide à la bonne cause ! »

– *Amen !* dit le grand maître.

– *Amen !* répéta en chœur l'assemblée.

Rébecca se contenta de lever les yeux au ciel et de joindre les mains. Après s'être recueillie un moment dans cette attitude, elle demanda au grand maître qu'il lui fût permis de communiquer avec ses amis, pour les instruire de sa situation et se procurer par leur intermédiaire, s'il était possible, le champion qui devait la défendre.

– Cela est de toute justice, répondit Beaumanoir. Choisis tel messager que tu croiras digne de confiance, et il pourra communiquer avec toi dans la chambre où tu es enfermée.

– Y a-t-il ici, dit Rébecca, quelqu'un, qui, pour l'amour du bon droit ou pour un fort salaire, veuille être utile à une créature abandonnée ?

Personne ne répondit à cet appel, car personne ne jugeait prudent, en la présence du grand maître, de témoigner de l'intérêt à la condamnée ; la crainte d'être soupçonné de judaïsme ne put céder à l'appât d'une récompense, encore moins à des sentiments de compassion.

Ce silence jeta Rébecca dans une angoisse inexprimable.

– Est-ce possible ! s'écria-t-elle. Est-ce en terre anglaise que je dois être privée de la faible lueur de salut qui me reste, faute d'une charité qu'on ne refuserait pas au dernier des criminels ?

– Je ne suis qu'un infirme, dit à la fin le fils de Snell, mais si je me traîne un peu, c'est à elle que je le dois. Chargez-moi de votre message, ajouta-t-il en s'adressant à Rébecca, et tout impotent que je suis, je m'en acquitterai de mon mieux. Trop heureux si mes jambes vont assez vite pour réparer le mal qu'a fait ma langue ! Ah ! lorsque je vantais votre âme secourable, je ne songeais guère que c'était vous mettre en péril de mort.

– Dieu est l'arbitre souverain, dit Rébecca, et le plus humble outil peut lui servir à délivrer Juda. Pour exécuter ses volontés, le limaçon est un courrier aussi sûr que l'hirondelle.

Après avoir achevé d'écrire son message, elle ajouta :

– Mets-toi en quête d'Isaac d'York, et donne-lui ce rouleau. Voici pour ta peine et de quoi louer un cheval. Est-ce un pressentiment du ciel, je ne sais ; mais j'ai la conviction de ne pas mourir de la mort qu'on me réserve et de trouver un défenseur. Va, ma vie dépend de ta diligence.

L'artisan prit le rouleau de parchemin, sur lequel étaient tracés des caractères hébraïques. Dans la foule, il ne manqua pas de gens qui cherchèrent à le dissuader de toucher à un objet si suspect ; mais Higg était bien décidé à obliger sa bienfaitrice. Celle qui avait soulagé le corps voudrait-elle mettre l'âme en péril ? Non, il était certain du contraire.

– Je vais emprunter, dit-il en s'en allant, le bon cheval de labour du voisin Buthan, et je serai rendu à York aussi vite que possible.

Un heureux hasard le dispensa d'aller si loin. À une centaine de pas de la commanderie, il rencontra deux cavaliers, qu'à leur costume et à leurs grands bonnets jaunes, il reconnut pour des juifs ; en s'approchant, il s'aperçut que l'un d'eux était Isaac d'York, son ancien patron, et l'autre Nathan, le rabbin. À la nouvelle qu'un chapitre avait été convoqué pour le procès d'une sorcière, ils s'étaient hasardés de compagnie du côté de Templestowe.

– Frère Nathan, disait Isaac, mon âme est en peine, et j'ignore pourquoi. Cette accusation de sorcellerie n'a été trop souvent qu'un prétexte à noirs desseins contre notre peuple.

– Rassure-toi, frère, répondit le médecin. Tu finiras par t'entendre avec les Nazaréens, car tu possèdes le Mammon d'iniquité, qui t'ouvrira toutes leurs portes et qui règne sur leurs esprits barbares comme l'anneau du grand Salomon commandait aux génies malfaisants. – Quel est ce pauvre diable qui vient à nous sur des béquilles ? Il voudrait me parler, je pense. Eh ! l'ami, dit-il à Higg, je ne te refuse pas le secours de mon art, mais qui demande l'aumône sur la grand-route n'aura pas un sou de moi. Fi donc ! Es-tu perclus des jambes ? Travaille des mains. Si tu n'es guère taillé pour faire un prompt courrier ni un berger actif, pour aller en guerre ou au service d'un maître pressé, il y a cependant d'autres métiers... Eh bien, frère, qu'est-il arrivé ?

Cette apostrophe s'adressait à Isaac. Pendant que le rabbin discourait, celui-ci avait pris le rouleau des mains de l'infirme, et, à peine en eut-il parcouru des yeux le contenu que, poussant un profond gémissement, il glissa à terre et demeura quelque temps étendu comme un homme mort.

Nathan, très alarmé, descendit de sa mule, et recourut à la hâte aux moyens que son art lui suggéra pour rappeler son compagnon à la vie. Il avait même

extrait de sa trousse une boîte à ventouses et se préparait à lui tirer du sang, lorsque l'objet de ses inquiétudes reprit tout à coup connaissance ; mais ce fut pour arracher son bonnet et se couvrir la tête de poussière. Le médecin attribua ces mouvements désordonnés à un accès de vertige, et persistant dans sa première intention, il se mit en devoir d'opérer. Isaac le convanquit bientôt de son erreur.

— Fille de ma douleur, s'écria-t-il, on aurait dû te

nommer Benoni au lieu de Rébecca ! Faut-il que ta
mort me conduise au tombeau et que, dans l'amertume de mon cœur, j'en vienne à maudire Dieu !

– Frère, dit Nathan stupéfait, tu es père en Israël et
tu oses proférer de telles paroles ? L'enfant de ta maison est vivante, n'est-ce pas ?

– Oui, oui, ainsi que Daniel dans la fosse aux lions.
Elle est captive chez les fils de Bélial, qui, sans pitié
pour sa jeunesse ni ses grâces charmantes, vont as-
souvir leur cruauté sur elle. Ah ! elle était sur mes
cheveux blancs comme une couronne de palmes ver-
doyantes, et elle se flétrira en une nuit de même que
la courge de Jonas ! Enfant de mon amour ! enfant de
ma vieillesse ! ô Rébecca, fille de Rachel, les ombres
de la mort t'enveloppent déjà !

– Il faut lire le message ; peut-être y trouverons-
nous un moyen de délivrance.

– Lis toi-même, frère. Mes yeux ne sont plus
qu'une source de larmes.

Le rabbin lut en hébreu ce qui suit :

« À Isaac, fils d'Adoniram, nommé Isaac d'York
par les gentils. Que la paix et la bénédiction du Seigneur se multiplient sur vous !

« Mon père, je suis condamnée à mort pour une
chose que mon âme ne connaît pas, pour le crime de
sorcellerie. Si l'on peut trouver un homme vaillant
qui combatte en ma faveur, avec l'épée et la lance,
suivant l'usage des Nazaréens, et cela dans la lice de
Templestowe, sous trois jours à compter de celui-ci,
peut-être le Dieu de nos pères lui donnera-t-il assez
de force pour défendre l'innocence de celle qui n'a
plus de soutien sur la terre. Si cela est impossible, que
les vierges de notre peuple pleurent sur moi l'abandonnée, comme sur la biche frappée par le chasseur,
comme sur la fleur que la faux a moissonnée !

Il y a un guerrier nazaréen qui consentirait, je crois,
à prendre les armes pour moi : c'est Wilfrid, fils
de Cedric, que les gentils nomment Ivanhoé. Mais
est-il capable de supporter le poids de son armure ?

Faites-lui savoir néanmoins ma situation, mon père : il est en crédit parmi les hommes vaillants de son peuple, et comme il a été notre compagnon dans la maison de servitude, il se peut qu'il en détermine quelqu'un à accepter ma défense. Et dites-lui, surtout à lui, Wilfrid, fils de Cedric, que Rébecca, vivante ou morte, vivra ou mourra absolument innocente du crime dont on l'accuse.

Si c'est la volonté de Dieu que vous soyez privé de votre fille, ne demeurez pas davantage sur cette terre de sang et de perversité ; retirez-vous plutôt à Cordoue, auprès de votre frère, qui vit tranquille à l'ombre du trône du calife Al-Mansour. Moins cruels sont les Maures envers la race de Jacob que les Nazaréens d'Angleterre ! »

Isaac écouta avec assez de calme la lecture de cette lettre ; puis il recommença de plus belle à gesticuler et à pousser des cris à la mode orientale, déchirant ses vêtements et couvrant sa tête de poussière.

– Ma fille ! ma fille ! disait-il. Chair de ma chair ! os de mes os !

– Voyons, dit le rabbin, du courage ! Se désespérer de la sorte ne mène à rien. Il faut ceindre tes reins et te mettre à la recherche de ce Wilfrid, fils de Cedric. C'est un jeune homme qui peut t'aider de ses conseils ou de son bras ; il jouit des bonnes grâces de Richard Cœur de Lion, dont le retour en ce pays est certain, à ce qu'il semble. Pourquoi n'obtiendrait-il pas de lui un ordre scellé, défendant à ces hommes sanguinaires, qui déshonorent le nom du Temple, de donner suite à l'atrocité qu'ils méditent ?

– J'irai à sa recherche, dit Isaac, car c'est un brave jeune homme qui a pitié de l'exil de Jacob. Mais il n'a pas la force de porter ses armes, et quel autre chrétien voudra combattre pour l'opprimée de Sion ?

– Tu parles là en homme qui ne connaîtrait pas les gentils. L'or payera leur valeur, de même qu'il te garantit la sécurité. Allons, bon courage, et mets-toi en route pour découvrir ce Wilfrid d'Ivanhoé. De mon côté, je ne resterai pas inactif, car ce serait une indignité de t'abandonner dans ton malheur. J'irai à la ville d'York ; un grand nombre de chevaliers et d'hommes de guerre y sont rassemblés, j'en trouverai bien un parmi eux qui acceptera la tâche de combattre pour ta fille. L'or est leur dieu, te dis-je, et pour de l'or ils vendraient leur vie comme leurs biens. Tu feras honneur, mon frère, à ce que je leur promettrai en ton nom ?

– Oh ! certes. Béni soit le ciel qui m'a envoyé un consolateur dans ma misère ! Cependant, ne cède pas du premier coup à leurs exigences, car c'est le propre de ces maudits de demander des fèves pour obtenir un pois. Au surplus, agis à ton gré ; cette affaire m'a mis l'esprit à l'envers, et puis à quoi bon toutes mes richesses si l'enfant de mon amour venait à périr ?

– Adieu. Puisses-tu réussir au gré de ton cœur !

Ils s'embrassèrent et partirent chacun par une route différente.

– Ces chiens de juifs ! dit l'infirme en les suivant des yeux. Ils n'ont pas fait plus d'attention à moi, un artisan libre, que si j'étais un esclave, un Turc ou un circoncis comme eux ! Ils auraient bien pu me jeter un écu ou deux, cependant. Est-ce que j'étais forcé, moi, de leur apporter ce griffonnage du diable, au risque d'être ensorcelé, comme tant de gens me l'ont dit ? Il me reste la pièce d'or de la fillette. Mais, la belle affaire ! Si, vienne Pâques, le curé me gourmande à confesse et m'oblige, pour faire ma paix, à lui en bâiller deux fois autant !... Et peut-être encore y gagnerai-je, par-dessus le marché, le sobriquet de messager boiteux de la juiverie ? Bien sûr, elle m'a ensorcelé, cette fille, quand elle m'a remis la lettre. Juif ou gentil, n'est-il pas arrivé la même chose à qui l'approchait ? Si elle avait une commission, c'était à qui s'en chargerait, et même à présent, malgré tout ce que j'en pense, je donnerais ma boutique et mes outils pour lui sauver la vie.··

CHAPITRE XXXIX

Ô jeune fille, tu peux être insensible et sans pitié ; mon cœur
est aussi fier que le tien.
ANNE SEWARD, *les Visions.*

C'était à la tombée du jour où le jugement de
Rébecca, si l'on peut lui donner ce nom, avait été
prononcé. La prisonnière entendit frapper doucement à la porte de sa chambre. Elle était alors occupée à dire les prières du soir prescrites par sa religion,
prières qu'elle termina par un cantique, dont nous
traduirons les strophes suivantes :

> *Ô peuple élu, qui t'a conduit*
> *Hors de la terre d'esclavage,*
> *Vapeur de jour, flamme de nuit ?*
> *Le Seigneur t'octroya ce gage*
> *Des brillants destins à venir,*
> *Et les nations, remuées*
> *D'épouvante, sentaient frémir*
> *Le dieu vivant parmi les feux et les nuées.*

> *Alors tout était joie. Un chœur*
> *D'unanime et pure allégresse*
> *Célébrait Israël vainqueur.*
> *Mais à présent, jour de détresse !*
> *Nul prodige comme autrefois*
> *Ne vient plus éblouir la terre.*
> *Israël suit ses propres lois,*
> *Et, proscrit des humains, il erre solitaire.*

Quand les derniers accents du pieux cantique se furent perdus dans le silence, on frappa de nouveau à la porte.

– Entre, si tu es un ami, répondit Rébecca, et serais-tu un ennemi, je n'ai pas les moyens de m'y opposer.

– Je serai l'un ou l'autre, dit Bois-Guilbert en entrant, selon ce qui adviendra de cette entrevue.

Alarmée à la vue de cet homme, dont la passion criminelle était l'origine de ses infortunes, Rébecca, d'un pas calme et digne, se retira jusqu'à l'extrémité de la chambre, prête à reculer aussi loin que possible, mais aussi à tenir ferme dans ses derniers retranchements. En adoptant une attitude, non pas hostile, mais résolue, elle voulut faire comprendre que, si elle dédaignait d'attaquer, elle était décidée à se défendre de toutes ses forces.

– Tu n'as point sujet de me craindre, Rébecca, dit le templier, ou, s'il faut être plus clair, tu n'en as point en ce moment.

– Je ne te crains pas, sire chevalier, répondit-elle, bien que sa respiration oppressée parût démentir l'assurance de son langage ; ma foi en Dieu est inébranlable, et je ne te crains pas.

– Non, dit-il d'un ton grave, je ne renouvellerai pas des tentatives conçues dans une heure d'égarement. Tout près d'ici veillent des gardes, sur lesquels je n'ai aucune autorité. Ils seront chargés de te conduire au supplice, mais ils ne te laisseraient insulter par personne, même par moi, si ma folie, car c'en est une, m'entraînait jusque-là.

– Dieu soit loué ! La mort est ce que j'appréhende le moins dans ce repaire d'iniquité.

– Oui, l'idée de la mort n'offusque point une âme courageuse, quand elle s'offre tout à coup et sans détour. Périr d'un coup de lance ou d'un coup d'épée serait pour moi peu de chose ; se précipiter du haut d'une tour ou se percer d'un poignard n'a rien qui t'épouvante. Ce que nous redoutons l'un et l'autre, c'est l'infamie. En te parlant ainsi, Rébecca, peut-être ai-je sur l'honneur des sentiments non moins romanesques que les tiens, et pourtant nous leur ferions tous deux le sacrifice de la vie.

– Malheureux ! es-tu donc condamné à exposer tes jours pour des principes dont ta raison ne reconnaît pas la solidité ? C'est échanger sa fortune contre une illusion. Ne juge pas ainsi de moi. Ta résolution peut varier au gré des flots changeants et tumultueux de l'opinion des hommes, la mienne est fondée sur le roc des âges.

– Laissons là de tels discours : ils ne sont pas de saison. Tu es condamnée à mourir ; mais, au lieu d'une mort prompte et facile, comme il en faut à la misère ou au désespoir, la tienne sera lente, affreuse, au milieu des tortures qui accompagnent ce que l'infernale superstition de tes juges appelle ton crime.

– Et si tel est mon sort, à qui le dois-je ? N'est-ce pas uniquement à celui qui, dans un but égoïste et brutal, m'a traînée jusqu'ici ? à celui qui, pour des motifs inconnus, cherche à présent à exagérer le sort terrible auquel il m'a exposée ?

– T'y exposer de parti pris ? Tu n'en crois rien sans doute. Contre une telle destinée je t'aurais fait un rempart de mon corps, avec la même ardeur que j'ai mise à te protéger contre les flèches saxonnes.

– Si tu avais eu l'intention de protéger l'innocence, ce service ne m'eût pas trouvée ingrate ; mais, bien que tu en aies souvent réclamé le bénéfice, sache que la vie ne m'est rien au prix que tu en exigerais.

– Trêve de récriminations, Rébecca ! J'ai aussi mes chagrins, et ne puis souffrir que tes reproches les aggravent encore.

– Alors que viens-tu faire ici ? Explique-toi et sois bref. Si le spectacle des maux que tu as causés n'est pas ce qui t'attire, parle, et ensuite, par grâce, laisse-moi à mes pensées. Le passage du temps à l'éternité est court, mais terrible, et j'ai bien peu d'instants pour m'y préparer.

– Je vois, Rébecca, que tu continues à me rendre responsable de malheurs qu'à tout prix j'aurais voulu prévenir.

– Sire chevalier, je voudrais t'épargner les reproches, et cependant quoi de plus certain que ta passion effrénée soit la cause de ma mort ?

– Non, tu te trompes, dit le templier précipitamment, en m'imputant, d'intention ou de fait, ce qu'il m'était impossible de prévoir ou d'empêcher. Pouvais-je deviner l'arrivée inattendue de ce barbon de Beaumanoir, que des prouesses extravagantes et la niaise admiration de ses austérités ridicules ont élevé pour le moment au-dessus de ses mérites ? que dis-je ! au-dessus du sens commun, au-dessus de moi-même et de centaines de chevaliers, dont l'esprit a su s'affranchir des inepties et des fadaises qui forment la base de ses actions ?

– Pourtant, tu siégeais parmi ceux qui m'ont jugée, moi innocente, et mon innocence t'était connue ; tu as participé à ma condamnation, et c'est toi, ou je me trompe encore, qui dois soutenir par les armes que je suis coupable et assurer l'exécution de ma peine.

– Patience, jeune fille ! Nulle race, mieux que la tienne, ne sait se plier aux circonstances et orienter sa barque de façon même à tirer parti d'un vent contraire.

– Ah ! déplorable entre toutes l'heure qui suggéra de semblables moyens à Israël ! L'adversité courbe les cœurs comme le feu amollit l'acier rebelle, et ceux qui ne sont plus leurs maîtres, qui n'habitent plus leur patrie libre et indépendante, doivent s'incliner devant l'étranger. Cette malédiction qui s'attache à nous, elle fut sans doute justifiée par nos propres fautes et par celles de nos pères. Mais toi, chevalier, toi qui revendiques la liberté comme un droit de naissance, n'est-il pas honteux de t'abaisser jusqu'à flatter les préjugés d'autrui, et cela contre ta conviction ?

– Ton langage est plein d'amertume, Rébecca, dit le templier en parcourant la chambre avec impatience ; mais je ne suis pas venu pour faire assaut de récriminations avec toi. Sache que Bois-Guilbert ne fléchit devant qui que ce soit au monde, bien qu'il ait été amené par les circonstances à modifier ses plans ; sa volonté ressemble au torrent des montagnes : un rocher peut en détourner le lit, mais bientôt il reprend sa course vers la mer. L'avis de réclamer le jugement de Dieu, de qui croyais-tu donc qu'il vînt, si ce n'est de Bois-Guilbert ? À quel autre que lui aurais-tu inspiré tant d'intérêt ?

– Un sursis bien court à une mort imminente, et qui ne me servira guère, voilà tout ce que tu as trouvé en ma faveur, après m'avoir abreuvée de chagrin et conduite jusqu'au bord de la tombe !

– Non, Rébecca, non, ce n'était pas là tout ce que je m'étais proposé. Sans la maudite intervention du vieux fanatique de grand maître et de l'imbécile Goodalricke, qui, quoique templier, affecte de penser et de juger selon les règles ordinaires de l'humanité, l'honneur de défendre l'ordre devait échoir à un simple chevalier au lieu d'un commandeur. Alors moi-même – tel était mon dessein – au son de la trompette, je serais entré dans la lice comme ton champion, sous l'apparence d'un chevalier errant qui cherche les aventures pour éprouver sa lance et son épée ; que si Beaumanoir avait désigné, non pas un, mais deux ou trois frères de cette maison, il ne m'eût pas été difficile de les désarçonner à la première passe. Voilà, Rébecca, comment ton innocence eût été reconnue, et j'aurais laissé à ta reconnaissance le soin de récompenser ma victoire.

– Tout cela n'est qu'une pure gloriole, une parade de ce que tu aurais fait si, par malheur, tu n'avais jugé à propos de faire autrement. Tu as accepté mon gant, et mon champion, en admettant qu'une créature aussi délaissée que moi en rencontre un, t'aura pour adversaire dans le champ clos. Et c'est toi qui viens prendre ici des airs d'ami et de protecteur !

– Je serai l'un et l'autre, répondit-il gravement, et

je le maintiens. À quels risques ou plutôt avec quelle certitude de déshonneur, tu vas le savoir. Mais ne me blâme pas de faire des conditions, avant de sacrifier mes ambitions les plus chères au désir de sauver les jours d'une juive.

– Parle. Je ne te comprends pas.

– Eh ! bien, alors, je te parlerai à cœur ouvert, comme un dévot se confesse au tribunal de la pénitence. Si je ne parais point dans la lice, Rébecca, je perds titre et renommée, je perds le souffle de mon existence, c'est-à-dire l'estime de mes frères, et du même coup l'espoir d'atteindre à l'autorité suprême, dont jouit le fanatique Beaumanoir et qui, entre mes mains, favorisera d'autres idées. Tel est le destin qui m'attend, à moins que je ne prenne les armes contre toi. Oh ! maudit soit Goodalricke, qui m'a tendu ce piège ! et maudit plus encore Albert de Malvoisin ! Ne m'a-t-il pas retenu la main au moment où j'allais lancer ton gant à la face du vieillard stupide et visionnaire, qui accueillait tant de charges absurdes contre une créature d'un esprit si élevé et de formes si parfaites ?

– Violence inutile ! Flatterie hors de saison ! Tu avais à choisir entre le sang d'une fille innocente et le risque de ton rang et de tes espérances : ton choix est fait. À quoi bon discuter ?

Bois-Guilbert se rapprocha d'elle, et d'un ton plus doux :

– Non, Rébecca, mon choix n'est pas fait, dit-il, et c'est toi, écoute bien, qui vas le décider. Si je parais dans la lice, il faut que je soutienne ma renommée, et, que tu aies un défenseur ou non, ta mort n'en est pas moins certaine, car il n'existe pas de chevalier qui puisse lutter avec moi, à chances égales ou avec avantage, sauf Richard Cœur de Lion et son favori Ivanhoé. Celui-ci, tu le sais bien, est incapable de porter les armes, et celui-là est prisonnier sur une terre étrangère. Donc, moi présent, tu mourras, quand même ta beauté exciterait quelque jeune enthousiaste à épouser ta cause.

– Pourquoi me répéter cela tant de fois ?

– Pour une bonne raison : tu as besoin d'examiner ton sort sous des aspects différents.

– Soit. Retourne alors la médaille.

– Ma présence dans l'arène fatale te condamne à une mort lente et criminelle, avec des souffrances égales à celles qu'on réserve, dit-on, aux coupables dans l'autre monde. Que je n'y paraisse point au contraire, je suis dégradé, déshonoré, accusé de sorcellerie et de complicité avec les infidèles ; le nom illustre que je porte et dont j'ai ravivé la gloire sera livré au blâme et à la risée. Je perds le renom, je perds l'honneur, je perds l'espoir d'arriver à une puissance qu'exercent rarement les empereurs ; je sacrifie une vaste ambition, je renverse des plans grandioses aussi hauts que les montagnes à l'aide desquels les païens racontent qu'ils faillirent jadis escalader l'Olympe. Cependant, Rébecca, ajouta-t-il en se jetant à ses pieds, ces grandeurs, j'y renonce ; cette gloire, je l'oublie ; cette puissance, je la repousse même à présent où je suis près de m'en saisir, pour une seule faveur : laisse-moi t'aimer.

– Bannis cette folie, sire chevalier. Hâte-toi plutôt d'aller trouver le chancelier régent, la reine-mère, le prince Jean ; ils ne sauraient, par honneur pour la couronne, tolérer une telle procédure. Voilà un moyen de m'assurer des protecteurs, et tu n'auras besoin de faire aucun sacrifice ni d'invoquer de prétexte pour exiger de moi une récompense.

– Que m'importe ce monde-là ? dit-il en pressant entre ses mains le bas de sa robe. Je m'adresse à toi, à toi seule. Qui peut te faire hésiter ? Serais-je démon, je vaudrais encore mieux que le bûcher, et c'est le bûcher que j'ai pour rival.

– Je ne veux pas examiner cette triste alternative, dit Rébecca, partagée entre la crainte d'irriter le caractère ombrageux du templier et la résolution où elle

était de ne rien lui accorder, pas même une lueur d'encouragement. Sois homme, sois chrétien ! S'il est vrai que la religion commande cette charité qui se montre moins dans vos actions que sur vos lèvres, épargne-moi cette mort affreuse, sans prétendre à un salaire qui prêterait à ta générosité l'apparence d'un trafic méprisable.

Le templier se releva.

– Jeune fille, dit-il, tu ne m'en imposeras point : en renonçant à ma gloire présente et à mes projets d'avenir, je n'y renonce que pour toi, et tu seras la compagne de ma fuite. Écoute, Rébecca, ajouta-t-il en adoucissant sa voix, l'Angleterre, l'Europe ne sont pas le monde. Il y a d'autres sphères d'action, où une ambition comme la mienne peut se donner carrière. Nous irons en Palestine : Conrad de Montferrat s'y trouve ; c'est mon ami, un ami aussi exempt que moi des sots préjugés qui enchaînent notre libre raison ; et s'il faut nous allier à Saladin, nous le ferons plutôt que d'endurer les mépris d'odieux fanatiques.

Oui, dit-il en marchant par saccades à travers l'appartement, je m'ouvrirai de nouveaux chemins vers le pouvoir ; l'Occident entendra le bruit des pas de celui qu'il aura chassé de son sein. Qu'a-t-il fait pour défendre la Palestine avec ses millions de croisés qu'il envoie à la boucherie ? Que peuvent les sabres des Sarrasins, qui s'abattent par nuées sur ce coin de terre livré à la fureur des nations ? Moins, bien moins que je ne ferai moi-même, par la force et la discipline des frères qui, en dépit de Beaumanoir, s'attacheront à ma fortune, bonne ou mauvaise. Tu seras reine, Rébecca ! Sur le mont Carmel s'élèvera le trône que ma valeur te destine, et le bâton de grand maître, cet objet de mes ardents désirs, je l'échangerai contre un sceptre.

– Chimères ! folles visions ! La réalité, fût-elle possible, ne me toucherait pas. Si haute que soit ta grandeur, je n'en veux point ma part. Cela suffit.

D'ailleurs, ces idées de patrie ou de religion, m'y crois-tu assez indifférente pour estimer celui qui s'en fait un jeu ? qui est prêt à rompre des serments solennels dans l'unique intérêt d'une passion insensée pour la fille d'une autre race ? Ne mets point de prix à ma délivrance, ne trafique pas d'un mouvement généreux ; protège l'opprimé par esprit de charité, non pour un bénéfice personnel. Va, te dis-je, au pied du trône, et portes-y contre des hommes cruels le témoignage de mon innocence.

– Jamais ! dit fièrement Bois-Guilbert. Pour toi, je consens à sortir de l'ordre, mais pour toi seule. Que l'ambition me reste si tu rejettes mon amour ! Au moins je ne serai dupe qu'à moitié. M'abaisser devant un Plantagenêt, solliciter une faveur de cette âme altière ! Non, je n'irai pas humilier ainsi l'ordre du Temple en ma personne. Je puis l'abandonner, mais le déshonorer ou le trahir, jamais !

– Que la bonté divine me prenne en pitié, car du secours des hommes je n'ai pas grand-chose à attendre !

– C'est la vérité. Toute fière que tu es, ma fierté ne faiblit pas devant la tienne. Une fois en champ clos et la lance en arrêt, aucune raison n'arrêtera la force de mon bras ; y as-tu réfléchi ? et alors que sera ton sort ? La mort des plus grands criminels, un brasier dévorant, le corps réduit en cendres et rendu aux éléments qui l'ont formé, et d'un ensemble de perfections il ne restera point un atome dont on puisse dire qu'il a eu le mouvement et la vie. Une femme ne saurait affronter une telle perspective. Tu céderas à ma demande, Rébecca.

– Ah ! tu ne connais pas le cœur d'une femme, Bois-Guilbert, ou celles que tu as connues étaient mortes aux plus nobles sentiments. Le courage si vanté, dont tu as donné mainte preuve dans tes rudes batailles, est-il comparable à celui que déploie une femme quand le devoir ou l'amour lui commande de souffrir ? Que suis-je moi-même ? Un de ces pauvres êtres, élevé avec tendresse, qui s'effraie aisément et peu endurant au mal. Cependant, lorsque nous serons dans la lice, toi pour combattre, moi pour souffrir, je sens en moi la ferme assurance que mon courage effacera le tien. Adieu. Je n'ai plus de paroles à perdre. Le temps qui reste ici-bas à la fille de Jacob veut être employé à d'autres soins : elle doit chercher le consolateur suprême, qui a pu détourner sa face de son peuple, mais dont l'oreille est toujours ouverte aux accents de l'innocence et de la vérité.

Il y eut un instant de silence.

– Devons-nous ainsi nous séparer ? reprit Bois-Guilbert. Ah ! pourquoi nous sommes-nous jamais vus ? ou plutôt pourquoi n'es-tu pas une demoiselle noble et chrétienne ? Oui, quand je te regarde et que je pense à notre prochaine rencontre, je voudrais appartenir à ta nation dégradée, manier des lingots et des sequins au lieu de la lance et de l'épée, courber le front devant le plus infime hobereau, et n'avoir des yeux terribles que pour le débiteur tremblant et insolvable ! Je me surprends à souhaiter cela, Rébecca, pour vivre dans ton ombre... et pour échapper à l'effrayante responsabilité de ta mort.

– Tu as dépeint le juif tel que l'ont fait ceux qui te ressemblent. Le ciel en courroux l'a chassé de son pays ; mais le travail lui a frayé vers le pouvoir et l'influence la seule route que l'oppression ne lui avait pas fermée. Relis l'ancienne histoire du peuple de Dieu, et dis-moi si ceux par qui Jéhova a opéré tant de merveilles dans le monde étaient alors un ramassis de ladres et d'usuriers. Apprends aussi, orgueilleux templier, que l'on compte parmi nous des familles, auprès desquelles votre présomptueuse noblesse est à l'avenant de l'hysope qui fleurit auprès du cèdre ; des familles, qui remontent jusqu'à ces temps reculés où la majesté divine ébranlait le trône de grâce au milieu des chérubins ; des familles qui ne tirent leur splendeur d'aucun puissant de la terre, mais de la voix redoutable qui ordonna à leurs pères de se ranger près du tabernacle. Tels étaient les princes de la maison de Jacob !

Le souvenir de l'antique éclat de sa race avait fait monter une vive rougeur aux joues de Rébecca ; cette animation disparut lorsqu'elle ajouta avec un soupir :

– Oui, tels étaient les princes de Jacob, et tels ils ne sont plus ! Aujourd'hui on les foule aux pieds comme l'herbe fauchée, on les rejette dans la boue des chemins. Toutefois, il en est encore qui ne mentent pas à leur illustre origine, et de ce nombre sera la fille d'Isaac, fils d'Adoniram. Va, je ne t'envie rien, ni tes honneurs qui sont le prix du sang, ni tes ancêtres, les païens barbares du Nord, ni ta croyance, si souvent dans ta bouche et si peu au fond de ton cœur ou dans tes œuvres.

– De par le ciel ! tu m'as jeté un sort. Oui, je suis tenté de croire que notre idiot de grand maître a dit vrai, et qu'il y a dans ma répugnance à te quitter quelque chose de surnaturel. Créature adorable, dit-il en s'approchant d'elle avec respect, si jeune, si belle, si peu accessible aux terreurs de la mort, et pourtant condamnée à périr dans l'ignominie et les tortures ! qui ne s'attendrirait sur ta destinée ? Les larmes que depuis vingt ans je ne connaissais plus, je les sens mouiller ma paupière en te regardant. N'importe, il le faut ! Rien ne peut désormais te sauver. Nous ne sommes, toi et moi, que les aveugles instruments d'une fatalité irrésistible, qui nous entraîne comme deux vaisseaux que pousse la tempête et qu'elle engloutit dans l'abîme en les écrasant l'un contre l'autre. Pardonne-moi donc, et quittons-nous en amis. C'est en vain que j'ai essayé d'ébranler ta résolution, et la mienne est aussi ferme que les arrêts immuables du destin.

– Rejeter sur la fatalité les suites de leurs passions, ainsi font les hommes. Bois-Guilbert, je te pardonne, bien que tu sois la cause de ma mort prématurée. Il y a de grandes choses dans ta puissante intelligence ; mais c'est le jardin du paresseux, où les mauvaises herbes ont poussé à foison et à demi étouffé les plantes généreuses et salutaires.

– Oui, Rébecca, tu l'as dit : je suis tranchant, indomptable, orgueilleux ; tout cela a donné à mon âme cette trempe énergique, qui, parmi cette foule d'esprits légers et d'astucieux bigots, m'a élevé au premier rang. Dès ma première jeunesse, j'ai été un homme de combat, ambitieux dans mes vues, tenace à les accomplir. Tel je serai toujours : orgueilleux, inflexible, incapable de changer, et le monde en aura la preuve. Mais est-il bien vrai que tu me pardonnes, Rébecca ?

– Aussi volontiers que jamais victime pardonna à son bourreau.

– Adieu donc !

Sur ces mots, le templier sortit de la chambre.

Le commandeur Malvoisin attendait avec impatience, dans une pièce voisine, le retour de Bois-Guilbert.

– Tu as tardé longtemps, lui dit-il. J'étais sur des charbons ardents. Que serait-il advenu si le grand maître ou son espion Conrad fût venu par ici ? J'aurais payé cher ma complaisance. Qu'as-tu, frère ? Comme tu as l'air sombre !.. Tu te soutiens à peine. Souffres-tu ?

– Autant que le condamné qui n'a plus qu'une heure à vivre, répondit Bois-Guilbert ; et bien plus encore, par la messe !.. car il y a de ces malheureux qui se séparent de l'existence comme d'un vieil habit. Vois-tu, Albert, cette fille-là m'a presque démoralisé. Je ne sais quoi me retient d'aller trouver le grand maître, et de lui déclarer à la face que j'abjure mes vœux et que je refuse de remplir la tâche barbare que sa tyrannie m'a imposée.

– Tu es fou. C'est vouloir te perdre à jamais, et sans la moindre chance de sauver du feu cette juive, qui semble te tenir tant au cœur. Beaumanoir désignera un autre champion à ta place, et elle n'en périra pas moins.

– Non, elle ne périra pas ! Je la défendrai moi-même, et si je prends ce parti, connais-tu dans l'ordre un seul chevalier qui résiste au choc de ma lance ?

– D'accord. Mais auras-tu le loisir et les moyens d'exécuter ce plan extravagant ? Va trouver Beaumanoir, dis-lui que tu renonces à tes vœux, et tu verras combien de temps le vieux despote te laissera libre de ta personne. À peine auras-tu fini de parler, que tu seras jeté à cent pieds sous terre, dans les cachots de la commanderie, pour y être jugé comme apostat ; ou s'il persiste à croire à ta possession, l'on te confinera dans quelque couvent éloigné, et là, au fond d'une cellule ténébreuse, sur la paille et couvert de chaînes, tu seras assourdi d'exorcismes, inondé d'eau bénite, afin d'expulser de ton corps le démon qui s'en est emparé. Allons, Briand, il faut paraître dans la lice, ou tu es un homme perdu et déshonoré.

– Je m'échapperai..., je fuirai loin d'ici, dans un pays où la sottise et le fanatisme n'aient pas encore pénétré. Mais sanctionner le meurtre de cette créature angélique, jamais !

– Fuir, dis-tu ? Impossible. Tes extravagances ont donné l'éveil, et il ne te sera pas permis de sortir de Templestowe. Essaie, présente-toi à la porte et ordonne qu'on abaisse le pont-levis ; la réponse ne se fera pas attendre. Cela te surprend et t'offense ? Pourtant la précaution ménage tes intérêts. Que gagnerais-tu à la fuite, sinon tes armes renversées, tes aïeux flétris, toi-même dégradé. Songes-y. Où iront-ils se cacher tes vieux compagnons de guerre, quand Bois-Guilbert, la fleur des guerriers, sera proclamé apostat et félon, au milieu des risées de la multitude ? Quel deuil pour la cour de France ! et quelle joie pour l'orgueilleux Richard, à la nouvelle que le chevalier qui lui causa tant de soucis en Palestine, et dont les prouesses égalèrent presque les siennes, a perdu gloire et honneur pour l'amour d'une juive, qu'il n'a pu même sauver par ce ruineux sacrifice !

– Albert, je te remercie. Tu as touché la corde la plus sensible de mon cœur. Advienne que pourra. Jamais l'épithète de félon ne sera accolée au nom de Bois-Guilbert. Plût à Dieu que Richard ou quelqu'un de ses présomptueux favoris parût dans la lice ! Mais non, elle demeurera vide, nul ne se souciera de rompre une lance pour la fille innocente et délaissée.

– Tant mieux pour toi, si cela arrive ; car, si la malheureuse meurt, non point par ta faute, mais par la volonté du grand maître, tout le blâme retombera sur lui, qui ne manquera pas de s'en faire un titre de gloire.

– C'est juste. S'il ne vient personne, je n'ai plus qu'un rôle muet ; à cheval et armé dans la lice, je fais partie intégrante du spectacle, sans avoir aucune part à ce qui doit s'ensuivre.

– Pas la moindre... pas plus que l'image de saint Georges dans une procession.

– Mon parti est pris. Elle m'a méprisé, rebuté, assailli de reproches, et j'irais lui sacrifier tout ce qui m'a rendu estimable et honoré ! Albert, je ferai mon devoir.

Bois-Guilbert s'éloigna précipitamment, suivi du commandeur, qui s'attacha à ses pas pour le surveiller et confirmer dans sa détermination.

Malvoisin avait le plus grand intérêt à ménager l'influence de Bois-Guilbert, dont il espérait beaucoup le jour où il serait à la tête de l'ordre, et il n'en avait pas moins à faire périr l'infortunée Rébecca depuis les promesses dont l'avait flatté Montfichet. En combattant les bons sentiments de son ami, il possédait sur lui l'avantage que donnent l'astuce, le sang-froid et l'égoïsme sur la violence et le désordre des passions ; et malgré cela, il eut besoin de toute son adresse pour maintenir Bois-Guilbert dans la résolution qu'il avait réussi à lui faire adopter. Il se vit obligé de le garder à vue et loin du grand maître, de peur qu'il ne revînt à ses idées de fuite ou de rupture ouverte avec son supérieur ; de plus, il lui fallut répéter sur tous les tons les divers arguments à l'aide desquels il essayait de prouver que paraître en champ clos était pour Bois-Guilbert le seul moyen d'échapper à la ruine et au déshonneur, sans être en aucune façon solidaire de la mort de Rébecca.

CHAPITRE XL

Arrière, fantômes ! Voici Richard en personne.
SHAKESPEARE, *Richard III.*

Mais il devient nécessaire de reprendre le fil des aventures du chevalier Noir.

Après avoir quitté le chef des *outlaws* sous le chêne de leurs assemblées, il se rendit en droite ligne à une communauté religieuse des environs, peu étendue et d'un revenu modeste, qu'on appelait le prieuré de Saint-Botulfe. C'est là qu'Ivanhoé avait été conduit, lors de la prise du château, sous l'escorte du fidèle Gurth et du magnanime Wamba. Ce qui se passa entre le blessé et son libérateur n'offrirait au lecteur qu'un médiocre intérêt ; qu'il lui suffise de savoir qu'à la suite d'un long et sérieux entretien, des messagers furent dépêchés par le prieur en plusieurs directions.

Le lendemain matin, le chevalier Noir se disposa à continuer son voyage, en compagnie du bouffon, qui devait lui servir de guide.

– Nous nous retrouverons à Coningsburgh, dit-il à Ivanhoé, puisque Cedric doit y présider aux cérémonies funèbres en l'honneur de son noble parent. Je tiens à voir vos amis saxons, cher Wilfrid, et à faire avec eux plus ample connaissance que par le passé.

Tu viendras m'y rejoindre, et je me charge de te réconcilier avec ton père.

Après quelques mots affectueux d'adieu, il allait partir lorsque Ivanhoé témoigna un vif désir de l'accompagner.

– Repose-toi aujourd'hui encore, dit le chevalier en s'y refusant ; à peine si demain tu auras la force de te mettre en route. Je n'ai besoin d'autre guide que de l'honnête Wamba, qui jouera à tour de rôle le moine ou le fou selon le gré de mon humeur.

– Ma foi ! dit Wamba, le voyage me plaît. Je ne suis pas fâché d'assister au banquet des funérailles d'Athelstane ; car, s'il n'est pas abondant et magnifique, le défunt viendra d'entre les morts chercher noise au cuisinier, à l'intendant et à l'échanson. La chose vaut la peine d'être vue. En attendant, sire chevalier, je compte sur votre valeur pour m'excuser auprès de mon maître, si l'esprit venait à me manquer.

– Et comment réussira-t-elle, ma pauvre valeur, où ton agile esprit aura cloché, dis ?

– L'esprit peut bien des choses. C'est un fripon alerte et dégourdi, qui saisit à merveille le faible du voisin et sait prendre le dessous du vent quand les passions se déchaînent trop fort. Mais la valeur est une hardie commère, à qui rien ne résiste ; elle s'aventure contre vents et marées, et passe quand même. Ainsi, brave chevalier, tandis que je mettrai à profit la bonne humeur de mon noble maître, j'espère que vous vous montrerez lorsqu'elle tournera à l'orage.

– Sire chevalier au Cadenas, puisque votre bon plaisir est d'être ainsi désigné, dit Ivanhoé, je crains que vous n'ayez choisi pour guide un insupportable bavard. Il a, du moins, le mérite de connaître les sentiers de nos bois aussi bien qu'un vieux chasseur, et sa fidélité, vous en avez eu la preuve, est de bonne trempe.

– Bah ! dit le chevalier, si au talent de me montrer

la route il joint celui de la rendre agréable, nous n'en serons que meilleurs amis. Au revoir, mon cher Wilfrid. Ne pars pas avant demain matin, je te le recommande.

En parlant ainsi, il tendit une main au jeune homme, qui la pressa contre ses lèvres ; prenant ensuite congé du prieur, il monta à cheval et s'éloigna en compagnie de Wamba. Ivanhoé les suivit des yeux jusqu'à ce qu'ils eussent disparu parmi les arbres de la forêt, et rentra dans le couvent.

Peu après matines, il demanda à voir le prieur. Le vieillard se hâta de venir et s'informa avec inquiétude de l'état de sa santé.

– Je vais mieux, répondit-il, beaucoup mieux que je n'aurais osé l'espérer, soit que ma blessure fût moins grave que l'effusion du sang ne le donnait à croire, soit par l'influence miraculeuse du baume. J'aurais la force, il me semble, d'endosser mon armure, et j'en serais ravi, car il me passe par la tête des idées qui me rendent incapable de prolonger ici mon séjour.

– Le fils de Cedric le Saxon, s'écria le prieur, nous quitterait avant sa guérison complète ? Dieu nous en garde ! Ce serait une honte pour notre maison, si j'y consentais.

– Soyez assuré, vénérable père, que je ne songerais pas à quitter ce toit hospitalier, si je ne me sentais en état de supporter le voyage et, en quelque sorte, forcé de l'entreprendre.

– Et quel motif si pressant avez-vous de partir ?

– N'avez-vous jamais éprouvé l'appréhension d'un malheur imminent, sans pouvoir vous en rendre compte ? Votre esprit ne s'est-il jamais subitement voilé, comme un paysage lumineux est assombri par les nuages qui recèlent la tempête ? Et n'êtes-vous pas d'avis que de tels pressentiments méritent notre attention, et que, par là, nos anges gardiens laissent à entendre qu'un danger nous menace ?

– Il est arrivé, dit le prieur en se signant, des choses

semblables, et qui venaient du ciel, je n'en disconviens pas ; elles avaient alors un but utile et visible. Mais vous, blessé comme vous l'êtes, à quoi bon suivre les traces de celui que vous ne pourriez secourir, s'il était assailli ?

– Vous vous trompez, prieur ; je suis assez fort pour échanger des coups avec quiconque me défierait à ce jeu-là. Mais s'il en était autrement, ne puis-je l'aider dans le péril, sans recourir à la voie des armes ? C'est un fait bien connu que les Saxons n'aiment pas la race normande ; qui sait ce qu'il peut advenir, s'il paraît au milieu d'eux, quand ils auront l'âme ulcérée par la mort d'Athelstane et la cervelle échauffée par des libations trop copieuses ? Je redoute surtout ce moment-là, et je suis décidé à en courir les dangers avec lui ou à les conjurer. Donc, ce que j'ai de mieux à faire est de vous emprunter, avec votre permission, un palefroi dont l'allure soit plus douce que celle de mon destrier.

– Très volontiers. Vous aurez ma propre haquenée : elle va l'amble, et d'un pas aussi égal que celle de l'abbé de Saint-Albans. À moins de monter le poulain du bateleur qui exécute la danse des œufs, vous ne sauriez trouver, pour le voyage, une bête plus obéissante et plus tranquille que Maritorne ; c'est son nom. Ah ! j'ai composé, en route avec elle, plus d'une homélie, destinée à l'édification des frères de mon couvent et des pauvres ouailles chrétiennes !

– Eh ! bien, mon père, dites qu'on selle tout de suite Maritorne, et que Gurth apprête mes armes.

– Il faut que je vous prévienne, beau sire, que Maritorne a pour les armes aussi peu de goût que son maître, et dame ! une fois qu'elle en aura vu votre attirail de guerre ou qu'elle en aura senti le poids, je ne réponds de rien. C'est que Maritorne est pétrie d'intelligence : elle ne souffre pas plus qu'elle ne doit porter. Un jour, j'avais emprunté le traité des *Fructus temporum* à un religieux de Sainte-Bée, elle refusa de dépasser le seuil de la porte tant que je n'eus pas échangé le pesant ouvrage contre mon mince bréviaire.

– Fiez-vous à moi : je ne l'accablerai pas d'un trop lourd fardeau, et si elle veut engager le combat, il y aura gros à parier qu'elle n'aura pas le beau rôle.

En ce moment, Gurth, qui survint, attacha aux talons du chevalier une paire de grands éperons d'or, bien propres à convaincre toute monture rétive que sa meilleure sauvegarde était de se conformer aux volontés de son cavalier. La vue de ces pointes longues et acérées commença à faire repentir le digne prieur de sa condescendance.

– À propos, dit-il, j'y songe à présent, beau sire, la Maritorne ne peut souffrir l'éperon. La jument de notre pourvoyeur ferait bien mieux votre affaire ; s'il vous plaisait d'attendre une petite heure, je l'enverrais chercher à la ferme : comme elle a charrié notre provision de bois pour l'hiver et qu'elle ne mange pas un grain de blé, elle doit être fort docile.

– Merci, mon père. Je m'en tiens à votre première offre, d'autant plus que voilà Maritorne que l'on conduit toute sellée à la porte. Gurth portera mon armure, et quant au reste, soyez tranquille : comme je ne fatiguerai pas le dos de Maritorne, elle ne fatiguera pas ma patience. Maintenant, adieu.

Ivanhoé descendit l'escalier avec plus d'aisance et de rapidité qu'on ne l'eût attendu de l'état de sa blessure, et se mit en selle, impatient d'échapper à l'importun bavardage de son hôte. Celui-ci l'avait suivi d'aussi près que le permettaient son embonpoint et son âge, tantôt lui chantant les louanges de Maritorne, tantôt lui recommandant de la ménager.

– Elle vient d'entrer dans sa quinzième année, l'époque la plus dangereuse pour les juments comme pour les filles, dit le vieillard en riant de sa plaisanterie.

Le fils de Cedric, qui avait d'autres chiens à fouetter qu'à discuter les allures de la bête avec son maître, ne prêta qu'une oreille distraite aux conseils et aux facéties du bonhomme, et, après avoir dit à Gurth de marcher à ses côtés, suivit, à travers la forêt, le chemin qu'avait pris le chevalier Noir.

Pendant ce temps-là, le prieur se lamentait, en le regardant s'éloigner de la porte du couvent.

– Sainte Vierge ! sont-ils vifs et pétulants ces gens de guerre ! Je voudrais bien ne lui avoir pas confié Maritorne... Perclus que je suis de douleurs, c'est fait de moi si mal lui arrive ! Après tout, ajouta-t-il en se remettant un peu, puisque je n'épargnerais pas mon corps impotent et usé pour la bonne cause de la vieille Angleterre, Maritorne en peut faire autant du sien et courir quelques risques. Puis, s'ils y pensent, ils enverront peut-être un magnifique cadeau à notre pauvre maison ou un paisible bidet au vieux prieur. Et, s'ils n'y pensent pas, car les grands sont oublieux des services des petits, ma foi ! je m'estimerai encore heureux d'avoir fait mon devoir... Mais il est bientôt l'heure, je crois, de faire appeler les frères au réfectoire. Ah ! ce coup de cloche-là leur est plus agréable que celui des matines !

Clopin-clopant, le prieur s'en retourna pour aller présider à la distribution de merluche et de bière, qu'on devait servir au déjeuner des religieux. Encore tout essoufflé, il entra au réfectoire et prit place à table ; il laissa, d'un air important, tomber par-ci par-là quelque phrase énigmatique sur le grand service qu'il venait de rendre et sur les avantages qui en résulteraient pour le couvent. Dans un autre moment, un tel langage eût éveillé la curiosité : mais la merluche étant fort salée et la bière assez forte, les moines jouaient trop sérieusement des mâchoires pour donner audience à leurs oreilles, de sorte qu'aucun de la compagnie ne fut tenté de réfléchir sur les allusions discrètes du prieur, à l'exception du frère Tristemine, qui, souffrant d'un violent mal de dents, ne pouvait manger que d'un côté.

Sur ces entrefaites, le chevalier Noir et Wamba s'enfonçaient tranquillement dans les profondeurs de la forêt. Quand le bon chevalier ne fredonnait pas une chanson de quelque troubadour amoureux, il aiguillonnait par ses questions l'humeur babillarde de son compagnon. Aussi leur conversation formait-elle un mélange bizarre de chansons et de bouffonneries. Nous essaierons d'en donner une idée au lecteur.

Qu'on se représente ce personnage, tel que nous l'avons déjà dépeint : vigoureux, de haute taille, aux larges épaules, fortement charpenté, il montait un cheval noir, dont les formes puissantes semblaient s'accommoder sans fatigue de leur pesant fardeau. Pour respirer librement, il avait levé par en haut la visière de son heaume ; mais si l'on ne distinguait point le reste de ses traits, il montrait à découvert des joues hâlées et vermeilles, et de grands yeux bleus dont le regard étincelait à l'ombre du casque. Au reste, toute sa personne annonçait la gaieté, l'insouciance, une assurance imperturbable ; inaccessible à la crainte, il se faisait un jeu du danger, qu'il était toujours prêt à braver, en homme dont la vie se passe parmi les combats et les aventures.

Wamba portait sa livrée de bouffon, mais les derniers événements l'avaient déterminé à remplacer son épée de bois par un *fauchon*, espèce de sabre court en faucille, et à se protéger par un petit bouclier rond ou *targe*, armes dont il avait su, malgré son état, tirer habilement parti lors de l'attaque du château. En réalité, l'infirmité intellectuelle de Wamba provenait surtout d'une sorte d'irritabilité nerveuse, qui ne lui permettait pas de garder longtemps la même posture ou de suivre un certain cours d'idées ; en revanche, il s'acquittait à merveille de toute tâche qui n'exigeait qu'une attention passagère et saisissait au vol, pour ainsi dire, tout ce qui frappait son esprit. À cheval, par exemple, il se démenait sans cesse, tantôt couché sur le cou de sa monture, tantôt campé sur les reins, ou les jambes pendantes du même côté, ou à califourchon sens devant derrière, et faisant avec cela force gestes et grimaces de singe ; en un mot, il se trémoussa tant et tant, que l'animal, tiraillé de cent façons, finit par l'envoyer rouler sur l'herbe. Cet accident, qui amusa fort le chevalier, eut pour effet de calmer un peu les impatiences de son compagnon.

Au point de leur voyage où nous revenons à eux, le joyeux couple était en train de chanter un lai d'amour, le chevalier de sa voix mâle et exercée, et le bouffon en fausset.

Anne, ma mie, Anne, ma mie,
Le soleil est bien haut monté ;
Déjà les oiseaux ont chanté,
Et dans la campagne fleurie,
Tout se réveille, Anne, ma mie.

N'entends-tu pas l'écho moqueur
Et les bruits joyeux qu'il apporte ?
Et moi, je soupire à ta porte
L'amour qui s'éveille en mon cœur.
Toi seule encore es endormie,
   Anne, ma mie.

Ami Pierre, mon ami Pierre,
Pourquoi m'inviter au réveil ?
Comparés à ceux du sommeil,
Pâles sont les dons de la terre.
Laisse-moi dormir, ami Pierre.

Que m'importe le son du cor,
Les cris d'oiseaux sous la feuillée !
Dans ma somnolente veillée
Chante un concert plus doux encor.
Mais de toi je ne rêve guère
*   Mon ami Pierre.*

– Chanson délicieuse ! dit Wamba, et jolie morale,
par ma marotte ! Quand Gurth, mon camarade,
n'était pas devenu, par la grâce de Dieu et de son
maître, ce qu'on appelle un homme libre, c'était
notre chanson favorite, et même un jour, ce diable
d'air nous posséda tellement que, pour l'avoir rabâ-
ché, à moitié endormis, plus de deux heures après le
lever du soleil, il nous en coûta la bastonnade. Rien
que d'y penser, les épaules me démangent. C'est uniquement pour vous être agréable, beau sire, que j'ai
chanté le couplet d'Anne, ma mie.

Le fou entonna ensuite une chanson populaire,
dont ils chantèrent les couplets ensemble ou à tour de
rôle.

LA VEUVE.

Près d'une veuve de chez nous
Trois galants, trois futurs époux,
*   Sont venus à la ronde.*
Allons, la belle, il faut choisir,
Et mettre un terme à ton désir
*   De plaire à tout le monde.*

— Moi, dit l'un, je suis chevalier.
Sur la bruyère et le hallier
  Je domine à la ronde.
À mes aïeux, gens de renom,
Si fortune osa dire non,
  Leur gloire emplit le monde.

Aussi j'ai chanté les beaux jours
De ma race, en vers longs et courts,
  Qu'on répète à la ronde.
— La gloire est creuse, et les aïeux,
Dit-elle, valent à mes yeux
  Moins que les biens du monde.

L'autre dit : — J'ai bon pied bon œil ;
Nul ne chasse mieux le chevreuil
  Ni ne trinque à la ronde.
Car je suis un franc montagnard :
Cœur d'or, tête chaude. Ma part
  Est de courir le monde.

Noble, j'ai plus de noms qu'un roi
Jacques, David, Martin, Geffroi,
  Et d'autres à la ronde...
— Fi ! dit la veuve en se mirant,
Mon cœur n'est déjà pas si grand
  Pour loger tant de monde.

Le dernier, taillé comme un bœuf,
L'air tranquille, et vêtu de neuf,
  Vint sifflant une ronde ;
De ferme et de rente il parla.
— Ô le beau mari que voilà !
  Dit-elle. Adieu le monde !

– Que notre hôte du grand chêne n'est-il là, dit le chevalier, ou son chapelain, le joyeux frère, Wamba, pour entendre cette ballade à la louange du madré paysan !

– Je ne m'en soucierais guère, répondit le fou, si je ne voyais le cor suspendu à votre baudrier.

– Oui, c'est un gage des bonnes intentions de Locksley, gage dont je n'userai pas probablement. Trois notes sur ce cor, et nous verrions accourir à la rescousse une fière séquelle de ces honnêtes archers.

– Hum ! le ciel nous en préserve, quoique ce joli cadeau m'assure de leurs desseins pacifiques !

– Comment cela ? Crois-tu que, sans ce gage d'amitié, ils oseraient nous attaquer ?

– Oh ! je ne crois rien, car ces arbres peuvent avoir des oreilles ni plus ni moins que les murailles. Mais, sire chevalier, répondez à ceci : quand vaut-il mieux avoir sa coupe et sa bourse pleines ou vides ?

– Jamais, à mon sens.

– Vous mériteriez de n'avoir jamais l'une ou l'autre pleine, pour une réponse si naïve ! Apprenez donc qu'il vaut mieux vider sa coupe avant de la passer à un Saxon et laisser sa bourse à la maison avant d'aller se promener dans les bois.

– Alors nos amis sont des voleurs, n'est-ce pas ?

– Je n'ai rien dit de semblable, beau sire. On peut soulager le cheval d'un pauvre homme en lui enlevant son bagage s'il a un long trajet à faire, et l'on peut aussi rendre service à l'âme d'un cavalier en l'allégeant de ce qui est une source de maux et de crimes. Je n'appliquerai donc pas de vilains noms à des gens si utiles. Seulement, s'il m'arrivait de les rencontrer, je serais content d'avoir laissé au logis bourse et bagages, pour leur éviter de l'embarras.

– Il nous faut prier pour eux, mon ami, en dépit du beau rôle que tu leur prêtes.

– Prier pour eux ? de tout de mon cœur, si c'est à la ville, mais non en plein bois, comme le prieur de Sainte-Bée, qu'ils forcèrent à dire la messe dans le creux d'un vieux chêne, en guise de stalle.

– Quoi que tu en penses, Wamba, ces archers viennent de tirer à ton maître une fameuse épine du pied.

– C'est vrai, mais cela rentre dans leur genre de commerce avec le ciel.

– Qu'entends-tu par là ?

– Voici ce que c'est. Ils établissent entre eux et le ciel une balance – notre vieux sommelier nommait ainsi son livre de comptes – tout à fait pareille à celle qu'Isaac le juif tient avec ses débiteurs ; et, à l'instar de ce dernier, ils donnent fort peu et retiennent beaucoup, escomptant sans doute à leur bénéfice la promesse de l'Évangile qu'une bonne action sera payée sept fois sa valeur.

– Traduis cela en exemple, Wamba ; je ne comprends rien au calcul ni aux règles d'intérêt.

– Eh bien, puisque Votre Valeur a l'esprit si paresseux, qu'il lui plaise de savoir que ces braves gens compensent une bonne action par une autre... qui n'est pas précisément bonne. Ainsi, pour un petit écu jeté dans la besace d'un moine, ils enlèveront à un gros abbé une centaine de besants, ou s'ils viennent en aide à une pauvre veuve, ils mettront à mal une fillette.

– Où est là-dedans la bonne ou la mauvaise action ?

– Oh ! la bonne farce ! Vivent les gens d'esprit pour en donner aux autres ! Vous n'avez rien dit de si drôle, j'en jurerais, quand vous chantiez matines avec ce sac-à-vin d'ermite. Je continue. Nos lurons de la forêt rebâtissent une chaumière et brûlent un château ; ils réparent une chapelle et pillent une église ; ils ouvrent la porte à un malheureux prisonnier et massacrent un orgueilleux shérif ; ou enfin, pour en revenir à nos moutons, ils délivrent un franklin saxon et rôtissent un baron normand. D'aimables voleurs en somme et des larrons courtois ! Lorsqu'ils sont au plus bas, c'est le moment de les rencontrer.

– Comment ?

– Parce qu'alors ils ont des scrupules et ne cherchent qu'à régler leur compte avec le ciel. La balance à peine de niveau, malheur à qui tombe sous leurs pattes ! Voilà pourquoi, sire chevalier, les premiers voyageurs qu'ils trouveront sur le chemin, après la bonne œuvre de la prise de Torquilstone, seraient tondus ras et sans pitié. Et cependant, ajouta Wamba en se rapprochant du chevalier, il y a dans ces parages des rencontres plus dangereuses pour un voyageur.

– Qu'est-ce donc, puisqu'on n'y voit ni loups ni ours ?

– Oui-dà ! et les hommes d'armes de Malvoisin ? En temps de troubles, une demi-douzaine de ces démons est pire qu'une bande de loups en tous temps. Ils vont faire leur moisson, et comme ils ont grossi leurs rangs des derniers soldats de Front de Bœuf, si nous nous heurtons à eux, ils nous feront payer cher nos exploits à Torquilstone. Or, sire chevalier, supposons qu'il s'en présente deux : que feriez-vous, je vous prie ?

– Je les clouerais contre terre d'un coup de lance, Wamba, si les coquins nous barraient le passage.

– Et s'ils étaient quatre ?

– Le même remède suffirait.

– Mais s'il y en avait six en face de nous, qui ne sommes que deux, n'auriez-vous pas recours au cor de Locksley ?

– Fi donc ! appeler à l'aide pour une vingtaine de sacripants ? Un bon chevalier les chasserait devant lui comme le vent fait des feuilles sèches.

– Auriez-vous la complaisance de me laisser voir de plus près un instrument d'une vertu si puissante ?

Le chevalier défit l'agrafe de son baudrier et contenta la curiosité de son compagnon, qui aussitôt suspendit le cor à son cou.

– Tra la la la ! dit Wamba en sifflant les notes de ralliement. Je connais le signal aussi bien qu'un autre.

– Qu'est-ce à dire, drôle ? Rends-moi ce cor.

– Soyez tranquille, il est sous bonne garde. Quand

la Folie et la Valeur vont de compagnie, la Folie doit porter le cor parce que c'est elle qui en sonne le mieux.

– Oh ! oh ! cela dépasse tes privilèges. Prends garde d'abuser de ma patience !

Le fou s'écarta de l'irascible chevalier.

– Point de menaces, noble sire, dit-il, ou la Folie tournera une belle paire de talons et laissera la Valeur se dépêtrer dans la forêt comme elle pourra.

– Allons, tu as touché juste, et, à dire vrai, je n'ai pas le temps de disputer avec toi. Garde le cor, et poursuivons notre chemin.

– Vous ne me ferez pas de mal ?

– Je te le promets, espiègle.

Wamba se rapprocha timidement et avec précaution.

– Foi de chevalier ? demanda-t-il.

– Foi de chevalier ! mais dépêchons-nous.

– Alors que la Valeur et la Folie fassent encore une fois bon ménage ! dit le fou, en reprenant sa place à côté du chevalier. Voyez-vous, je n'aime pas trop les cadeaux du genre de celui dont vous avez gratifié le gros ermite et qui l'a fait rouler sur l'herbe comme une maîtresse quille. Ah ! çà, maintenant que le cor est à la charge de la Folie, que la Valeur se lève et secoue sa crinière ! Si je ne me trompe, il y a là-bas, dans un fourré, de la compagnie qui a l'œil sur nous.

– Qui te le fait présumer ?

– À deux ou trois reprises, j'ai vu un casque étinceler à travers le feuillage. D'honnêtes gens suivraient le chemin, tandis que ce taillis me semble une chapelle digne des clercs de Saint-Nicolas.

– Par ma foi ! dit le chevalier en baissant sa visière, je crois que tu as raison.

Il n'était que temps. Au même instant, trois flèches, parties de l'endroit suspect, vinrent le frapper à la tête et à la poitrine, et l'une d'elles lui aurait atteint le cerveau, sans la précaution qu'il venait de prendre ; les deux autres s'émoussèrent contre son haubert et le bouclier suspendu à son cou.

– Merci, ma bonne armure ! dit le chevalier Noir. Allons, Wamba, chargeons-les !

En parlant ainsi, il courut droit au taillis. Avant d'y arriver, il fut assailli par sept hommes d'armes, qui se précipitèrent sur lui la lance en arrêt ; trois de ces armes le touchèrent et volèrent en éclats comme si elles eussent heurté une tour d'airain. Les yeux du chevalier Noir paraissaient lancer des flammes par les ouvertures de sa visière. Il se dressa sur ses étriers, et, d'un air de dignité inexprimable, s'écria :

– Que signifie ceci, mes maîtres ?

Les assaillants ne lui répondirent qu'en tirant leurs épées et en l'entourant aux cris de « Mort au tyran ! ».

– Ah ! saint Édouard ! Ah ! saint Georges ! dit le chevalier en abattant un homme à chaque invocation. Avons-nous des traîtres ici ?

Quelque acharnés qu'ils fussent, ses agresseurs se tenaient hors de l'atteinte d'un bras dont chaque coup donnait la mort. On eût dit que la terreur que répandait une vigueur si étonnante allait suffire à trimpher du nombre, lorsqu'un chevalier, couvert d'une armure bleue et qui était resté en arrière, accourut à son tour, la lance au poing ; mais, prenant pour but le cheval au lieu du maître, il blessa mortellement le noble animal.

– C'est une traîtrise ! s'écria le chevalier Noir, que le cheval entraîna dans sa chute.

En ce moment, Wamba se mit à sonner du cor ; l'attaque avait été si prompte que le temps lui avait manqué jusque-là. Le bruit soudain fit encore une fois reculer les brigands, et Wamba, quoique mal armé, n'hésita point à prêter secours à son compagnon.

– Honte à vous, lâches ! s'écria le chevalier Bleu,

qui avait l'air d'être le chef. Allez-vous fuir au bruit d'un cor dont s'amuse un bouffon ?

Cette apostrophe les ranima. Ils revinrent à la charge : le chevalier Noir n'eut d'autre ressource que de s'adosser contre un chêne et de se défendre l'épée à la main. Le chevalier félon, armé d'une autre lance, et guettant le moment où son redoutable adversaire serait serré au plus près, courut sur lui au galop, dans l'espoir de le clouer contre l'arbre. Mais Wamba fit échouer son projet : suppléant à la force par l'agilité, et peu remarqué des hommes d'armes qui avaient sur les bras une besogne plus importante, le fou se glissa derrière les combattants et arrêta net l'élan fatal du chevalier Bleu, en coupant, d'un revers de sabre, les jarrets de son cheval. Bête et cavalier roulèrent à terre.

La situation du chevalier Noir n'en était pas moins précaire. Vivement pressé par plusieurs hommes armés de toutes pièces, il commençait à se fatiguer, par suite des violents efforts qu'il était réduit à faire pour parer les coups portés de toutes parts. Tout à coup une flèche, empennée de plumes d'oie, étendit mort l'un des assaillants les plus dangereux. Une troupe d'archers, conduits par Locksley et le joyeux ermite, se montra bientôt hors du couvert ; sans désemparer, ils se jetèrent sur les bandits et les couchèrent tous sur le carreau, morts ou peu s'en fallait.

Le chevalier Noir remercia ses libérateurs avec une dignité qu'ils n'avaient point encore observée en lui ; car ses manières semblaient être plutôt celles d'un simple soldat de fortune que d'un personnage de haut rang.

– Avant de vous exprimer toute ma reconnaissance, mes braves amis, dit-il, je tiens beaucoup à découvrir, s'il est possible, quelles sont les gens qui m'ont attaqué sans provocation. Wamba, lève la visière du chevalier Bleu, qui paraît être le chef de ces brigands.

Le bouffon fut, en un clin d'œil, auprès du cavalier démonté, qui, meurtri de sa chute et embarrassé sous le poids de son cheval, gisait à terre, incapable de fuir ou d'opposer de la résistance.

– Vaillant sire, dit-il, souffrez que je remplace votre écuyer : après vous avoir aidé à descendre de cheval, je vais vous décoiffer.

Tout en parlant, il fit brusquement sauter les attaches du casque, qu'il jeta sur l'herbe. Alors, à son grand étonnement, le chevalier Noir aperçut une tête grise et des traits qu'il ne s'attendait pas à voir en de telles circonstances.

– Valdemar Fitzurse ! s'écria-t-il. Qui a pu pousser un homme de ton rang et de ton mérite à un si noir forfait ?

– Richard, répondit celui-ci en le regardant en face, tu connais mal le cœur humain si tu ignores jusqu'où l'ambition et la vengeance peuvent entraîner les fils d'Adam.

– La vengeance, dis-tu ? Je ne t'ai jamais fait de mal. Quelle vengeance avais-tu à tirer de moi ?

– Et ma fille, dont tu as dédaigné l'alliance ? N'est-ce pas là une insulte pour un Normand, dont le sang est aussi noble que le tien ?

– Ce motif a suffi pour te porter à une tentative d'assassinat ? Retirez-vous un peu, mes maîtres : j'ai à lui parler en particulier. À présent, Fitzurse, dis-moi la vérité. Qui t'a ordonné cet acte de scélératesse ?

– Le fils de votre père, et en agissant ainsi il ne faisait que venger votre père des révoltes que vous avez ourdies contre lui.

Les yeux de Richard étincelèrent de fureur, mais sa bonne nature ne tarda pas à reprendre le dessus. Une main pressée contre son front, il resta un moment immobile en regardant le baron humilié, sur le visage duquel l'orgueil le disputait à la honte.

– Demandes-tu merci, Fitzurse ? dit Richard.

– Celui qui est sous la griffe du lion, répondit Valdemar, doit savoir que c'est inutile.

– Reçois-la donc sans l'avoir demandée ; le lion ne se nourrit pas de cadavres. Je t'accorde la vie à une condition : sous trois jours, tu quitteras l'Angleterre et t'en iras cacher ton infamie dans ton château normand, et que jamais le nom de mon frère ne soit associé à ta félonie ! Si, passé le délai que je t'assigne, on te rencontre sur ce territoire, tu seras puni de mort ; et s'il t'échappe une parole qui puisse porter atteinte à l'honneur de ma maison, par saint Georges ! j'irai t'arracher au pied des autels pour te faire pendre aux créneaux de ton manoir, en guise de pâture aux corbeaux ! Locksley, puisque vos gens ont rattrapé les chevaux qui se dérobaient, faites-en donner un à ce chevalier, et qu'il parte sans être molesté.

– Celui qui me parle a le droit d'exiger l'obéissance, répondit l'archer ; s'il en était autrement, j'enverrais à ce lâche scélérat une flèche, qui lui épargnerait les fatigues d'un long voyage.

– Tu as le cœur vraiment anglais, dit le chevalier Noir, et tu as raison de croire que j'ai le droit d'être obéi. Je suis Richard d'Angleterre.

À ces mots, prononcés sur le ton de majesté qui convenait au rang illustre et au caractère non moins remarquable de Richard Cœur de Lion, les *outlaws* tombèrent tous ensemble à ses genoux, et lui prêtèrent serment de fidélité en implorant le pardon de leurs fautes.

La colère de Richard s'était dissipée, et ses traits ne gardaient plus, sauf une vive animation, aucune trace de la lutte acharnée qu'il venait de soutenir. Ce fut donc d'un air gracieux et avec sa bonne humeur accoutumée qu'il reprit la parole.

– Relevez-vous, mes amis, dit-il. Les fautes que vous avez pu commettre dans la campagne ou la forêt ont été rachetées par le loyal service que vous avez rendu à mes sujets en détresse sous les remparts de Torquilstone, et par le secours que vous venez d'apporter à votre souverain. Relevez-vous, et soyez à l'avenir des sujets fidèles. Quant à toi, brave Locksley...

– Ne m'appelez plus Locksley, sire. Donnez-moi le nom que la renommée a, je le crois, trop fait connaître à la ronde pour n'avoir pas frappé vos oreilles royales. Je suis Robin Hood, de la forêt de Sherwood (g).

– Roi des *outlaws* et prince des bons compagnons ! C'est un nom connu de tout le monde et qui a retenti jusqu'en Palestine. Sois tranquille, brave Robin ; rien de ce que tu as pu faire durant mon absence et dans les troubles qui l'ont suivie ne sera tourné à ton désavantage.

– C'est juste, dit Wamba, qui trouva l'occasion de placer son mot, mais avec moins de pétulance que d'habitude. Que dit le proverbe ? Quand les chats sont partis, les souris dansent.

– Ah ! ah ! tu es par ici, Wamba ? Il y a longtemps que je n'avais entendu ta voix... Tu n'as donc pas pris la clef des champs ?

– Moi ? Et depuis quand la Folie n'est-elle plus inséparable de la Valeur ? Tenez, voilà par terre le trophée de mon épée, ce bon cheval gris, que je voudrais bien revoir sur ses pieds à condition que son maître fût, les jarrets coupés, à sa place. D'abord, j'ai joué un peu des jambes, c'est vrai, une jaquette bigarrée n'étant pas, comme un pourpoint d'acier, à l'épreuve d'un fer de lance. Mais, si je n'ai pas combattu à la pointe de l'épée, vous m'accorderez que j'ai bien sonné la charge.

– Et au bon moment, honnête Wamba. C'est un service que je n'oublierai pas.

– *Confiteor ! confiteor !* clama, d'un ton de soumission plaintive, une voix qui s'élevait à la gauche du roi. Mon latin refuse de me porter plus loin... N'importe ! je confesse mon crime de haute trahison, et je demande en grâce d'être absous avant de monter à la potence.

Richard se retourna et aperçut le joyeux frère, à genoux, égrenant son chapelet, et son gourdin, qui n'avait pas chômé dans le combat, posé près de lui. Il avait donné à sa physionomie l'expression la plus propre à peindre une profonde contrition : les yeux si convulsés qu'on n'en voyait plus que le blanc, et les coins de sa bouche tellement abaissés qu'ils ressemblaient, suivant la remarque du fou, aux glands de l'ouverture d'une bourse. Mais l'air narquois et goguenard dissimulé dans les plis de sa large face démentait ce masque de componction et protestait contre son prétendu repentir.

– D'où te vient cette affliction, l'ermite ? demanda le roi. As-tu peur que la façon dont tu sers Notre-Dame et saint Dunstan ne parvienne aux oreilles de ton évêque ? Fi, mon brave ! Ne crains rien : Richard d'Angleterre ne trahit pas les secrets de la bouteille.

– Non, très gracieux souverain, répondit l'ermite, bien connu des curieux dans les légendes de Robin des Bois sous le nom de *frère Tuck*, non, la crosse, je ne la crains pas, c'est le sceptre. Hélas ! faut-il que mon poing sacrilège ait frappé la tête de l'oint du Seigneur !

– Quoi ! c'est là ce qui te tracasse ? Ma foi, j'avais oublié cette histoire, quoique l'oreille m'en ait tinté toute la journée. Le coup était bien appliqué, j'en conviens ; mais je m'en rapporte aux braves gens qui m'entourent, n'a-t-il pas été bien rendu ? Si, du reste, tu penses que je te redoive quelque chose, et qu'une autre partie soit nécessaire...

– Du tout, du tout ! J'ai mon compte, avec les intérêts. Puisse Votre Grâce toujours payer aussi largement ses dettes !

– Si je pouvais m'acquitter en cette monnaie, mes créanciers ne se plaindraient plus de trouver le trésor vide.

– Et pourtant, reprit l'ermite avec ses mines hypocrites, je ne sais quelle pénitence m'imposer pour ce coup sacrilège !

– N'en parlons plus, frère. Après avoir reçu tant de coups des païens et des infidèles, je n'aurais pas la moindre raison d'avoir sur le cœur celui dont m'a fait présent un aussi digne clerc que l'ermite de Copmanhurst. Toutefois, saint homme, il vaudrait mieux pour l'Église et pour toi que je te fisse relever de tes vœux ; tu entrerais dans les archers de ma garde, au service de ma personne comme tu l'es à celui de saint Dunstan.

– Monseigneur, je sollicite humblement votre pardon, et vous ne faillirez pas à me l'octroyer lorsque vous saurez à quel point le péché de paresse me possède ! Saint Dunstan – puissions-nous être dignes de ses bonnes grâces ! – se tient coi dans sa niche, quand j'oublie mes oraisons pour tuer un chevreuil à point ; parfois, je passe la nuit hors de ma cellule à faire je ne sais quoi, et saint Dunstan ne gronde pas. Ah ! le bon maître, pacifique s'il en fut, et de bois encore ! D'autre part, être archer dans la garde du roi, l'honneur est grand, sans doute ; mais... qu'il m'arrive de m'absenter pour aller consoler une veuve par-ci ou tirer un daim par-là, vite : « Où est passé ce chien de moine ? » dira celui-ci. « A-t-on vu le maudit Tuck ? » dira celui-là. « Le coquin de frocart ! geindra un garde. Il détruit à lui seul plus de gibier que la moitié du comté. » – « Sans compter, criera l'autre, qu'il poursuit toutes les biches du pays. » Bref, mon bon sire, laissez-moi, de grâce, tel que vous m'avez trouvé ; ou bien, pour peu que vous désiriez étendre sur moi votre bienveillance, ne voyez en moi que le pauvre clerc de la chapelle de saint Dunstan, à qui la plus légère offrande sera des plus agréables.

– J'entends. Eh ! bien, j'octroie au digne clerc le droit de verderie et de chasse dans mes forêts de Wharncliffe. Prends-y garde : je ne t'accorde que trois daims par saison ; mais que je ne sois ni roi ni chrétien si cela ne te sert pas d'excuse pour en tuer trente !

– Vous pouvez être assuré qu'avec la grâce de saint

Dunstan, je trouverai le moyen de multiplier un si généreux cadeau.

– Oh! je n'en doute nullement. Puis, comme la venaison est un manger qui altère, notre sommelier aura l'ordre de t'expédier, tous les ans, une botte de vin des Canaries, un tonnelet de Malvoisie et trois muids de bière de première qualité. Si cela n'apaise pas ta soif, viens à ma cour et tu feras connaissance avec mon majordome.

– Et pour saint Dunstan?

– J'ajouterai une chape, une étole et une nappe d'autel. Mais, ajouta Richard en faisant le signe de la croix, il ne convient pas de plaisanter avec les choses saintes de peur que Dieu ne nous punisse de penser plus à nos folies qu'au respect qui lui est dû.

– Pour mon patron, j'en réponds, s'écria le joyeux moine.

– Réponds de toi-même, frère, riposta assez rudement le roi. Presque aussitôt, il lui tendit la main, et l'ermite, d'un air confus, plia le genou et la baisa. Tu fais moins d'honneur à ma main qu'à mon poing, dit Richard : tu t'es agenouillé devant l'un et prosterné devant l'autre.

L'ermite, craignant peut-être de retomber en faute en continuant la conversation sur un ton trop badin – écueil perfide dont se doivent surtout garder ceux qui approchent les têtes couronnées – fit un profond salut et se retira à l'écart.

En même temps, deux autres personnages arrivèrent sur la scène.

CHAPITRE XLI

> Salut aux puissants de la terre !
> Plus grands que vous, vivent-ils
> plus heureux ? qu'ils viennent
> sous nos verts feuillages assister à
> nos passe-temps ; ils seront les
> bienvenus dans nos riantes cam-
> pagnes.
>
> ANDRÉ MACDONALD.

Les nouveaux venus étaient Wilfrid d'Ivanhoé,
monté sur la haquenée du prieur de Saint-Botulfe, et
Gurth, qui l'accompagnait, sur le destrier de son
maître.

L'étonnement d'Ivanhoé fut extrême en voyant
son souverain couvert de sang, entouré d'une demi-
douzaine de cadavres dans la petite clairière où avait
eu lieu le combat, et au milieu d'une foule de coureurs de bois qui lui parurent être des *outlaws*, cortège assez dangereux pour un prince. Il s'arrêta, incer-
tain s'il devait l'aborder en chevalier errant ou en roi.
Richard devina la cause de son embarras.

— Wilfrid, lui dit-il, n'hésite pas à t'adresser à Richard Plantagenet. Tu le trouves en compagnie de
véritables Anglais, quoique la chaleur naturelle de
leur sang les entraîne quelquefois un peu loin.

— Sire Wilfrid d'Ivanhoé, dit Robin Hood en allant
au-devant de lui, mes assurances ne sauraient rien
ajouter à celles de mon souverain ; pourtant, permet-

tez-moi de dire, non sans un peu d'orgueil, que parmi les hommes les plus éprouvés il n'a pas de plus fidèles sujets que ceux qui l'environnent.

– Je n'en doute pas, brave archer, puisque tu es du nombre, répondit Wilfrid. Mais que signifient ce champ de carnage, ces morts, ce sang qui tache l'armure du roi ?

– La trahison nous a surpris, mais grâce à ces bonnes gens, elle a eu sa récompense. À propos, ajouta Richard en souriant, toi aussi, tu es un traître, et de plus un rebelle. Ne t'avais-je point donné l'ordre formel de te reposer à Saint-Botulfe jusqu'à la guérison de ta blessure ?

– Elle est guérie, et il n'y paraît pas plus que si c'était une piqûre d'épingle. Mais vous, noble prince, pourquoi mettre ainsi à la torture l'esprit de vos loyaux sujets ? Pourquoi hasarder votre vie en des courses solitaires et de périlleuses aventures ? N'est-elle pas plus précieuse que celle d'un paladin, qui n'a d'autres soins que sa lance et son épée ?

– Richard Plantagenet n'aspire à d'autre gloire qu'à celle qui lui vient de ses bonnes armes ; oui, il est plus fier de mener à fin une aventure, avec son bras et son épée pour seuls alliés, que de conduire à la bataille une armée de cent mille hommes !

– Mais votre royaume, Monseigneur, votre royaume menacé de ruine et de guerres civiles ! vos sujets exposés à mille maux, s'ils perdaient leur souverain dans un de ces hasards au-devant desquels vous vous faites un jeu de courir sans cesse ! L'embuscade d'aujourd'hui, ne venez-vous pas d'y échapper par miracle ?

– Oh ! oh ! mon royaume, mes sujets ! répliqua Richard avec impatience. Les meilleurs de mes sujets s'empressent de me rembourser mes folies dans la même monnaie. Par exemple, mon très fidèle serviteur Wilfrid d'Ivanhoé, qui désobéit à mes ordres, n'en prêche pas moins un sermon à son roi, parce qu'il ne suit pas docilement ses conseils. Lequel de nous est le plus en droit de morigéner l'autre ? Allons, un peu d'indulgence, Wilfrid. Le temps que j'ai passé et que je passerai encore à me tenir caché, comme je te l'ai expliqué à Saint-Botulfe, c'est un temps nécessaire à mes amis et partisans pour rassembler leurs forces. Ainsi, dès qu'on publiera le retour de Richard, il se trouvera à la tête d'une armée assez imposante pour faire reculer les factieux et pour anéantir les projets de trahison sans même tirer l'épée. Estouteville et Essex ne seront pas en état de marcher sur York d'ici à vingt-quatre heures. Salisbury agit au midi ; Beauchamp, dans le comté de Warwick ; Multon et Percy parcourent le nord. J'attends de leurs nouvelles. D'un autre côté, il faut que le grand chancelier s'assure de Londres. Si je m'étais fait connaître trop tôt, c'eût été courir des dangers d'une autre sorte, dont n'auraient pu me dégager ma lance et mon épée, pas plus que l'arc du hardi Robin, le gourdin du frère Tuck et le cor du sage Wamba.

Wilfrid s'inclina par déférence, sachant trop bien qu'à combattre le penchant aventureux qui poussait son maître à des entreprises faciles à éviter ou plutôt qu'il était coupable de rechercher, il lutterait en pure perte. Il se borna donc à soupirer et se tut, tandis que le prince, enchanté d'avoir réduit son conseiller au silence, bien qu'il sentît en lui-même la justesse de ses reproches, adressait de nouveau la parole à Robin Hood.

– Roi des *outlaws*, lui dit-il, n'auriez-vous pas quelques aliments à offrir à votre confrère en royauté ? L'exercice que ces brigands m'ont forcé de prendre m'a ouvert l'appétit.

– À dire vrai, répondit Robin, car il me répugne de mentir à Votre Grâce, les provisions de notre garde-manger consistent surtout...

– En venaison, n'est-ce pas ? acheva Richard en riant. Que souhaiter de meilleur ? Après tout, lorsqu'un roi ne se tient pas chez lui et ne tue pas son gibier lui-même, m'est avis qu'il ne doit pas crier trop fort s'il trouve la besogne faite d'avance.

– Alors, si Votre Grâce daigne encore honorer de sa présence un de nos lieux d'assemblée, la venaison ne manquera pas, non plus qu'une cruche de bière et au besoin un coup de vin passable pour l'assaisonner gentiment.

Il ouvrit la marche pour montrer le chemin à l'insouciant monarque, plus heureux probablement de cette rencontre fortuite avec Robin et ses compagnons qu'il ne l'aurait été à présider, dans toute la pompe royale, une réunion de pairs et de grands vassaux. Changer de société comme d'aventures était pour Richard l'attrait de l'existence, et le danger couru et surmonté ne faisait qu'en rehausser le prix. Ce roi au cœur de lion réalisait en grande partie le type brillant, mais inutile, d'un chevalier de roman, et la gloire personnelle uniquement due à ses exploits flattait bien plus son imagination enthousiaste que celle dont une ferme et sage politique aurait illustré son nom. Qu'en advint-il ? Son règne fut semblable au cours d'un météore éblouissant et rapide, qui fend les plaines du ciel en répandant à flots une lumière sinistre et vaine, presque aussitôt engloutie dans la profondeur des ténèbres. Ses prouesses chevaleresques fournirent de nouveaux sujets aux ménestrels et aux troubadours, mais son pays n'en retira aucun de ces solides avantages dont l'histoire aime à se souvenir et qu'elle propose en exemple à la postérité.

Dans la compagnie qui l'entourait alors, Richard fit montre de ses qualités les plus aimables, telles que l'entrain, la bonne humeur et l'admiration du courage, n'importe où il le rencontrait.

Ce fut au pied d'un grand chêne qu'on servit à la hâte un repas champêtre pour le roi d'Angleterre, au milieu des hommes proscrits par son gouvernement et qui composaient à présent sa cour et sa garde d'honneur. La bière et le vin circulèrent à la ronde, et les rudes *outlaws* ne tardèrent pas à perdre la contrainte que leur avait imposée la présence du souverain. On passa des chansons aux quolibets, on raconta tout haut les bons coups de main ; bref, la gloriole de tant d'accrocs donnés à la loi fit oublier qu'on parlait devant celui qui en était le gardien naturel. Quant au roi, ayant la même insouciance au sujet de sa dignité, il riait, buvait, plaisantait autant que pas un des plus joyeux compères.

Le bon sens de Robin Hood l'avertit qu'il était temps de mettre fin à cette scène avant que nul incident n'en troublât l'harmonie ; il avait remarqué d'ailleurs que les traits d'Ivanhoé se couvraient d'inquiétude.

— La présence de notre vaillant monarque nous honore infiniment, lui dit-il en le prenant à part ; mais je ne voudrais pas lui faire perdre avec nous un temps que les circonstances peuvent rendre précieux.

— C'est parler sagement et à propos, brave Robin, répondit Ivanhoé. Plaisanter avec un roi, même en ses moments de bonne humeur, c'est jouer avec un lionceau qui, à la moindre provocation, montre les crocs et tire les griffes.

— Voilà précisément ce que je redoute. Mes gens sont grossiers d'habitude et de nature, le roi est aussi vif que jovial. Quel sujet d'offense peut-on lui donner, et comment le supportera-t-il ? Je l'ignore. C'est égal, il est temps d'arrêter ces ébats.

— Chargez-vous-en donc ; car chaque tentative que j'ai faite en ce sens n'a abouti qu'au résultat contraire.

L'archer réfléchit quelques instants.

— Dois-je sitôt me compromettre dans les bonnes grâces de mon souverain ? pensait-il. Oui, par saint Christophe, il le faut ! Je serais indigne de ses bontés si je ne risquais rien pour lui être utile. Gâtebourse, ajouta-t-il à demi-voix, viens ici. Va te poster là-bas, dans ce buisson et sonne-moi, sur ton cor, une fanfare normande. Allons, vite..., tu m'en réponds.

Gâtebourse obéit à son capitaine, et en moins de cinq minutes le son du cor fit tressaillir les convives.

– C'est le cor de Malvoisin! dit le Meunier, en se levant vivement et en saisissant son arc.

L'ermite cessa de boire pour empoigner son bâton. Wamba, s'arrêtant court au milieu d'une bouffonnerie, ramassa son sabre et son bouclier. Tous, en un mot, se jetèrent sur leurs armes. Les hommes qui mènent une vie précaire passent aisément du festin au combat. Pour Richard, ce changement n'apportait qu'un nouveau plaisir. Il demanda son casque et les parties de son armure qu'on avait mises de côté, et pendant que Gurth les ajustait sur lui, il enjoignit expressément à Wilfrid, sous peine d'encourir sa disgrâce, de ne point se mêler à la lutte qu'il croyait prochaine.

– Vingt fois tu t'es battu pour moi, Wilfrid, dit-il, et cela sous mes yeux. A ton tour aujourd'hui d'être spectateur et de voir comment Richard se bat pour son sujet et ami.

Sur ces entrefaites, Robin Hood avait envoyé plusieurs éclaireur de différents côtés, comme pour reconnaître l'ennemi. Lorsque tout le monde fut dispersé, il s'approcha de Richard, dont la toilette de guerre était terminée, et, pliant un genou en terre, il implora son pardon.

– De quoi, mon brave archer? dit le roi, qui s'impatientait. Ne t'avons-nous pas déjà accordé le plein pardon de tes fautes? Ou prends-tu notre parole royale pour une balle qu'on se renvoie de l'un à l'autre? Tu n'as pas eu le temps de commettre d'offense nouvelle.

– Je ne l'ai eu que trop, répondit l'archer, si c'est offenser mon prince de le tromper pour son propre bien. Le cor que vous avez entendu n'était pas celui de Malvoisin; c'est moi qui ai dit d'en sonner. Le repas usurpait sur des heures trop précieuses pour en abuser davantage.

Là-dessus, il se releva, et, croisant les bras sur sa poitrine, il attendit la réponse du roi, dans une attitude plus respectueuse que soumise, en homme qui a conscience de sa faute, mais confiant dans la pureté de l'intention. Un mouvement de colère empourpra les joues de Richard, émotion d'un instant que réprima son équité naturelle.

– Le roi de Sherwood, dit-il, mesure le vin et le gibier au roi d'Angleterre ! Fort bien, compagnon. Lorsque tu viendras me voir dans ma bonne ville de Londres, je te promets d'être moins regardant. Au fait, tu as raison, mon brave ami. A cheval, et partons ! Depuis une heure, Wilfrid en meurt d'envie. A propos, Robin, as-tu dans ta troupe un ami qui, non content de te conseiller, se mêle de diriger tes mouvements et a l'air malheureux quand tu prétends agir à ton gré ?

– Oui, oui, j'en ai un : c'est Petit Jean, mon lieutenant, qui est absent en ce moment pour une expédition sur les frontières d'Écosse. La liberté de ses avis me déplaît quelquefois, je l'avoue, et pourtant, en y réfléchissant, je ne lui en tiens pas rancune, parce qu'il n'a d'autre motif d'inquiétude que l'intérêt de son chef et de ses amis.

– Tu fais bien. Cependant, si j'avais à droite Ivanhoé, pour me donner, d'un air grave, de graves conseils, et toi à gauche pour me tromper dans mon intérêt, je serais aussi peu maître de ma volonté qu'aucun monarque chrétien ou païen. Mais, allons, partons gaiement pour Coningsburgh, et n'y pensons plus !

Robin Hood lui dit qu'il avait dépêché en avant des éclaireurs, qui ne manqueraient pas de dépister toute embuscade et de l'en informer ; qu'il était à peu près certain de la sûreté des routes, et que, s'il en était autrement, il recevrait à temps avis du danger, de façon à lui permettre de se replier sur un gros d'archers, qui suivrait à distance.

Ces précautions, prises dans son intérêt avec autant de prudence que de discrétion, touchèrent vivement Richard et dissipèrent jusqu'à l'ombre de dépit qu'il aurait pu garder de la tromperie du capitaine. Il lui tendit encore une fois la main, et l'assura de son pardon et de ses bonnes grâces pour l'avenir ; en outre, il lui renouvela la ferme résolution où il était d'adoucir les lois sur la chasse, dont l'excessive rigueur avait jeté tant de paysans anglais dans la rébellion. La mort prématurée de Richard déjoua ces bonnes intentions, et Jean, qui lui succéda, fut forcé par les nobles de promulguer un code encore plus tyrannique dit *charte des forêts*. Quand au reste de la vie de Robin Hood et à l'histoire du guet-apens qui la termina, on les trouvera dans ces petits livres gothiques, vendus jadis un sou et qu'aujourd'hui l'on croit avoir à bon marché en les payant au poids de l'or.

Le chef des *outlaws* avait raisonné juste : la route se trouva libre, et le roi, suivi d'Ivanhoé, de Gurth et de Wamba, arriva sans encombre en vue du château de Coningsburgh, deux heures avant le coucher du soleil.

Il y a peu de localités en Angleterre qui offrent des paysages plus beaux ou plus imposants que les environs de cette antique forteresse saxonne. Le Don promène ses eaux claires et paisibles autour d'un amphithéâtre coupé de cultures et de bois, et sur une hauteur que baigne la rivière, s'élève, au milieu de remparts et de fossés, le vieil édifice. Avant la conquête, il servit, comme l'indique son nom saxon, de résidence aux rois d'Angleterre ; les Normands l'entourèrent probablement de murailles, mais à l'intérieur il porte encore les marques d'une haute antiquité. Il est placé sur un mamelon, et la tour principale, située à l'un des angles de la cour, forme un cercle parfait d'environ une dizaine de mètres ; les murs en sont d'une épaisseur considérable, et défendus par six arcs-boutants énormes, qui, rayonnant du centre, viennent flanquer les côtés, soit pour en augmenter la force, soit pour les protéger. Ces constructions massives sont bâties à plein depuis le sol jusqu'à une certaine hauteur, et en creux vers le haut, où elles se terminent par des espèces de tourelles qui communiquent avec l'intérieur du logis.

Vu à distance, ce colossal édifice, avec ses bizarres accessoires, présente aux amateurs du pittoresque autant d'intérêt que l'intérieur peut le faire aux antiquaires, dont il reporte l'ardente imagination jusqu'aux temps de l'heptarchie (h). Dans le voisinage du château, l'on montre un *tumulus,* qui passe pour contenir les restes d'Hengist, le fameux conquérant. Plusieurs monuments dignes d'intérêt et non moins anciens subsistent aussi dans le cimetière de la paroisse.

Lorsque Richard Cœur de Lion et sa suite approchèrent de ce bâtiment, d'une construction primitive mais imposante, il n'était pas, comme à présent, flanqué de fortifications à l'extérieur ; l'architecte saxon avait épuisé les ressources de son art à fortifier la maîtresse tour, et il n'y avait pas au-dehors d'autre moyen de défense qu'une grossière palissade.

Au sommet de la tour flottait une immense bannière noire, pour annoncer que les funérailles de son dernier maître n'étaient pas encore célébrées. On n'y voyait aucun emblème qui rappelât le rang ou la qualité du défunt, car l'usage des armoiries, qui commençait à se répandre parmi la chevalerie normande, était tout à fait étranger aux Saxons. Mais, sur une seconde bannière, placée au-dessus de la porte, on avait grossièrement peint un cheval blanc, symbole bien connu d'Hengist et de ses guerriers, et qui marquait le rang et la nation d'Athelstane.

Aux alentours du château régnait une scène de tumulte et de confusion. A cette époque, les repas

mortuaires étaient des occasions de déployer une hospitalité généreuse et sans bornes : non seulement quiconque se réclamait de la plus lointaine parenté avec le défunt, mais tout passant était admis à y prendre place. La richesse et la grande situation d'Athelstane firent observer cette coutume dans toute sa rigueur.

On voyait, en conséquence, des bandes nombreuses monter et descendre la colline sur laquelle s'élevait le château, et, quand le roi et sa suite eurent franchi les barrières, ouvertes et non gardées, ils furent témoins, dans cette espèce de cour, d'un spectacle qui ne s'accordait guère avec la cause de cette affluence de monde. Ici, des cuisiniers s'occupaient à faire rôtir des bœufs et des moutons tout entiers ; là, on mettait en perce des tonneaux de bière, où chacun venait puiser à volonté. Des gens de toute espèce mangeaient et buvaient à discrétion. Le serf saxon, à demi nu, noyait dans un jour de bombance et d'ivresse le souvenir de longs mois de privations. Le bourgeois, mieux nourri et membre d'une corporation, dégustait les morceaux avec complaisance ou critiquait la qualité de la bière et l'habileté du brasseur. On distinguait même un petit groupe de nobles normands, des plus pauvres, reconnaissables à leur manteau court et à leur menton rasé ; malgré leur affectation à se tenir à l'écart et les regards méprisants qu'ils laissaient tomber autour d'eux, ils ne dédaignaient point de récolter leur part des provisions si largement distribuées.

Les mendiants, cela va sans dire, étaient accourus en foule. On y rencontrait aussi des soldats débandés, revenus de la Palestine, à ce qu'ils affirmaient, des colporteurs qui étalaient leurs marchandises, des artisans ambulants qui cherchaient de l'ouvrage, des pèlerins vagabonds et des prêtres défroqués, des ménestrels saxons et des bardes gallois, ceux-là glapissant des hymnes funèbres, ceux-ci jouant à faux des airs lugubres sur la harpe, le crout et la rote. L'un, dans un panégyrique larmoyant, chantait les louanges d'Athelstane ; l'autre, dans un poème généalogique, dénombrait les noms durs et baroques de ses nobles ancêtres. Jongleurs et bouffons ne manquaient pas non plus, et il ne vint à l'idée de personne que l'exercice de leur profession parût inconvenant ou hors de saison. Les sentiments des Saxons sur ces sortes de cérémonies étaient aussi grossiers que primitifs. « Si le chagrin a soif, pensaient-ils, qu'il y ait à boire ; s'il a faim, qu'il y ait à manger ; s'il se laisse aller et assombrit le cœur, qu'on lui donne les moyens de se réjouir ou au moins de se distraire. » Aussi les assistants ne se faisaient-ils faute de recourir à ces sources de consolation ; seulement, de temps à autre, comme rappelés brusquement au souvenir de l'événement qui les avait réunis, les hommes gémissaient à l'unisson et les femmes, qui étaient en grand nombre, poussaient des cris déchirants.

Tel était le spectacle qu'offraient les abords du château de Coningsburgh au moment de l'arrivée de Richard. L'intendant ou sénéchal, qui ne daignait pas s'occuper des étrangers de basse condition qui allaient et venaient sans cesse, excepté pour maintenir l'ordre parmi eux, fut frappé de la haute mine du roi et d'Ivanhoé ; il lui sembla même que les traits de ce dernier lui étaient connus. D'ailleurs, la présence de deux chevaliers à une solennité saxonne était un événement : on ne pouvait la considérer que comme une marque d'honneur rendue à la mémoire du défunt et à sa famille. Vêtu de deuil et tenant à la main une baguette blanche, insigne de sa charge, l'important personnage s'avança au-devant d'eux et leur fraya un chemin, à travers la foule bigarrée, jusqu'à l'entrée de la tour.

Gurth et Wamba, qui s'étaient tout de suite trouvés en pays de connaissance, restèrent dehors jusqu'à nouvel ordre.

CHAPITRE XLII

Je les ai vus suivre le corps de
Marcello, et il y avait dans les
chants de douleur, dans les larmes et les tristes élégies une mé-
lodie solennelle, comme jadis, à
la veillée des morts, nos aïeules
en faisaient entendre toute la
nuit.

Ancienne comédie.

On entrait dans la grosse tour du château de
Coningsburgh d'une façon toute particulière, et qui
tient de la rustique simplicité des temps reculés où
elle fut bâtie.

Un perron, aux marches raides et étroites et, pour
ainsi dire, taillées à pic, conduit, du côté du midi, à
une porte basse ; un aventureux antiquaire peut, ou
du moins pouvait il y a un demi-siècle, gagner de là le
troisième étage, en suivant un petit escalier pratiqué
dans le gros mur ; car les deux étages inférieurs ne
contenaient que des cachots ou des salles voûtées,
n'ayant ni air ni jour, si ce n'est au troisième par un
trou carré, d'où l'on descendait, paraît-il, au moyen
d'une échelle. On accède aux étages du haut de la
tour, qui en compte quatre en tout, par des escaliers
ménagés dans quelques arcs-boutants.

Ce fut par cette entrée difficile et compliquée que le
bon roi Richard, suivi de son fidèle Ivanhoé, fut

introduit dans la grand-salle en rotonde, qui occupe tout le troisième étage. Cette pénible ascension laissa le temps à Wilfrid de dissimuler son visage dans les plis de son manteau, comme il avait été convenu, afin de ne se faire connaître de son père qu'au signal donné par le roi.

Là se trouvaient rassemblés, autour d'une immense table de chêne, une douzaine de représentants des familles saxonnes les plus considérables du pays ; c'étaient tous des vieillards ou des hommes déjà mûrs, la plupart des jeunes gens ayant, au grand crève-cœur des anciens, brisé, comme Invanhoé, les barrières qui séparaient les Normands et Saxons depuis la conquête. L'air sombre et abattu de ces personnages vénérables, leur recueillement et leur morne attitude formaient un frappant contraste avec les bruyants ébats de la multitude du dehors. Leurs cheveux blancs ou gris, leurs longues barbes, leurs tuniques passées de mode et leurs grands manteaux noirs étaient en parfait accord avec la salle où ils étaient assis : on eût dit un groupe d'adorateurs d'Odin, échappés de leurs tombeaux pour venir pleurer sur la décadence de la gloire nationale.

Cedric, placé sur le même rang que ses compatriotes, paraissait néanmoins, d'un consentement tacite, présider l'assemblée. À l'entrée de Richard, qu'il ne connaissait encore que sous le nom de *chevalier au Cadenas*, il se leva gravement, et lui souhaita la bienvenue, avec la salutation d'usage : *Was hael* (à votre santé), et en portant en même temps un gobelet à la hauteur de sa tête. Le roi, qui n'était point étranger aux coutumes de ses sujets anglais, prit la coupe que lui tendait l'échanson, et répondit au compliment par la phrase consacrée : *Drink hael* (je bois à la vôtre). On en usa de même à l'égard d'Ivanhoé, qui, de peur que le son de sa voix ne le trahît, se contenta de remercier par une inclinaison de tête.

Ces préliminaires terminés, Cedric, offrant la main à Richard, le conduisit dans une chapelle exiguë, grossièrement creusée, pour ainsi dire, dans l'un des arcs-boutants. Comme il n'y avait d'autre ouverture qu'une meurtrière fort étroite, l'endroit eût été plongé dans les ténèbres si deux torches n'avaient projeté une lueur rougeâtre et fumeuse sur la voûte du toit, les murs entièrement dégarnis, l'autel en pierre presque brute et le crucifix de même matière.

Devant l'autel on voyait un cercueil, à chaque côté duquel trois moines, agenouillés et un chapelet entre les mains, récitaient à demi-voix des prières, avec toutes les marques apparentes de la dévotion. En échange de ce service funèbre, la mère du défunt avait royalement indemnisé le couvent de Saint-Edmond. Aussi tous les religieux, jaloux de reconnaître cet acte de munificence, s'étaient-ils transportés à Coningsburgh, à l'exception du sacristain, qui était boiteux ; pendant que six des leurs se relevaient de temps en temps pour procéder aux cérémonies du culte dans la chapelle, les autres allaient prendre leur part du repas et des divertissements publics. En observant cette pieuse veillée, les bons pères avaient bien soin de ne pas interrompre un seul instant leur psalmodie, de crainte que Zernebock, l'ancien Appollyon ou diable des Saxons, ne mît la griffe sur l'âme d'Athelstane. Ils avaient garde aussi à ce qu'aucun laïque ne touchât au drap mortuaire : c'était le même qui avait servi aux obsèques de saint Edmond, le roi confesseur, et l'attouchement d'une main profane l'aurait souillé. Si, en réalité, ces attentions étaient de quelque avantage au défunt, il avait droit de les attendre des moines de cette maison, car, outre une centaine de marcs que sa mère leur avait payés à titre de rachat de l'âme, elle avait promis d'employer la meilleure partie de ses terres à une fondation perpétuelle pour assurer des prières à son fils et à feu son mari.

Richard et Wilfrid suivirent Cedric dans la chapelle funéraire et, quand leur guide désigna, d'un geste solennel, la bière d'Athelstane mort à la fleur de l'âge, comme lui ils se signèrent dévotement et dirent, à voix basse, une courte prière pour le repos de son âme.

Cet acte de pieuse charité accompli, Cedric leur fit encore signe de le suivre. Après avoir monté sans bruit quelques marches, il ouvrit, avec beaucoup de précaution, la porte d'un petit oratoire. C'était une pièce d'environ un mètre carré, prise, ainsi que la chapelle qui lui était contiguë, dans l'épaisseur de la muraille, et éclairée par une meurtrière disposée en pente et très évasée en dedans ; un rayon du soleil couchant, égaré dans cet obscur réduit, tombait sur une dame d'une tournure respectable, et dont le visage gardait encore les traces d'une beauté majestueuse. Ses longs vêtements de deuil et son voile flottant de crêpe noir relevaient la blancheur de son teint et l'éclat de sa chevelure blonde, que le temps n'avait ni argentée ni éclaircie. Sa physionomie exprimait au haut plus degré l'alliance d'une douleur profonde et d'une pieuse résignation. Devant elle, sur une table de pierre, il y avait un crucifix en ivoire, et à côté un missel aux riches miniatures, fermé par des agrafes d'or et rehaussé de plaques de même métal.

— Noble Édith, dit Cedric, après un moment de silence et comme s'il eût voulu laisser à ses hôtes le

temps de considérer la maîtresse du château, voici de dignes étrangers, qui viennent compatir à votre peine. Celui-ci en particulier, ajouta-t-il en montrant Richard, est le brave chevalier qui a si vaillamment combattu pour la délivrance de celui que nous pleurons.

— Grâces soient rendues à sa vaillance, répondit la dame, bien que la volonté du ciel en ait neutralisé les efforts ! Je le remercie, de même que son compagnon, d'être venu donner une preuve de sa bienveillance à la veuve d'Adeling, à la mère d'Athelstane, en un moment de deuil et d'affliction. En les confiant à vos soins, mon cher parent, je suis convaincue que cette triste demeure ne faillira point envers eux aux devoirs de l'hospitalité.

Les hôtes saluèrent la mère désolée, et se retirèrent sur les pas de leur guide.

Ce dernier les mena, par un escalier tournant, à une salle de mêmes dimensions que la chapelle, et située à l'étage au-dessus. Avant d'y pénétrer, un chant doux et mélancolique vint frapper leurs oreilles, et, dès que la porte fut ouverte, ils se trouvèrent en présence d'une vingtaine de femmes, appartenant à d'illustres familles saxonnes. Quatre jeunes filles, sous la conduite de Rowena, chantaient en chœur un hymne pour le repos de l'âme du trépassé. Nous n'en avons pu déchiffrer que les stances qui suivent :

> *Rends à la pousssière,*
> *Homme né de rien,*
> *Ta forme grossière.*
> *L'impure matière*
> *Réclame son bien.*
>
> *À nos vœux ravie,*
> *Ton âme a cherché*
> *La seconde vie,*
> *Où l'on purifie*
> *L'immonde péché.*

Divine clémence,
Puisse notre amour,
Calmant ta souffrance,
De la délivrance,
Rapprocher le jour !

Pendant que les unes chantaient ainsi, les autres femmes, partagées en deux groupes, travaillaient soit à broder, avec tout le talent dont elles étaient capables, un grand poêle de soie destiné à couvrir la bière d'Athelstane, soit à tresser pour le même objet des guirlandes de fleurs. Les jeunes filles avaient une attitude, sinon de douleur profonde, du moins pleine de décence. Pourtant, il leur échappait par intervalle, un chuchotement ou un sourire qui attirait sur elles les sévérités de quelque grave matrone, et la cérémonie funèbre qui allait s'accomplir les préoccupait peut-être un peu moins que leur toilette de deuil. Ces dispositions, s'il faut dire toute la vérité, furent loin de se modifier à l'aspect des deux visiteurs, et plus d'un murmure ou d'un coup d'œil fut échangé à la ronde.

Rowena, seule, trop fière pour être vaine, rendit un gracieux salut à son libérateur. Elle avait l'air sérieux plutôt qu'abattue ; fallait-il l'attribuer à la mort de son cousin ou à la pensée d'Ivanhoé dont elle ignorait le sort, c'est ce que nous ne déciderons pas.

Cedric, on a pu s'en apercevoir, n'était pas clairvoyant en pareille matière ; mais la digne contenance de sa pupille, comparée à celle de ses compagnes, le frappa, et il se crut en devoir de l'expliquer par cette phrase : « C'était la fiancée du noble Athelstane. » Une telle confidence n'était pas faite pour engager Wilfrid à partager le deuil général.

Après avoir ainsi fait à ses hôtes les honneurs des différentes salles où l'on s'occupait des funérailles du maître de Coningsburgh, Cedric les conduisit dans une chambre à part ; elle était, à ce qu'il leur apprit, réservée aux personnes honorables qui, n'ayant eu que de légères relations avec le défunt, avaient moins de motifs d'être péniblement affectés de sa mort. Il les assura qu'on ne les laisserait manquer de rien, et il allait sortir quand le chevalier Noir le retint par la main.

– Je voudrais vous rappeler, noble thane, lui dit-il, qu'en nous séparant sous le grand chêne, vous m'avez promis, en échange du service que j'ai eu le bonheur de vous rendre, de m'accorder une faveur.

– Elle est accordée d'avance, noble chevalier, répondit Cedric, bien que dans un moment si triste...

– J'y avais pensé, mais le temps presse. L'occasion d'ailleurs ne me semble pas déplacée : en fermant la tombe du noble Athelstane, nous devrions y déposer certains préjugés, certaines opinions peu réfléchies...

– Sire chevalier au Cadenas, dit Cedric, en rougissant et en interrompant le roi à son tour, la faveur que vous réclamez ne regarde que vous, je l'espère, et personne autre. En ce qui touche l'honneur de ma maison, il ne conviendrait guère à un étranger de s'en mêler.

– Ce n'est pas mon intention, reprit le roi avec douceur, à moins que vous n'admettiez que j'y aie un intérêt. Jusqu'à présent vous n'avez connu en moi que le chevalier Noir au Cadenas ; je suis Richard Plantagenet.

– Richard d'Anjou ! s'écria Cedric au comble de l'étonnement, et faisant un pas en arrière.

– Non, Cedric, Richard d'Angleterre, dont l'intérêt, le désir le plus vif est de voir tous ses enfants unis ensemble ! Eh bien, noble thane, ne fléchiras-tu pas le genou devant ton souverain ?

– Devant le sang normand, jamais !

– Soit. Réserve ton hommage jusqu'à ce que j'aie prouvé que j'en suis digne, en couvrant Normands et Saxons d'une protection égale.

– Prince, j'ai toujours rendu justice à votre bravoure et à vos mérites. Je n'ignore pas non plus vos droits à la couronne comme descendant de Mathilde, nièce du roi saxon Edgar et fille de Malcolm, roi d'Écosse. Mais cette princesse, quoique issue du sang royal, n'était pas l'héritière du trône...

– Je ne discuterai pas mes titres avec toi, noble thane, dit Richard, toujours d'un ton calme ; mais que mettras-tu en balance ? Jette les yeux autour de toi.

– Fallait-il donc porter vos pas jusqu'ici, prince, pour me tenir ce langage ? pour me reprocher l'effondrement de ma race, avant que la tombe se fermât sur le dernier rejeton des rois saxons ? (Sa figure s'attristait en parlant ainsi.) C'est agir avec une audace, une témérité...

– Par la sainte croix ! tu t'égares. J'ai agi avec la sincère conviction qu'un homme brave pouvait se confier à un autre, sans avoir rien à craindre.

– Vous avez raison, sire roi, car roi vous êtes, je l'avoue, et roi vous serez, en dépit de ma faible opposition. Le seul moyen de l'empêcher, je n'ai pas osé y recourir, la tentation pourtant était forte, et vous l'avez mise à ma portée.

– Venons maintenant à la faveur en question, et je ne la réclamerai pas avec moins de confiance, quoique tu refuses d'admettre la légitimité de mes droits. Or, je requiers de toi, si tu es homme de parole, et sous peine de passer pour félon, parjure et infâme, de pardonner au brave chevalier Wilfrid d'Ivanhoé et de lui rendre ton affection paternelle. Tu conviendras que j'ai à cette réconciliation un double intérêt : le bonheur d'un ami et l'apaisement des discordes parmi mes fidèles sujets.

– Et voilà Wilfrid, sans doute ? demanda le Saxon, en montrant son fils.

– Mon père ! mon père ! dit Ivanhoé, en tombant aux pieds de Cedric. Accorde-moi ton pardon.

– Tu l'as, mon fils, dit Cedric, en le relevant. Le fils d'Hereward est esclave de sa parole, même vis-à-vis d'un Normand. Mais il faudra revenir au costume de tes ancêtres : point de manteaux courts, d'élégants bonnets, de panaches fantastiques dans ma maison, rien qui choque les bienséances. Celui qui veut être le fils de Cedric doit se montrer respectueux des coutumes nationales. Tu voudrais parler, ajouta-t-il sévèrement ; je devine pourquoi. Le deuil de lady Rowena doit durer deux ans, comme celui d'une fiancée. Tous nos aïeux saxons nous renieraient s'il était question de la marier avant que la tombe de celui qu'elle devait épouser, de celui-là qui par son rang et sa naissance était le plus digne d'elle, fût à jamais close. Oui, l'ombre d'Athelstane, secouant son linceul ensanglanté, se lèverait à nos yeux pour nous défendre de déshonorer sa mémoire !

Le funèbre appel de Cedric parut se réaliser sur-le-champ. À peine l'avait-il prononcé que, la porte s'ouvrant avec fracas, Athelstane, enveloppé d'un linceul, se dressa devant eux, pâle et hagard, tel qu'un ressuscité d'entre les morts.

Cette apparition troubla ceux qui en furent témoins jusqu'à l'épouvante. Cedric fit quelques pas en arrière, et s'appuya au mur comme incapable de se soutenir, les yeux fixes, la bouche béante. Ivanhoé multiplia les signes de croix et récita des prières en saxon, en latin, en français, suivant qu'elles venaient à sa mémoire. Richard entremêla le *Benedicite* de jurons énergiques.

En même temps, un affreux tumulte éclatait autour du château. Les uns criaient : « À bas les moines ! Arrêtez les traîtres ! » Les autres : « Mettez-les au cachot ! Qu'on les jette du haut de la tour ! »

– Au nom de Dieu ! dit Cedric, en s'adressant à son ami ou plutôt à ce qui lui semblait son spectre, si tu es un homme, explique-toi ! Si tu es un esprit, dis-nous pourquoi tu reviens parmi nous et ce qu'il faut pour le repos de ton âme ! Mort ou vivant, noble Athelstane, réponds à Cedric.

– Volontiers, repartit le fantôme avec un beau sang-froid ; mais... un moment... laissez-moi reprendre haleine... Si je suis vivant ? Pardieu, tout autant qu'on peut l'être lorsqu'on a vécu de pain et d'eau trois jours durant, trois longs siècles... Oui, de pain et d'eau, mon père ! Le ciel m'en est témoin, et tous les saints avec ! il n'a rien passé de meilleur par mon gosier depuis trois interminables jours, et c'est un miracle de Dieu que je sois ici pour vous le dire.

– Comment ! noble Athelstane, dit le roi, je vous ai vu, de mes yeux, terrassé par le templier, après l'assaut de Torquilstone ! Vous aviez même, et j'en croyais le rapport de Wamba, le crâne fendu jusqu'aux dents.

– Vous avez mal cru, sire chevalier, et Wamba en a menti. Mes dents sont au complet, et vous en aurez la preuve à souper. Ah ! ce n'est pas la faute du templier : le manche de la masse d'armes dont j'ai paré le coup a fait tourner son épée, et c'est du plat de la lame qu'il m'a atteint. Si j'avais eu mon casque, je m'en serais moqué comme d'un fétu, et il aurait reçu en échange un coup de riposte, qui eût coupé court à sa retraite. Avec ma coiffure légère, il m'a jeté bas, étourdi à la vérité, mais sans une égratignure. Plusieurs combattants, morts ou blessés, sont tombés sur moi. Bref, quand la connaissance m'est revenue, j'étais étendu dans un cercueil, ouvert par bonheur, en face de l'autel de la chapelle, au couvent de Saint-Edmond.

J'éternue à plusieurs reprises, je me plains, je m'éveille tout à fait, et j'allais me lever, quand l'abbé et le sacristain, tremblants de peur, accourent au bruit, stupéfaits sans doute, et nullement réjouis de revoir vivant l'homme dont ils se flattaient d'être les héritiers. Je demande à boire ; ils m'apportent du vin qu'ils avaient fortement drogué, car je m'endors d'un sommeil de plomb. Comment me retrouvé-je au bout de plusieurs heures ? Les bras ficelés, les jambes de même, et si serré que les chevilles m'en font mal rien que d'y penser, dans un endroit tout noir, l'oubliette de leur maudit couvent probablement, et qui, d'après l'odeur d'humide pourriture qui s'en exhalait, leur servait aussi de caveau mortuaire. Ce qui m'arrivait là me suggéra d'étranges réflexions... Enfin, la porte de ma prison grinça, et deux scélérats de moines entrèrent. N'essayèrent-ils pas de me convaincre que j'étais en purgatoire ? Mais, à son haleine poussive, j'avais reconnu le gros père abbé. Saint Jérémie ! il me parlait d'un autre ton lorsqu'à table il redemandait du chevreuil ! Aux fêtes de Noël, je ne lui ai pas épargné la bonne chère. Le chien !

– Du calme, noble Athelstane ! dit le roi. Pas si vite, et racontez votre histoire à loisir. Misère de moi ! elle m'intéresse autant qu'un roman.

– Oui, mais par la croix de Bromeholm ! ce n'était pas un roman. Un pain d'orge et une cruche d'eau, voilà ce qu'ils me laissèrent, les ladres ! les traîtres !... Eux que nous avons comblés, mon père et moi, dans un temps où ils s'estimaient heureux de tirer, à force de cajoleries, une tranche de lard ou un boisseau de blé des misérables serfs, en échange de leurs patenôtres. Nid d'ingrates et abominables vipères! Du pain d'orge et de l'eau à un patron de ma sorte! Je les enfumerai dans leur repaire, au risque d'être excommunié.

– Par Notre-Dame! dit Cedric, en serrant la main de son ami, comment avez-vous échappé à ce péril imminent? leurs cœurs se sont-ils attendris?

– Attendris? répéta Athelstane. Les rocs se fondent-ils au soleil? J'y serais encore sans un certain remue-ménage, qui se fit dans le couvent: à ce que je vois, il s'agissait pour eux de venir manger le repas de mes funérailles, lorsqu'ils savaient fort bien où et comment ils m'avaient enterré tout vivant. Je les entendis nasiller leurs psaumes, ne me doutant guère qu'ils les chantaient pour le repos de l'âme de celui dont ils affamaient le corps. Enfin, ils partirent. J'attendis longtemps après ma pitance. Quoi d'étonnant! ce colimaçon de sacristain avait bien trop à cœur son dîner pour songer au mien. Il arriva enfin d'un pas chancelant; une forte odeur de vin et d'épices se dégageait de sa personne. La boisson lui avait amolli le cœur, car il m'apporta, cette fois-là, un morceau de pâté et un flacon de vin. Ce petit régal me rendit des forces. Pour surcroît de bonheur, mon geôlier, trop peu solide pour s'acquitter exactement de ses devoirs, ferma la porte par-dessus la gâche, de sorte qu'elle resta entrebâillée. La clarté du jour, les aliments et le vin firent travailler mon cerveau. L'anneau qui retenait mes chaînes à la muraille était plus rouillé que le scélérat d'abbé ni moi-même ne l'avions cru; le fer même ne pouvait résister dans l'air humide de cet infernal cachot.

– Arrêtez-vous un peu, noble Athelstane, dit Richard, et prenez quelques rafraîchissements, avant de continuer cette histoire effroyable.

– Je n'ai fait que cela aujourd'hui; pourtant une

tranche de ce succulent jambon ne gâtera rien, et si vous voulez trinquer avec moi, beau sire...

Cedric et les deux chevaliers, qui n'étaient pas encore remis de leur saisissement, burent à la résurrection de leur hôte, qui reprit ensuite le fil de son récit. Il avait alors bien plus d'auditeurs qu'à son arrivée. Edith, après avoir donné les ordres nécessaires pour remettre le château en état, était venue rejoindre le mort vivant dans la chambre des étrangers. Derrière elle se pressaient les curieux des deux sexes, en aussi grand nombre que la pièce en pouvait contenir ; d'autres, entassés le long de l'escalier, recevaient des premiers une édition déjà erronée de l'aventure, et la transmettaient, plus fautive encore, à ceux du dehors, où elle parvenait tout à fait méconnaissable.

– Voyant que mes efforts avaient détaché l'anneau du mur, poursuivit Athelstane, je me traînai au haut de l'escalier, aussi vite que pouvait le faire un homme chargé de fers et épuisé par trois jours de jeûne. Après des tours et des détours, l'air d'une joyeuse ballade attira mes pas vers une salle basse, où le digne sacristain, ne vous en déplaise, menait un sabbat d'enfer avec un frocart à robe grise, aux sourcils épais et aux larges épaules, qui avaient plutôt l'air d'un voleur que d'un homme d'Église. Je ne fais qu'un bond jusqu'à eux... Avec mon linceul que j'avais gardé et mes chaînes qui s'entrechoquaient, ils me prennent pour un revenant de l'autre monde. La peur les ahurit ; mais au premier coup de poing que j'assène au sacristain, son camarade de table m'allonge un coup de son formidable bâton.

– Ce doit être le frère Tuck, dit Richard à Ivanhoé, je gagerais la rançon d'un comte.

– Qu'il soit le diable s'il veut, reprit Athelstane. Toujours est-il qu'heureusement il manqua son coup, et en voyant que j'allais lui tomber dessus, il s'enfuit à toutes jambes. Je m'empressai de délivrer les miennes au moyen de la clef du cadenas, laquelle était suspendue avec d'autres à la ceinture du sacristain. Le mauvais drôle ! J'ai eu bonne envie de lui briser le crâne avec son trousseau de clefs, mais le souvenir du pâté me revint à l'esprit, et, après deux coups de pied dans les côtes, je le laissai étendu sur le plancher. Séance tenante, je mangeai un morceau et vidai le flacon de cuir, dont les deux vénérables coquins voulaient se régaler ; puis j'allai à l'écurie où je trouvai, dans un compartiment réservé, mon cheval favori, qu'on avait sans doute mis à part pour les besoins du saint homme d'abbé. Je suis venu ici au grand galop ; hommes et femmes s'enfuyaient sur mon passage, on croyait voir un fantôme, et c'était d'autant plus excusable qu'afin de ne pas être reconnu j'avais laissé retomber une partie du linceul sur ma figure. On ne m'aurait pas permis d'entrer dans ma propre demeure, si l'on ne m'eût pris pour le compère d'un jongleur, qui est en bas, en train d'amuser fort le peuple, rassemblé pour célébrer les funérailles de son seigneur. Oui, le majordome s'est imaginé que j'étais en costume, prêt à jouer un rôle dans une des farces de ce baladin, et voilà comme on m'a laissé passer. Avant de venir vous trouver, mon noble ami, dit-il à Cedric, je n'ai eu que le temps de me découvrir à ma mère et de me rafraîchir un peu.

– Enfin nous voici réunis de nouveau, dit Cedric, prêts à reprendre nos glorieux projets d'honneur et d'indépendance. Croyez-moi, jamais jour plus noble que celui de demain ne se lèvera pour la délivrance de la race saxonne.

– Ne me parlez pas de délivrer personne, répondit Athelstane, c'est bien assez de m'être délivré moi-même. Ce qui me tient au cœur est la punition de ce scélérat d'abbé. Je veux qu'il soit pendu, en chape et en étole, au sommet de la tour de Coningsburgh, et s'il est trop gras pour passer par l'escalier, on le hissera par-dehors au bout d'une poulie.

– Oh ! mon fils, dit Edith, et son caractère sacré ?

– Et mes trois jours de jeûne ? riposta son fils. Il y passeront tous, jusqu'au dernier. Front de Bœuf a été brûlé vif pour moins que cela... Il avait bonne table pour ses prisonniers ; seulement son dernier ragoût empestait l'ail. Quant à ces ingrats, à ces hypocrites, à ces flagorneurs qui s'invitaient si souvent chez moi, et qui ne m'ont donné ni ail ni ragoût, pas même une miette, par l'âme d'Hengist ! ils mourront.

– Mais le pape, mon noble ami ? dit Cedric.

– Mais le diable, mon noble ami ? interrompit Athelstane. Ils mourront, vous dis-je, et qu'on n'en parle plus ! Seraient-ils les meilleurs moines du monde, le monde n'en irait pas moins sans eux.

– Fi ! noble Athelstane, reprit Cedric, laissez là des malheureux lorsqu'une carrière de gloire s'ouvre devant vous ! Dites à ce prince normand, Richard d'Anjou, que, tout Cœur de Lion qu'il est, il lui faudra disputer la couronne d'Alfred tant qu'il existera un descendant mâle du saint roi confesseur.

- Quoi ! s'écria le maître du logis. Est-ce là l'illustre roi Richard ?

– Richard Plantagenet, oui, dit Cedric. Cependant, je n'ai pas besoin de vous rappeler qu'étant venu ici de son propre mouvement, il doit être respecté dans son caractère et dans sa personne. Vous connaissez les devoirs de l'hospitalité.

– Oui, certes, et aussi ceux d'un sujet. Je suis prêt à lui rendre foi et hommage, de la main et du cœur.

– Mon fils, dit sa mère, pense à tes droits à la couronne !

– Prince dégénéré, dit son ami, pensez à l'indépendance de l'Angleterre !

– Ma mère et vous, mon ami, trêve de reproches ! Du pain et de l'eau dans un cachot sont d'excellents remèdes contre l'ambition, et je suis sorti du tombeau plus sage que je n'y étais descendu. La bonne moitié de ces chimères m'étaient soufflées à l'oreille par ce traître d'abbé Vulfranc, un guide digne de confiance, n'est-ce pas ? Depuis qu'on m'en a farci la tête, je n'y ai rien gagné que courses fatigantes, indigestions, horions et rebuffades, prison et famine. Et comment cela finirait-il ? Par le massacre de quelques milliers de gens qui n'en peuvent mais. Si je suis roi, je vous le déclare, que ce soit dans mes domaines, et nulle part ailleurs, et mon premier acte de souveraineté sera de faire pendre l'abbé.

– Et ma pupille Rowena, vous n'avez pas, je pense, l'intention de l'abandonner ?

– Voyons, mon père Cedric, soyez raisonnable. Elle ne se soucie pas de moi, lady Rowena, et le petit doigt du gant de Wilfrid lui plaît infiniment plus que ma personne tout entière. Elle est là pour en convenir. Oh ! ne rougissez pas, cousine ! Il n'y a point de honte à préférer un chevalier de cour à un franklin de campagne. Ne riez pas non plus, Rowena : un linceul et une figure de carême, Dieu sait s'il y a de quoi rire. Au surplus, s'il vous prend fantaisie de rire, je vais vous en trouver une bonne raison. Donnez-moi votre main, ou plutôt prêtez-la-moi, car je ne la demande qu'au nom de l'amitié. À ton tour, Wilfrid. Je renonce en ta faveur... Eh ! mais, par saint Dunstan, le cousin s'est évanoui... À moins d'avoir la berlue par suite du jeûne, je l'ai vu là, tout à l'heure, près de moi.

On le chercha dans la salle, on se mit en quête : il avait disparu. On apprit à la fin qu'un vieux juif était venu le demander, et qu'après avoir échangé avec lui quelques paroles, il avait quitté le château, en même temps que Gurth.

– Belle cousine, continua Athelstane, si je n'étais persuadé que le départ subit de Wilfrid n'a eu pour cause une impérieuse nécessité, je reprendrais moi-même...

Mais il n'avait pas plutôt lâché la main de Rowena, en s'apercevant de l'absence d'Ivanhoé, qu'elle avait profité de l'occasion pour se dérober à une situation fort embarrassante.

– Ma foi ! dit Athelstane, la femme est de tous les

animaux le moins digne de confiance, sauf moines et abbés pourtant. Que je sois un païen si je ne m'attendais à des remerciements de sa part, peut-être même à un baiser en sus. Ce maudit linceul est ensorcelé pour sûr... tout le monde me fuit. C'est donc à vous que je m'adresse, noble roi Richard, avec le serment de foi et hommage que tout fidèle sujet...

Le roi aussi avait disparu. En allant aux informations, voici ce qu'on apprit : il était descendu précipitamment dans la cour, et avait à son tour questionné le juif qui avait parlé à Ivanhoé ; puis, montant son cheval et forçant le vieillard à en enfourcher un autre, il était parti d'un train qui avait fait dire à Wamba, qu'il ne donnerait pas un liard de la peau du mécréant.

– Par mon salut ! s'écria Athelstane, Zernebock s'est emparé du château en mon absence, c'est évident ! J'y reviens dans mon linceul, gage de mon triomphe sur la mort, et ceux à qui je parle disparaissent rien qu'au son de ma voix. Bah ! pourquoi me tracasser l'esprit ? Allons, mes amis, ceux du moins qui ont tenu ferme, suivez-moi dans la salle du banquet, avant qu'il vous prenne aussi la fantaisie de disparaître. La table doit être encore passablement garnie, ainsi qu'il convient aux funérailles d'un noble saxon de la vieille roche, et ne tardons pas un instant, car qui sait si le diable ne s'envolerait pas à son tour avec le souper ?

CHAPITRE XLIII

Puissent les crimes de Mowbray
charger sa conscience d'un écrasant fardeau ! et que son coursier
fougueux, se révoltant sous le
poids, le précipite dans l'arène, ce
misérable félon !
SHAKESPEARE, *Richard II*.

Transportons-nous à présent à Templestowe, ou
plutôt dans les environs immédiats de la commanderie, vers l'heure fatale qui allait décider de la vie ou
de la mort de Rébecca.

C'était une scène des plus animées. Les spectateurs
arrivaient en foule des campagnes voisines, comme à
un rendez-vous de fête ou de veillée. Au reste, la
manie de se repaître des spectacles de sang et de carnage n'était pas un vice particulier à ces époques
d'ignorance, bien qu'on se fût accoutumé au cruel
plaisir de voir des chevaliers s'entretuer dans les
duels et les tournois. De nos jours même, où la morale est mieux comprise, une exécution capitale, un
assaut de boxe, une émeute attire, non sans leur faire
courir de grands risques, des milliers de curieux ; ils
n'ont à cela d'autre intérêt que de savoir par eux-
mêmes comment se passeront les choses, ou si les
héros du jour sont, d'après une expression énergique,
de durs cailloux ou des boules de fumier.

Beaucoup de gens se pressaient à la porte de Templestowe afin d'assister au défilé du cortège, et une foule plus considérable remplissait déjà les abords de la lice dépendante de la commanderie. C'était un enclos adjacent, dit *clos Saint-Georges,* dont le terrain, nivelé avec soin, servait aux exercices de chevalerie et aux manœuvres militaires. Occupant le plateau d'une colline basse et agréable, il était entouré de palissades, et, comme les templiers ne dédaignaient pas d'avoir le public pour témoin de leur adresse guerrière, ils l'avaient suffisamment garni de galeries et de banquettes.

A l'extrémité orientale, on avait dressé, pour la circonstance, un trône destiné au grand maître, et placé, tout autour, des sièges pour les commandeurs et les chevaliers. Au-dessus du trône flottait le *Beauséant,* étendard sacré de l'ordre comme son nom en était le cri de guerre.

En face, à l'autre bout de la lice, s'élevait, en piles, un amas de fagots autour d'un poteau solidement fiché en terre ; entre eux était ménagé un passage à la victime qu'ils devaient consumer, pour pénétrer dans le cercle fatal et être attachée au poteau avec les chaînes qui y étaient suspendues à cet effet. Debout, près de cet appareil de mort, se tenaient quatre esclaves noirs dont la couleur et les traits africains, si peu connus en Angleterre, terrifiaient la multitude, qui les considérait comme des démons dans l'exercice de leurs diableries. Ces hommes ne sortaient de leur immobilité que pour attiser ou alimenter le feu, sur l'ordre de l'un d'eux, qui paraissait leur chef. Ils ne s'occupaient pas des spectateurs et semblaient insensibles à tout ce qui ne concernait pas leur horrible tâche. Lorsqu'ils se parlaient l'un à l'autre, leurs grosses lèvres laissaient entrevoir une rangée de dents blanches, comme s'ils grimaçaient un sourire à l'idée de la tragédie qui se préparait. Alors, les paysans, saisis de frayeur, ne pouvaient s'empêcher de voir en eux les esprits infernaux en commerce avec la sorcière, et qui, le pacte expiré, s'apprêtaient à devenir les instruments de son supplice. Ils échangeaient leurs impressions à voix basse, rappelaient la longue liste des méfaits de Satan à cette époque de troubles et de catastrophes, et ne manquaient pas naturellement de lui attribuer deux fois plus que sa part.

– Père Dennet, dit un laboureur à un de ses voisins plus avancé en âge, n'avez-vous pas entendu dire que le diable a emporté le corps d'Athelstane de Coningsburgh, le grand thane saxon ?

– Si, mais il l'a rapporté tout de même, par la grâce de Dieu et de saint Dunstan.

– Que dites-vous là ? demanda un jeune homme à la mine éveillée.

Le nouveau venu était vêtu d'une casaque verte, brodée d'or ; on devinait aisément sa profession en voyant à ses côtés un gars robuste qui portait une harpe sur son dos. Ce ménestrel paraissait être au-dessus du vulgaire : outre les riches broderies de son pourpoint, il portait au cou une chaîne d'argent, à laquelle pendait la clef dont il se servait pour accorder sa harpe. A son bras droit était attachée une plaque d'argent ; mais, au lieu des armes ou de la devise de la famille qui le protégeait, on y lisait ce seul mot : SHERWOOD.

– De quoi parlez-vous là ? dit-il en se mêlant à la conversation des paysans. Je suis venu chercher ici un sujet de ballade, et, par Notre-Dame ! cela m'arrangerait fort d'en trouver deux.

– Il s'agit d'un fait clair comme le jour, répondit le vieux. Quatre semaines après sa mort, le thane de Coningsburgh...

– Allons donc ! s'écria le ménestrel. Je l'ai vu bien vivant au tournoi d'Ashby, la semaine dernière.

– C'est possible. Il était déjà bien mort, ou enterré, dit l'autre paysan. A preuve que j'ai entendu les moines de Saint-Edmond chanter pour lui l'office des morts, et qu'on a fait, comme de juste, d'abondantes distributions de vivres et d'aumônes au château de

Coningsburgh pour ses funérailles. Et même j'y serais allé sans la petite Aimée, qui...

– Mon Dieu ! oui, Athelstane est mort, reprit le vieux en hochant la tête, et c'est grand-pitié, car l'antique sang des monarques saxons...

– L'histoire, mes maîtres ! voyons l'histoire, interrompit le bouillant ménestrel.

– Oui, contez-nous votre histoire, dit derrière eux un moine gros et joufflu, appuyé sur un bâton qui tenait le milieu entre un bourdon de pèlerin et une massue, et probablement employé à ces deux fins, selon le cas. Ne nous faites pas languir ; nous n'avons pas de temps à perdre.

– Or, sachez donc, s'il plaît à Votre Révérence, dit Dennet, qu'un ivrogne de prêtre alla trouver le sacristain de Saint-Edmond...

– Il ne plaît pas à Ma Révérence, repartit le moine, qu'il existe un animal tel qu'un prêtre ivrogne, ou, s'il en est, qu'un laïque en parle de cette façon. De la politesse, mon ami, et disons plutôt que le saint homme était plongé dans la méditation, ce qui rend la tête lourde et le pied chancelant, comme si l'estomac avait absorbé trop de vin nouveau. J'ai ressenti cet effet-là, moi qui vous parle.

– Eh ! bien, reprit le père Dennet, un saint homme alla trouver le sacristain de Saint-Edmond... Un prêtre ribaud, par exemple ! Il tue pour son compte la moitié des daims qu'on escamote dans la forêt, préfère le glouglou d'une chopine au tintement de la messe, et met un quartier de lard au-dessus des dizaines de son rosaire. Bon compagnon du reste, joyeux convive, sachant jouer du bâton, tirer de l'arc et danser une ronde mieux que pas un des pays d'alentour !

– Cette dernière phrase, compère, t'a sauvé une côte ou deux, lui dit le ménestrel.

– Bah ! je n'ai pas peur, dit le vieux. L'âge m'a un peu alourdi, c'est vrai ; mais quand je luttais à Doncaster...

– Au fait, l'ami, au fait !

– Le fait ? C'est qu'Athelstane a été enterré à Saint-Edmond.

– Voilà qui est fort ! s'écria le moine. Quelle bourde ! Je l'ai vu, de mes yeux vu, porter à son château de Coningsburgh.

– Ah ! mais, dites donc, vous autres, contez la chose vous-mêmes ! dit le vieux, las de ces contradictions incessantes. Sur les instances de son camarade et du ménestrel, il se décida pourtant à continuer. Ces deux moines à jeun, puis que le révérend les aime mieux comme ça, dit-il enfin, avaient arrosé la conversation de vin, de bière et d'un tas de choses, pendant une bonne partie de la journée. Tout à coup, un gémissement les interrompit, avec un grand bruit de chaînes, et le fantôme d'Athelstane leur apparaît, en s'écriant : Mauvais pasteurs que vous êtes...

– C'est faux ! s'écria de nouveau le moine. Il n'a pas ouvert la bouche.

– Tout doux, frère Tuck ! lui dit le ménestrel en le tirant à part. M'est avis que nous avons levé le lièvre, hein ?

– Je t'assure, Allan Dale, répondit le frère, qui n'était autre que l'ermite de Copmanhurst, que j'ai vu Athelstane aussi bien que des yeux mortels peuvent voir un homme vivant. Il était couvert d'un linceul, et tout en lui sentait le sépulcre. Un tonneau de Malvoisie n'effacerait pas cela de ma mémoire !

– Ta ta ta ! Tu veux te gausser de moi.

– Qu'on m'appelle fieffé menteur si je ne l'ai pas cinglé d'un coup de bâton à terrasser un bœuf, et si le bâton n'a pas glissé sur lui comme sur un amas de brouillard !

– L'histoire est merveilleuse, par saint Hubert ! et bonne à mettre en rimes sur le vieil air : *Quel chagrin pour un vieux moine !*

– Ris tant que tu voudras ; mais, si tu m'attrapes à chanter cette ballade-là, qu'un autre fantôme ou le diable m'emporte la tête la première ! Ah ! pour cela, non. Aussi, j'ai sur-le-champ fait vœu d'assister à une bonne œuvre, telle que le supplice d'une sorcière, un jugement de Dieu ou tout autre spectacle méritoire, et voilà pourquoi tu m'as rencontré ici.

La grosse cloche de l'église de Saint-Michel, édifice vénérable situé dans le plus prochain village de la commanderie, vint couper court à leur conversation. Un à un tombaient ces sons lugubres, laissant entre eux un intervalle suffisant pour que celui qu'on venait d'entendre se perdît dans le lointain, avant qu'un autre lui eût succédé. Ce signal annonçait l'ouverture du drame. Un frisson de terreur courut parmi l'immense assemblée, et tous les yeux se tournèrent vers le château afin d'en voir sortir le grand maître, le champion de l'ordre et la condamnée.

On abaissa le pont-levis, et les portes s'ouvrirent. Un chevalier, portant la bannière du Temple, et précédé de six trompettes, s'avançait en tête du cortège ; il était suivi des chevaliers, rangés deux à deux, puis du grand maître, monté sur un coursier de prix, dont le harnachement était des plus simples.

Venait ensuite Briand de Bois-Guilbert, couvert d'une brillante armure, et accompagné de ses deux écuyers, qui tenaient sa lance, son bouclier et son épée. Des passions violentes et diverses se peignaient sur son visage, où l'orgueil surtout paraissait en lutte avec l'incertitude. Il était horriblement pâle, ainsi qu'un homme qui a passé plusieurs nuits sans sommeil ; cependant, il conduisait son fringant destrier avec l'aisance et la grâce qu'on pouvait attendre du meilleur cavalier du Temple. L'ensemble de sa personne était majestueux et imposant ; mais, en l'examinant avec attention, il y avait dans ses traits farouches quelque chose qui en faisait détourner les yeux.

A ses côtés chevauchaient Conrad de Montfichet et Albert de Malvoisin, qui remplissaient l'office de parrains du champion. Ils étaient en costume civil, c'est-à-dire sans armes et habillés de blanc. A leur suite, se déroulait une autre file de chevaliers, puis un long cortège d'écuyers et de pages, tous vêtus de noir, et qui avaient le titre de frères lais.

Derrière ces néophytes, une troupe de gardes à pied, portant la même livrée sombre, laissait apercevoir entre leurs pertuisanes la pâle Rébecca, marchant d'un pas lent mais ferme vers le lieu de son supplice. On l'avait dépouillée de tous ses ornements,

de crainte qu'il n'y eût dans le nombre une de ces amulettes dont Satan gratifiait ses victimes pour leur ôter la faculté de faire des aveux, jusque dans les tortures. Une robe blanche, d'étoffe commune et de forme très simple, avait été substituée à ses habits orientaux. Pourtant, son maintien annonçait tant de courage et de résignation, et dans une mesure si parfaite, que, même en cet appareil et sans autre parure que ses longs cheveux noirs, il arracha des larmes à bien des spectateurs. Le fanatique le plus endurci regretta le sort funeste qui avait transformé une créature si admirable en un vase d'opprobre et en une esclave du démon.

Une foule de personnes attachées au service de la commanderie marchaient derrière la victime, dans le plus grand ordre, les bras en croix et les yeux baissés.

Cette procession gravit lentement la colline, au sommet de laquelle était situé le champ clos ; en y entrant, elle en fit le tour de droite à gauche, et, le cercle complet, elle s'arrêta. Il y eut alors un moment de confusion ; tous les chevaliers, excepté le champion et ses parrains, mirent pied à terre et confièrent leurs montures aux écuyers, qui les emmenèrent hors de l'arène.

L'infortunée Rébecca fut conduite jusqu'à un siège peint en noir, placé à côté du bûcher. Au premier regard qu'elle laissa tomber sur les sinistres apprêts d'une mort non moins terrifiante pour l'âme que cruelle pour le corps, elle tressaillit et ferma les yeux, formulant sans doute une prière mentale, car ses lèvres remuaient sans qu'il en sortît aucun son. Presque aussitôt, elle rouvrit les yeux, les fixa sur le bûcher comme pour habituer son esprit à cette vue affreuse, et finit, d'un mouvement naturel, par détourner la tête.

Cependant, le grand maître avait pris place sur le trône. Lorsque les chevaliers se furent tous assis, autour de lui, chacun selon son rang, une bruyante sonnerie de trompettes annonça que tout était prêt pour procéder au jugement. Alors Malvoisin, l'un des parrains du champion, s'avança, et déposa aux pieds du chef de l'ordre le gant de Rébecca, qui était son gage de bataille.

– Valeureux seigneur et révérend père, dit-il, je viens au nom du bon chevalier Briand de Bois-Guilbert, commandeur de l'ordre du Temple. En acceptant le gage de bataille que je dépose aux pieds de Votre Révérence, il s'est engagé à faire son devoir dans le combat de ce jour, en soutenant que cette fille juive, nommée Rébecca, a justement encouru la sentence prononcée contre elle par le chapitre de notre très saint ordre, sentence qui la condamne à mort comme sorcière. Il est prêt à faire la bataille avec honneur et en vrai chevalier, si tel est votre sage et bon plaisir.

– A-t-il prêté serment que sa cause est juste et honorable ? demanda le grand maître. Qu'on apporte le crucifix.

– Très révérend père, se hâta de répondre Malvoisin, notre frère ici présent a déjà reconnu la légitimité de l'accusation entre les mains du commandeur Conrad de Montfichet, et d'ailleurs, il doit être dispensé du serment, puisqu'on ne saurait l'imposer à son adversaire, qui est une infidèle.

L'excuse parut plausible au grand maître, à la satisfaction de Malvoisin. Le rusé chevalier avait prévu la grande difficulté ou, pour mieux dire, l'impossibilité d'exiger de Bois-Guilbert un semblable serment en public, et il avait imaginé cette explication pour lui en épargner la honte.

Passant outre à cette formalité, le grand maître commanda au héraut d'armes de faire son office. Les trompettes sonnèrent encore une fois, et le héraut, s'avançant au milieu de l'arène, fit à haute voix la proclamation suivante :

– Oyez ! oyez ! oyez ! Voici le bon chevalier Briand de Bois-Guilbert prêt à combattre contre tout chevalier de bon lignage, qui voudra soutenir la cause de la juive Rébecca, à qui, en légitime essoine de son corps, privilège a été octroyé de faire l'épreuve par champion. Et à ce champion, le révérend et valeureux grand maître ici présent assure beau champ, égal partage du vent et du soleil, et tout ce qui est d'un loyal combat.

Les trompettes se remirent à sonner, et un profond silence régna pendant quelque temps.

– Nul champion ne se présente pour l'appelante, dit Beaumanoir. héraut, va lui demander si elle attend quelqu'un.

Le héraut se dirigea vers l'endroit où Rébecca était assise. Malgré les observations de ses deux parrains, Bois-Guilbert, poussant son cheval du même côté, arriva près d'elle en même temps que le héraut.

– Est-ce régulier et conforme aux lois du combat ? demanda Malvoisin, en se tournant vers le grand maître.

– Oui, répondit celui-ci. Dans un appel au jugement de Dieu l'on ne doit pas empêcher les parties d'avoir entre elles des communications, d'où peut se former une connaissance plus complète de la vérité.

Le héraut s'était adressé en ces termes à Rébecca :

– Jeune fille, l'honorable et révérend grand maître demande si tu t'es pourvue d'un champion, prêt à faire aujourd'hui la bataille en ta faveur, ou si tu consens à reconnaître la justice de ta condamnation.

– Dis au grand maître, répondit-elle, que je persiste à me déclarer innocente et injustement condamnée ; sinon, je serais responsable de ma mort. Dis-lui que j'exige de ses lois tous les délais de rigueur, afin de voir si Dieu, qui se montre dans nos dernières extrémités, me suscitera un libérateur, et, ce terme de répit expiré, que la volonté divine s'accomplisse !

Le héraut transmit cette réponse au grand maître.

– À Dieu ne plaise, dit-il, que juif ou païen nous accuse jamais d'injustice ! Jusqu'à ce que l'ombre passe de l'occident à l'orient, nous attendrons qu'il se présente un champion pour cette infortunée créature. À la tombée du jour, qu'elle se prépare à la mort.

En apprenant la décision du grand maître, Rébecca

inclina la tête d'un air de soumission, croisa les bras
et leva les yeux au ciel, comme pour y chercher le
secours qu'elle ne pouvait guère se promettre des
hommes. Dans ce recueillement suprême, la voix de
Bois-Guilbert frappa son oreille ; ce n'était qu'un
murmure, et pourtant elle en parut plus troublée que
des sommations du héraut.

— Rébecca, lui-disait-il, m'entends-tu ?

— Je n'ai rien de commun avec toi, homme dur et
cruel.

— Soit ; il suffit que tu me comprennes. Le son de
ma voix m'épouvante moi-même. Où sommes-nous
et pourquoi nous a-t-on conduits ici, je m'en sou-
viens à peine. Ce champ clos, ce siège fatal, ce
bûcher... je sais ce qu'ils veulent dire, et pourtant tout
cela me paraît un rêve, une vision d'enfer, qui assiège
mes sens d'images horribles, et contre laquelle pro-
teste ma raison.

— Ma raison et mes sens sont de meilleurs juges : ils
me disent tous deux que ce bûcher est destiné à
consumer ma dépouille mortelle et à m'ouvrir un
pénible mais court passage vers un monde meilleur.

— Songes, Rébecca ! folles chimères, que vos saddu-
céens les plus sages rejettent eux-mêmes ! Écoute,
ajouta-t-il, en parlant avec plus d'animation. Pour
vivre et être libre, il te reste une plus belle chance que
ne l'imaginent ce vieux fanatique et ceux qui l'entou-

rent. Monte en croupe de mon cheval. C'est une vaillante bête, qui n'a jamais trahi son cavalier ; je l'ai gagnée en combat singulier, au soudan de Trébizonde. Monte, et dans une heure à peine poursuite et recherches seront loin derrière nous. À toi un nouveau monde de jouissances, à moi une nouvelle carrière de gloire ! Leur condamnation, je la méprise !.. Et qu'ils effacent mon nom de la liste de leurs moines esclaves !.. Je laverai dans le sang chaque tache qu'ils oseront faire à mon écusson !

– Arrière, tentateur ! En ce moment d'extrême détresse, tu ne parviendras point à me faire bouger d'un pas pour te suivre. Des ennemis qui m'environnent n'es-tu pas le plus cruel et le plus exécrable ? Éloigne-toi, au nom de Dieu !

Malvoisin, impatient et alarmé de la durée de cet entretien, s'approcha pour y mettre un terme.

– A-t-elle avoué son crime ? demanda-t-il à Bois-Guilbert. Ou est-elle résolue à le nier ?

– Oh ! elle est bien résolue, répondit Bois-Guilbert.

– En ce cas, mon noble frère, reprit le commandeur, il faut retourner à ton poste et y attendre l'événement. L'ombre commence à incliner vers l'orient. Viens, brave Briand, toi, l'espoir de notre ordre et qui en seras bientôt le chef !

En s'exprimant sur ce ton doucereux, il prit le cheval par la bride afin de le ramener à sa place.

– Infâme scélérat ! s'écria Bois-Guilbert furieux. Qui te rend si hardi de porter la main sur mon cheval ?

Et, lui faisant lâcher prise, il revint à l'autre bout de la lice.

– Il y aurait encore de l'énergie en lui, si elle était bien dirigée, dit Malvoisin à Montfichet ; mais, à l'instar du feu grégeois, elle brûle tout ce qu'elle touche.

Les juges étaient réunis depuis deux heures, et aucun champion n'avait encore paru.

– La raison en est claire, dit le frère Tuck, c'est qu'elle est juive. Par mon saint patron ! il n'en est pas moins dur de voir périr une fille si belle et si jeune sans qu'on ait tiré l'épée pour elle. Ah ! que n'est-elle seulement un brin plus chrétienne, et dix fois plus sorcière, mon gourdin sonnerait matines sur le casque de ce gueux de templier avant qu'il pût se tirer d'affaire !

C'était l'opinion générale que personne n'avait le pouvoir ou le désir d'embrasser la cause d'une juive accusée de sorcellerie. Les templiers, à l'instigation de Malvoisin, commençaient à se dire entre eux qu'il était temps de déclarer que Rébecca n'avait pas racheté son gage. En ce moment, on aperçut dans la plaine un chevalier, qui courait à toute bride dans la direction du champ clos. Des centaines de voix crièrent : « Un champion ! un champion ! » et en dépit des préventions et des préjugés populaires, il fut salué d'acclamations unanimes à son entrée dans la lice. Mais, en le voyant de plus près, on perdit l'espoir que son arrivée inattendue avait fait naître : le cheval, qui venait de fournir une longue traite, semblait tomber de fatigue, et le cavalier, bien qu'il s'avançât avec résolution, avait l'air, soit faiblesse ou lassitude, soit l'une et l'autre, d'être à peine en état de se tenir en selle.

Aux questions que lui adressa le héraut sur son nom, son rang et ses intentions, l'étranger répondit avec fierté :

– Je suis bon chevalier et noble. Je viens pour défendre, par la lance et l'épée, la juste et légitime cause de Rébecca, fille d'Isaac d'York ; je viens soutenir que la sentence rendue contre elle est illégale et mensongère, et défier sire Briand de Bois-Guilbert comme traître, meurtrier et menteur, ainsi que je le prouverai corps à corps dans ce champ clos, avec l'aide de Dieu, de Notre-Dame et de monseigneur Saint-Georges, le bon chevalier !

– Il faut d'abord, dit Malvoisin, que l'étranger

montre qu'il est bon chevalier et de naissance honorable. Le Temple ne permet pas à ses champions de se mesurer contre des gens sans nom.

– Mon nom, Albert de Malvoisin, répondit le nouveau venu en levant la visière de son heaume, est plus connu, mon lignage est plus pur que le tien. Je suis Wilfrid d'Ivanhoé.

– Je ne veux pas t'avoir aujourd'hui pour adversaire, s'écria Bois-Guilbert d'une voix rauque et altérée. Fais guérir tes blessures, procure-toi un meilleur cheval, et peut-être alors trouverai-je le temps de te punir de cette puérile jactance.

– Eh ! quoi, orgueilleux templier, répliqua Invanhoé, as-tu donc oublié que deux fois déjà tu es tombé sous ma lance ? Souviens-toi du tournoi d'Acre ! souviens-toi de la passe d'armes d'Ashby ! Souviens-toi de tes fanfaronnades dans la grand-salle de Rotherwood et de la chaîne d'or que tu as engagée contre mon reliquaire, comme promesse de combattre Wilfrid d'Ivanhoé ! Souviens-toi de tout cela, et tâche de recouvrer l'honneur que tu as perdu. Par ce reliquaire, templier, et par la sainte relique qu'il contient, j'irai te proclamer lâche dans toutes les cours de l'Occident, dans toutes les commanderies de ton ordre, si tu n'acceptes à l'instant le combat contre moi ! »

Bois-Guilbert se tourna vers Rébecca d'un air irrésolu, puis lançant sur son ennemi des regards pleins de fureur :

– Chien de Saxon ! s'écria-t-il. Prends ta lance, et prépare-toi à la mort que tu as appelée sur ta tête.

– Le grand maître m'accorde-t-il le combat ? demanda Ivanhoé.

– Je ne puis refuser ce que vous êtes venu chercher, répondit Beaumanoir, à condition que la juive vous accepte pour champion. Je souhaiterais seulement de vous voir plus en état de combattre. Quoique vous ayez toujours été hostile à notre ordre, j'aurais voulu vous traiter avec honneur.

– Non, tel que je suis, et pas autrement, dit Ivanhoé. C'est le jugement de Dieu. Qu'il m'ait en sa sainte garde ! Rébecca, ajouta-t-il en allant auprès d'elle, m'acceptes-tu pour champion ?

– Oui, répondit-elle en luttant contre une émotion que la crainte de la mort n'avait pu éveiller en elle, oui, je t'accepte comme le champion que le ciel m'a envoyé. Mais non... non... tes blessures ne sont pas guéries. N'affronte pas cet homme de sang. Toi aussi, faut-il que tu meures ?

Ivanhoé était déjà à son poste ; il avait remis sa visière en place et pris sa lance. Bois-Guilbert fit de même ; mais son écuyer remarqua, au moment où il fermait sa visière, que son visage, couvert jusque-là d'une pâleur de cendre malgré les violentes impressions qu'il avait ressenties, était subitement devenu d'un pourpre violacé.

Le héraut, voyant chaque combattant à son poste, éleva la voix et cria trois fois en français :

– Faites votre devoir, preux chevaliers ! Puis, se retirant de côté, il défendit à quiconque, sous peine de mort immédiate, d'oser, par cris, gestes ou paroles, interrompre ou troubler le juste équilibre du duel. Le grand maître, qui tenait à la main le gant de Rébecca, jeta au milieu de l'arène ce gage de bataille, et prononça les mots sacramentels : LAISSEZ ALLER !

Au signal des trompettes, les deux champions s'élancèrent au galop l'un contre l'autre. Il fut impossible au cheval surmené d'Ivanhoé et à son maître non moins affaibli de tenir devant la lance redoutable et le coursier vigoureux du templier. C'était un événement prévu par tout le monde ; mais, quoique l'arme d'Ivanhoé eût, pour ainsi dire, à peine frappé le bouclier de son adversaire, celui-ci, à la surprise générale, chancela, perdit les étriers et roula à terre.

Ivanhoé, se dégageant de dessous sa monture, fut bientôt debout et mit l'épée à la main pour continuer le combat ; mais Bois-Guilbert demeura immobile.

Alors, lui posant un pied sur la poitrine et la pointe
du fer sur la gorge, il s'écria :

— Rends-toi, ou meurs !

Bois-Guilbert ne répondit point.

— Sire chevalier, dit le grand maître, ne le tuez pas
sans confession ni absolution ! Ne détruisez pas du
même coup son corps et son âme ! Nous le déclarons
vaincu.

Beaumanoir descendit dans la lice et donna l'ordre
de détacher le casque de Bois-Guilbert. Il avait les
pupilles closes, la face encore injectée de sang ; pendant qu'on le regardait avec stupeur, ses yeux s'ouvrirent, mais ils étaient ternes et fixes, et les ombres
livides de la mort envahirent son visage. On ne
remarqua sur lui aucune blessure : il avait succombé
à la violence de ses passions.

— C'est le véritable jugement de Dieu ! dit le grand
maître en levant les yeux au ciel. Que sa volonté soit
faite !

CHAPITRE XLIV

> Voilà donc qui finit comme un
> conte de vieille femme.
> J. WEBSTER.

Quand le premier moment de surprise fut passé, Wilfrid d'Ivanhoé s'enquit auprès du grand maître, en sa qualité de juge du camp, s'il avait fait son devoir avec honneur et loyauté.

– Oui, répondit Beaumanoir, vous vous êtes comporté en loyal chevalier. La jeune fille est innocente et libre. Les armes et le corps du défunt sont à votre disposition.

– Je ne veux, dit le vainqueur, ni le dépouiller de ses armes ni livrer son corps à l'infamie. Il a été l'un des soldats de la croix. C'est le bras de Dieu, non celui d'un homme, qui l'a frappé aujourd'hui. Seulement qu'on l'enterre sans appareil, comme on doit le faire de quiconque perd la vie pour une injuste cause. Quant à cette jeune fille...

Il fut interrompu par un grand bruit de chevaux, qui accouraient si nombreux et si rapides que le sol tremblait sous leurs pieds. Tout à coup le roi Richard entra au galop dans la lice, suivi de plusieurs chevaliers armés de pied en cap et d'un fort détachement d'hommes d'armes.

– J'arrive trop tard, dit le roi en jetant les yeux autour de lui. Bois-Guilbert m'appartenait : je

m'étais réservé de le punir. Était-ce bien a toi, Ivanhoé, de courir une telle aventure, à toi qui as à peine
la force de monter à cheval ?

– Le ciel, répondit Ivanhoé, avait marqué cet homme superbe comme sa victime. Il n'était pas digne de
mourir de votre main.

– Que la paix soit avec lui, si c'est possible ! dit
Richard, en dirigeant sur le cadavre son clair et ferme
regard. C'était un vaillant soldat, et il est mort en
chevalier, sous son harnais de guerre. Mais le temps
presse... Bohun, fais ton devoir.

Un des chevaliers de la suite du roi sortit des rangs,
et, posant une main sur l'épaule d'Albert :

– Malvoisin, lui dit-il, je t'arrête pour crime de
haute trahison.

Le grand maître, que la brusque arrivée de cette
troupe de guerriers avait rendu muet d'étonnement,
recouvra alors la parole.

– Qui donc, s'écria-t-il, ose arrêter un chevalier du
temple de Sion, dans l'enceinte de sa propre commanderie et en présence du grand maître ? De quelle
autorité commet-on cet audacieux outrage ?

– C'est moi qui l'arrête, moi, Henri Bohun, comte
d'Essex, grand connétable d'Angleterre.

– Et il le fait, ajouta le roi en levant la visière de
son casque, par l'ordre de Richard Plantagenet, ici
présent. Conrad de Montfichet, il est heureux pour
toi que tu ne sois pas mon vassal. Quant à Malvoisin,

il mourra, ainsi que son frère Philippe, avant que le monde soit plus vieux d'une semaine.

– Je m'y opposerai par les armes, dit Beaumanoir.

– Trop tard, reprit le roi. Regarde tes tours : la bannière royale d'Angleterre y a remplacé celle du Temple. Sois prudent, Beaumanoir, et pas de vaine résistance : ta main est dans la gueule du lion.

– J'en appellerai à Rome ! C'est usurper sur les immunités et privilèges de l'ordre.

– À ton aise ; mais, dans ton intérêt, ne parle pas davantage d'usurpation. Dissous ton chapitre, et pars avec tes compagnons pour une commanderie, s'il en existe, qui ne soit pas devenue un repaire de traîtres et de conspirateurs contre la couronne. Si tu préfères, reste ici pour y jouir de notre hospitalité et être témoin de notre justice.

– N'être plus qu'un hôte où j'ai le droit de commander, jamais ! Chapelains, entonnez le psaume *Quare fremuerunt gentes*. Chevaliers, écuyers et soldats du saint Temple, préparez-vous à suivre le Beauséant.

Le grand maître donna ces ordres avec une majesté qui n'était pas inférieure à celle du souverain lui-même, et il rendit le courage aux templiers stupéfaits et consternés. Ils se rassemblèrent autour de lui comme font, aux hurlements du loup, les moutons près du chien qui les garde ; mais, loin d'en avoir la timidité, ils fronçaient le sourcil d'un air de colère et manifestaient, par leurs regards menaçants, l'hostilité dont la discipline arrêtait l'expression sur leurs lèvres. Réunis en masse, ils formaient une sombre forêt de lances, d'où les manteaux blancs des chevaliers se détachaient sur les vêtements noirs de leurs gens d'armes, comme les franges brillantes d'un obscur nuage. La foule, qui avait poussé contre eux des clameurs insultantes, devint calme et silencieuse à l'aspect de cette troupe exercée et redoutable qu'elle avait imprudemment défiée, et recula pour lui faire place.

Lorsqu'il vit les templiers grouper leurs forces, le comte d'Essex mit l'éperon aux flancs de son cheval, et galopa de droite et de gauche pour rallier son monde et faire face à de si terribles adversaires. Le roi, au contraire, stimulé par le danger que sa présence avait fait naître, se porta lentement au-devant d'eux.

– Comment ! messires, leur cria-t-il à haute voix, parmi tant de braves chevaliers n'en est-il pas un qui veuille rompre une lance avec Richard ? Vos dames ont-elles la peau si brûlée du soleil qu'elles ne vaillent pas l'éclat d'une lance brisée ?

– Les frères du Temple, répondit le grand maître en s'avançant vers Richard, ne combattent point pour une cause si frivole et si profane, et pas un d'eux, Richard d'Angleterre, ne croisera le fer avec toi en ma présence. Le pape et les souverains de l'Europe jugeront de notre querelle, et si tu as eu raison, toi, prince chrétien, d'agir comme tu viens de le faire. Qu'on nous livre passage, et nous nous retirerons sans attaquer personne. L'ordre confie à ton honneur les armes et les biens que nous laissons derrière nous, et il charge ta conscience du scandale que tu as causé en ce jour à la chrétienté.

À ces mots, et sans se soucier d'y avoir une réponse, le grand maître donna le signal du départ. Les trompettes jouèrent une fanfare orientale, d'un caractère sauvage, pour annoncer le mouvement de marche. Rompant leur ligne de bataille, les templiers se formèrent en colonne, et sortirent du champ clos au petit pas, pour qu'il fût bien évident que l'ordre seul de leur chef, et non la crainte d'un ennemi supérieur en nombre, les avait déterminés à la retraite.

– Par la glorieuse face de Notre-Dame ! s'écria Richard, c'est grand-pitié que ces templiers n'aient pas autant de loyauté que de vaillance et de discipline !

Pendant le tumulte que produisit cet incident, Rébecca ne vit et n'entendit rien. Pressée dans les bras de son vieux père, elle était suffoquée, interdite, pres-

que insensible à cette foudroyante succession d'événements. Un mot d'Isaac lui rendit la conscience de sa situation.

– Allons, ma chère enfant, lui dit-il, nous jeter aux pieds de ce brave jeune homme !

– Non, pas cela... répondit-elle. Oh ! non, non... Lui parler en ce moment... impossible !.. J'en dirais trop, et alors... Non, mon père !.. Fuyons au plus tôt ce lieu maudit.

– Quoi ! ma fille, quitter ainsi celui qui est accouru, comme un vaillant, au risque de sa vie, pour te racheter de l'esclavage avec la lance et l'épée, toi, l'enfant d'une race étrangère à lui et aux siens !.. C'est un service bien digne de reconnaissance.

– Oh ! oui, il la mérite... et je la lui garde bien sincère... et du fond de mon âme... Plus tard, il verra... Mais la lui témoigner à présent... Au nom de votre Rachel bien aimée, père, n'insistez pas !

– On nous accusera d'être plus ingrats que des chiens.

– Ne voyez-vous point là-bas le roi Richard, qui...

– C'est vrai, Rébecca. Toujours bonne et prudente ! Allons-nous-en, allons-nous-en ! Arrivant de la Palestine et sortant même de prison, à ce qu'on dit, il doit avoir besoin d'argent, et les prétextes ne lui manqueraient pas pour m'en soutirer s'il venait à connaître mes petites affaires avec son frère. En route, vite ! Allons-nous-en !

Devenu pressant à son tour, Isaac emmena sa fille hors de la lice et la conduisit sans encombre chez le rabbin Nathan.

On ne fit aucune attention au départ de celle qui avait été la triste héroïne de la journée. Tous les yeux étaient tournés vers le souverain, et l'air retentissait des cris de « Vive Richard ! vive Cœur de Lion ! » et de « A bas les templiers ! Mort aux usurpateurs ! »

– Malgré tous ces simulacres de loyauté, dit Ivanhoé au comte d'Essex, le roi a sagement fait cette fois de ne venir ici que sous l'escorte d'une nombreuse troupe de fidèles sujets.

Le comte sourit et hocha la tête.

.– Brave Ivanhoé, répondit-il, toi qui connais si bien notre maître, le crois-tu capable d'avoir songé à prendre une telle précaution ? Je marchais sur York, où j'avais ouï dire que le prince Jean avait l'intention de résister, lorque, chemin faisant, je rencontrai le roi, qui s'en venait, en vrai paladin, mettre fin à l'aventure du templier et de la juive par la seule force de son bras. Je l'accompagnai avec mes gens, et presque malgré lui, je puis le dire.

– Que fait-on à York ? Les rebelles vont-ils nous y attendre ?

– Pas plus que la neige d'hiver n'attend le soleil de juillet. Ils se sont dispersés. Et sais-tu qui nous en a apporté la nouvelle ? Le prince Jean en personne.

– Le traître ! l'impudent félon ! Sans doute Richard l'a fait arrêter ?

– Lui ? Il l'a accueilli comme on se retrouve à la fin d'une partie de chasse, et s'est contenté de lui dire en nous montrant du geste : « Mon frère, les esprits sont encore à l'orage ; tu ferais bien, à mon sens, d'aller voir notre mère, de l'assurer de ma respectueuse affection et de rester auprès d'elle jusqu'au retour du beau temps. »

– Voilà tout ? On dirait qu'il appelle la trahison à force de clémence.

– Précisément, tout comme d'autres semblent appeler la mort en courant au combat sans être guéris de leurs blessures.

– L'épigramme est méritée, j'en conviens. Pourtant, rappelez-vous qu'entre risquer sa vie ou une couronne, il y a loin.

– Qui n'a point souci de son bien-être s'intéresse rarement à celui d'autrui. Mais hâtons-nous d'occuper la commanderie, car le roi se propose de châtier quelques agents obscurs du complot, après avoir pardonné à celui qui en était le chef.

Un procès fut instruit à cette occasion, et les détails en sont rapportés tout au long dans le manuscrit de Wardour. Il paraît que Maurice de Bracy passa la mer et entra au service du roi de France, tandis que Philippe de Malvoisin et son frère Albert, commandeur de Templestowe, furent condamnés à mort et exécutés. Quant à Valdemar Fitzurse, l'âme de la conjuration, il en fut quitte pour la peine du bannissement ; et le prince Jean, en faveur de qui elle avait été tramée, ne reçut pas du monarque un seul mot de reproche. Au reste, personne ne s'apitoya sur le sort des deux Malvoisin : ils subirent une mort qu'ils n'avaient que trop méritée par une foule d'actes d'oppression et de cruauté.

Peu de temps après le duel judiciaire, Cedric le Saxon fut invité à la cour de Richard, qui s'était installé à York dans la vue de pacifier une contrée qu'avait troublée l'ambition de son frère. A la réception du message, Cedric fit beaucoup de *si* et de *mais* ; cependant, il capitula enfin. Au fond, le retour de Richard avait ruiné toute tentative de restaurer la dynastie d'Alfred sur le trône : quelles qu'eussent été les chances d'un soulèvement national au milieu des discordes civiles, on n'en pouvait plus augurer aucune sous la domination incontestée de Richard ; ses bonnes qualités et sa renommée militaire l'avaient rendu cher au peuple, bien qu'il gouvernât avec une indifférence qui touchait tantôt à la faiblesse, tantôt au despotisme.

Il n'avait pu, en outre, échapper à Cedric, malgré son déplaisir, que le projet de cimenter une parfaite union entre tous ses compatriotes s'en allait en fumée, puisqu'il eût fallu marier Athelstane et Rowena contre le gré des parties. C'était là un dénouement que son zèle pour la cause nationale ne lui avait pas permis de prévoir. Et comment l'aurait-il pu ? L'éloignement des futurs l'un pour l'autre une fois rendu évident et public, Cedric ne parvenait pas encore à se persuader que deux Saxons de sang royal se fissent scrupule de sacrifier leur intérêt personnel au bien général de la nation. Le fait n'en était pas moins avéré : Rowena persistait dans ses répugnances, et Athelstane déclarait, en termes nets et positifs, qu'il renonçait pour toujours à son rôle de prétendu. La ténacité du vieux thane dut fléchir devant l'impossibilité d'attirer à lui, qui formait le point de jonction, deux mains qui refusaient de se joindre. Pour l'acquit de sa conscience, il renouvela contre le seigneur de Coningsburgh une dernière et vigoureuse tentative, et le trouva engagé, comme plus d'un gentillâtre de nos jours, dans une guerre acharnée contre le clergé.

Après toutes ses menaces de mort contre l'abbé de Saint-Edmond, la rancune d'Athelstane, paraît-il, avait fini par céder, en partie à son indolence naturelle, en partie aux supplications de sa mère, qui était fort attachée à l'Église, ainsi que la plupart des dames de ce temps. Il s'était borné à faire enfermer l'abbé et ses moines dans les cachots de Coningsburgh et à les y tenir trois jours entiers au pain et à l'eau. Furieux d'un traitement si atroce, l'abbé le menaça d'excommunication, et dressa une terrible kyrielle des douleurs d'estomac ou d'entrailles qu'il avait endurées, lui et ses religieux, par suite de cette injuste et tyrannique prison. Ce fut dans le feu de cette dispute qu'arriva Cedric, et son ami était si préoccupé des moyens de combattre la gent monacale, qu'il n'y avait plus de place dans sa cervelle pour aucune autre idée. Au nom de lady Rowena, Athelstane s'empressa de remplir deux gobelets pour boire à la santé de la belle Saxonne et à son prochain mariage avec le jeune Wilfrid. Le cas était désespéré. On ne pouvait plus rien attendre d'Athelstane, ou, pour parler comme Wamba d'après un adage saxon qui est parvenu jusqu'à nous, c'était un coq qui ne voulait pas se battre.

Pour arriver à la solution que nos deux amants appelaient de tous leurs vœux, il restait deux obstacles à vaincre : l'obstination de Cedric et sa haine contre la dynastie normande. Le premier de ces sentiments s'amollit peu à peu devant les caresses de sa pupille, et aussi devant l'orgueil, bien légitime, que lui inspirait la renommée de son fils. D'autre part, il n'était rien moins qu'insensible à l'honneur d'unir son sang à celui d'Alfred, puisque le descendant du roi Édouard avait abdiqué ses prétentions au trône. Son aversion contre les princes normands diminua aussi de beaucoup, d'abord, parce qu'il ouvrit les yeux sur son impuissance à en délivrer l'Angleterre, réflexion qui a ramené dans le devoir plus d'un sujet rebelle ; ensuite, à cause des égards particuliers que lui témoigna Richard. En effet, le roi, qui aimait les façons brusques et franches du Saxon, le travailla si bien qu'à la fin d'une semaine passée à la cour, il le décida à donner son assentiment à l'union tant désirée.

Le mariage de Rowena et d'Ivanhoé eut lieu dans la cathédrale d'York, le plus auguste des temples. Le roi l'honora de sa présence, et montra de la bienveillance aux Saxons, ainsi qu'en d'autres circonstances. Opprimés et avilis jusque-là, ils en conçurent l'espoir d'un meilleur avenir et d'un traitement plus équitable qu'ils n'auraient pu raisonnablement l'attendre des vicissitudes d'une guerre civile. Cette cérémonie fut célébrée avec toute la splendeur dont l'Église romaine sait entourer de telles solennités.

Gurth, en beaux habits neufs, assista, en qualité d'écuyer, le jeune maître qu'il avait si fidèlement servi, et le magnanime Wamba reçut, pour l'occasion, un brillant costume et une garniture de sonnettes d'argent. Ils avaient tous deux partagé les dangers et la peine de Wilfrid, et tous deux, comme il était juste, demeurèrent près de lui pour avoir leur part de sa prospérité.

On convia les Normands et les Saxons de haut parage à ces noces magnifiques, dont l'allégresse unanime des classes inférieures contribua à augmenter l'éclat. Ce fut comme un gage de paix et d'harmonie entre les deux races, et depuis cette époque elles se sont fondues si complètement qu'il ne serait plus possible de les distinguer. Cedric vécut assez long-temps pour voir l'œuvre de cette fusion déjà avan-cée ; car, à mesure que s'opérait le mélange des deux peuples et que les alliances de famille devenaient entre eux plus fréquentes, on vit les Normands rabat-tre de leur méprisant orgueil, et les Saxons perdre de leur grossièreté native. Ce ne fut néanmoins qu'à dater de l'an 1350, sous le règne d'Édouard III, que la langue mixte, appelée *anglais* aujourd'hui, commen-ça d'être en usage à la cour, et que toute distinction hostile de Normand et de Saxon s'effaça entière-ment.

Dans la matinée qui suivit le lendemain de cette union fortunée, lady Rowena fut informée par Elgi-tha, sa première servante, qu'une dame demandait à lui parler en particulier. Rowena, étonnée, hésita d'abord ; mais, cédant à un instinct de curiosité, elle donna ordre de l'introduire.

C'était une jeune femme d'une tournure imposante et noble, et drapée dans un long voile blanc qui lais-sait entrevoir l'élégance et la beauté de ses formes. Son maintien témoignait d'un respect sincère, sans aucun mélange d'appréhension, d'embarras ou de flatterie. Rowena, qui avait l'âme bonne, était tou-jours disposée à accueillir favorablement les requêtes ou les réclamations qu'on lui présentait. Elle se leva pour offrir un siège à la belle étrangère ; mais un coup d'œil que celle-ci jeta sur Elgitha lui fit voir qu'elle souhaitait de n'avoir aucun témoin de leur entretien. La suivante, un peu dépitée, ne fut pas plus tôt sortie, qu'à la grande surprise de lady Rowena, l'inconnue fléchit un genou devant elle, inclina la tête jusqu'à terre et pressa contre ses lèvres le bas de sa tunique.

– Que signifie cela ? dit la maîtresse de céans, et pourquoi me donner une marque de respect si extra-ordinaire ?

Rébecca (car c'était elle) se releva, et reprenant le calme et la dignité naturelle de ses manières :

– Parce que c'est à vous, Madame, dit-elle, que je puis, à juste titre et sans blâme, payer la dette de reconnaissance que j'ai contractée envers Wilfrid d'Ivanhoé. C'est moi... pardonnez à la hardiesse qui m'a portée à vous offrir l'hommage de mon pays... c'est moi, la malheureuse juive pour laquelle votre époux a risqué sa vie, en des circonstances si terribles, dans le champ clos de Templestowe.

– Ce jour-là, Wilfrid d'Ivanhoé n'a reconnu que bien faiblement l'inépuisable charité dont vous avez fait preuve alors qu'il était malade et prisonnier. Parlez : y a-t-il quelque chose en quoi, lui ou moi, nous puissions vous servir ?

– Rien, si ce n'est de lui transmettre mes adieux avec l'expression de ma reconnaissance.

– Vous allez quitter l'Angleterre ? demanda Rowena, à peine revenue de l'étonnement que lui causait cette entrevue.

– Oui, Madame, avant la nouvelle lune. Mon père a un frère à Cordoue, qui jouit des bonnes grâces du calife Al-Mansour ; nous allons l'y rejoindre, assurés d'y avoir paix et protection, moyennant le tribut exigé par les musulmans.

– N'avez-vous pas en Angleterre les mêmes avantages ? Mon époux est en faveur auprès du roi, et le roi lui-même est d'un caractère juste et généreux.

– Je n'en doute pas, Madame. Mais le peuple de ce pays est une race violente, toujours en querelle avec ses voisins ou chez elle, et prompte à courir aux armes. Ce n'est pas là un asile sûr pour nous. Éphraïm est une colombe timide, et Issachar un serviteur épuisé, qui chancelle sous le poids de ses fardeaux. Non, un pays de bataille et de carnage, entouré de voisins hostiles, déchiré par ses propres factions, ne peut donner l'espérance du repos aux tribus errantes d'Israël.

– Vous du moins, jeune fille, ici vous n'avez rien à

craindre, dit Rowena dans un élan de sympathie. Celle qui s'est dévouée pour Ivanhoé est digne de tous les égards : Saxons et Normands se disputeront l'honneur de la protéger.

– Ces paroles m'honorent, Madame, et l'intention qui les a dictées m'honore encore plus. Mais c'est impossible... Entre nous, il y a un abîme, et notre éducation, notre foi nous empêche de le franchir. Cependant, avant de prendre congé de vous, accordez-moi une grâce. Ce voile vous dérobe à mes yeux : veuillez le lever, et laissez-moi voir des traits dont la renommée fait tant d'éloges.

– Ils ne méritent guère d'arrêter les regards ; mais, en réclamant de votre part la même faveur, je vais vous satisfaire.

Elles levèrent leur voile l'une et l'autre. Autant par pudeur que par conscience de sa beauté, Rowena rougit, et son visage, son cou et son sein se couvrirent d'un subit incarnat. Rébecca rougit aussi, mais cette sensation ne dura qu'un moment : maîtrisée par des émotions d'un ordre supérieur, elle se dissipa comme un nuage perd ses lueurs pourprées quand le soleil descend sous l'horizon.

– Madame, dit la juive, les traits que vous avez daigné me faire voir resteront gravés dans ma mémoire. La douceur et la bonté y règnent, et si une teinte de l'orgueil du monde ou de ses vanités se mêle à une expression si aimable, quel droit aurait-on de reprocher à ce qui vient de terre quelque trace de son origine ? Longtemps, oh ! longtemps, je me rappellerai vos traits, et je bénis le ciel de laisser mon noble libérateur uni à...

La voix lui manqua, et ses yeux se remplirent de larmes. Elle se hâta de les essuyer, et répondit aux questions inquiètes de Rowena :

– Ce n'est rien, Madame. Mais, en songeant à Torquilstone et au champ clos de la commanderie, mon cœur est gros de douleur... Adieu. Mon devoir est accompli, et il ne me reste plus qu'à vous prier d'accepter cette cassette ; ne dédaignez pas ce qu'elle contient.

Rowena ouvrit la cassette ciselée d'argent qu'elle lui tendit, et y trouva un collier et des boucles d'oreilles en diamants, d'une valeur inestimable. Elle voulut aussitôt la lui rendre.

— Il m'est impossible, dit-elle, d'accepter un présent de cette importance.

— Gardez-le, Madame, répondit Rébecca. Vous avez l'autorité, le rang, le crédit en partage ; nous n'avons que la richesse, qui nous fait à la fois si forts et si faibles. Centuplez le prix de ces bagatelles, et il n'aura pas moitié autant d'influence que le moindre de vos souhaits. Ce présent n'a donc pour vous qu'une mince valeur, et pour moi qui m'en sépare, il en a encore bien moins. Ne me laissez pas croire que vous vous associez aux misérables préjugés du peuple à l'égard de mes frères. Pensez-vous que j'estime ces cailloux brillants plus que ma liberté, ou qu'ils vaillent aux yeux de mon père l'honneur de son unique enfant ? Acceptez-les, Madame ; ils ne me sont plus rien. Jamais plus je ne porterai de joyaux.

– Seriez-vous malheureuse ? dit Rowena, frappée du ton avec lequel la juive avait prononcé ces derniers mots. Demeurez avec nous. Les conseils d'hommes pieux vous guériront de vos erreurs, et je serai une sœur pour vous.

– Non, Madame, répondit Rébecca, avec cette mélancolie douce et tranquille, trait distinctif de sa voix harmonieuse et de son admirable beauté ; non, cela n'est pas possible. Je ne saurais quitter la foi de mes pères comme un vêtement, qui s'accorde mal avec le climat qu'on habite. D'ailleurs, je ne serai pas malheureuse. Celui à qui je vais consacrer ma vie me consolera, si je remplis sa volonté.

– Avez-vous donc des couvents, où vous puissiez faire retraite ?

– Non, Madame. Depuis les temps d'Abraham, il y a eu parmi nous des femmes qui ont voué leurs pensées au service de Dieu et leurs actions à des œuvres charitables, en soignant les malades, en nourrissant les malheureux, en soulageant les affligés. Rébecca sera l'une d'elles. Dites-le à votre époux, s'il lui arrive de s'enquérir du sort de celle qu'il a sauvée.

Il y eut dans la voix de Rébecca un tremblement involontaire, et comme un accent de tendresse, dont l'expression allait peut-être trahir le secret de son cœur. Aussi elle se hâta de prendre congé de la nouvelle épousée.

– Recevez mes adieux, lui dit-elle. Puisse le père commun des juifs et des chrétiens répandre sur vous ses plus saintes bénédictions ! Je crains que le navire qui doit nous emmener ne mette à la voile avant que nous puissions gagner le port.

Elle s'éloigna sans bruit, et son départ laissa la belle Saxonne aussi interdite que si une vision avait ébloui ses yeux. Lady Rowena fit part de cette singulière visite à son mari, sur l'esprit duquel elle produisit une vive impression.

L'union des deux époux fut longue et heureuse, car l'affection qu'ils éprouvaient l'un pour l'autre depuis leurs jeunes années puisa une force nouvelle dans le souvenir des obstacles qu'ils avaient eus à traverser. Quant à savoir si l'image de la charmante juive ne s'offrit pas à la mémoire du chevalier plus souvent qu'il n'eût convenu à la descendante d'Alfred, ce serait pousser la curiosité un peu loin.

Ivanhoé se distingua au service de Richard, et fut comblé par lui de marques de faveur. Il se serait élevé plus haut encore, sans la mort prématurée de l'héroïque Cœur de Lion sous les murs du château de Chalus, dans le Limousin. En même temps que ce prince généreux, mais téméraire et romanesque, périrent tous les grands projets que son ambition avait conçus ; et l'on peut lui appliquer, avec une légère variante, le quatrain de Samuel Johnson sur Charles XII, roi de Suède :

Son destin fut d'aller, sur la terre étrangère,
Au pied d'un château fort mourir obscurément,
Et son nom, des États la terreur passagère,
N'est qu'un lieu de morale, un sujet de roman.

NOTES.

a — Une barre de fer et un cadenas peints en bleu sur fond noir.

On a reproché ici à l'auteur d'avoir commis une faute de blason en plaçant couleur sur couleur. Cependant, on devrait se souvenir que l'art héraldique date des premières croisades, et que les minuties de cette science bizarre, dues à l'œuvre du temps, n'ont été introduites qu'à une époque plus rapprochée de nous. Ainsi, l'on peut remarquer que les armes choisies par Godefroi de Bouillon, après la conquête de Jérusalem (1099), se composaient d'une croix en sautoir, cantonnée de quatre petites croix en or, sur champ d'azur, mettant ainsi métal sur métal. Ce qui prouve que cette faute, regardée aujourd'hui comme un solécisme en blason, était admise dans des cas semblables à celui dont il est question dans le texte.

b — Chant de mort d'Ulrique.

Il sera facile aux antiquaires de s'apercevoir que ces vers sont une imitation de la poésie des scaldes (ménestrels des anciens Scandinaves). Après la conversion des Anglo-Saxons au christianisme et lorsqu'ils furent plus civilisés, le caractère de leur poésie changea et s'adoucit beaucoup ; mais, dans les circonstances où se trouve Ulrique, on a pu supposer, sans blesser la vraisemblance, qu'elle se rappelle les chants sauvages qui excitaient autrefois l'ardeur de ses ancêtres païens.

[La traduction d'une imitation, déjà bien affaiblie, de la poésie scandinave, ne pouvait ressembler, surtout en vers, qu'à l'écho d'un écho, c'est-à-dire à quelque chose d'insaisissable, à une ombre. Il a fallu nous en tenir, ainsi qu'a sagement fait l'auteur lui-même, à reproduire, dans l'ensemble des strophes, le ton farouche de ces chants barbares, qui valent, du moins celui-ci, bien plus par les images que par les idées.

Puisque nous plaidons ici notre cause, ajoutons qu'une

semblable difficulté s'est représentée pour la ballade de *la Veuve* (page 257). Là aussi, vu l'impossibilité de donner à des noms propres et à des termes techniques une apparence poétique, nous avons choisi la ressource, plus aisée peut-être, mais moins pénible à lire, de l'imitation. Cadre, genre, sujet sont restés les mêmes ; c'est, tout au plus, une chanson anglaise mise sur un air français. Le lecteur nous pardonnera ces licences, les seules que nous nous soyons permises dans une traduction que nous avons cherché à rendre vivante et fidèle autant que possible. *Note du traducteur.*]

c — *Lutte du chevalier Noir et de l'ermite.*

Cet échange de coups de poing (*buffet*, en vieux français *buffe*) avec le joyeux ermite n'est pas tout à fait hors du caractère de Richard, si l'on s'en rapporte à la légende. Dans le curieux roman qui a pour sujet ses aventures en Palestine et son retour de cette contrée, on raconte comment il fit échange de semblables gracieusetés durant sa captivité en Allemagne. Son adversaire, fils d'un de ses gardiens, eut l'imprudence de le provoquer à un assaut de ce genre. Le roi reçut un coup qui le fit chanceler ; en revanche, ayant à l'avance enduit sa main de cire, moyen inconnu, je crois, aux boxeurs modernes, il riposta avec tant d'ardeur que son antagoniste, atteint à l'oreille, tomba mort.

d — *Abbaye de Jorvaulx.*

L'abbaye de Jorvaulx était située dans la plaisante vallée de la Jore (district septentrional du comté d'York). Elle appartenait aux bénédictins et suivait la règle de Cîteaux. Fondée en 1156, elle fut détruite en 1537.

e — *Vil prestolet !*

Un tel personnage que l'ermite, moitié prêtre moitié bandit, n'est nullement imaginaire. Des bandes de brigands italiens avaient, au commencement du siècle, leurs chapelains, qui les confessaient et leur disaient la messe. Il est hors de doute que, placés dans un pareil milieu, ces prêtres irréguliers doivent mettre leur conduite et leur morale d'accord avec leurs étranges paroissiens.

[En Angleterre, on les appelait *hedge-priests*, prêtres de haie ou clercs de grands chemins ; en France, ils avaient reçu le nom caractéristique de *clercs ribauds*.]

f — Commanderie de Templestowe.

Les établissements des chevaliers du Temple étaient appelés *préceptoreries* et le chef de l'ordre prenait le titre de *précepteur.*

[C'est une de ces erreurs légères que nous avons cru devoir corriger dans le texte. En effet, les *préceptoreries* du Temple, au nombre de deux en Europe, étaient de grandes divisions générales. Celles-ci se divisaient en *grands prieurés* ou États politiques, puis en *bailliages* ou provinces, enfin en *commanderies* ou localités. Templestowe n'avait que le rang d'une simple commanderie.]

g — Robin Hood.

Les nombreuses ballades populaires ou complaintes dont Robin Hood fut le héros nous apprennent que ce fameux chef de bande prenait quelquefois le nom de Locksley, du village où il était né.

[Tandis que certains critiques ont prétendu en faire un personnage imaginaire, chose difficile à croire après tout ce qui a été écrit sur son compte, d'autres ont vu en lui un des derniers représentants de l'indépendance saxonne. On lui prête en général un caractère loyal et généreux, ennemi du puissant et du riche, soutien du pauvre et de l'opprimé. D'après une légende, il périt victime d'une trahison dans un couvent de femmes : l'abbesse, sa parente, le fit tuer pendant qu'il dormait.]

h — Château de Coningsburgh.

La grosse tour subsiste encore. Elle est ronde, isolée ; les murs en sont légèrement courbés en dedans. Bâtie en pierres brutes, posées en cercle et sans aucune espèce de ciment, elle ne paraît pas avoir été jamais garnie d'un toit. Les chambres ont été prises dans l'intérieur des murs. Chacun des quatre étages ou galeries est percé de quatre fenêtres, faisant face aux points cardinaux et superposées par conséquent les unes au-dessus des autres. On communiquait entre ces divers étages par un plan incliné qui tourne en spirale jusqu'au sommet de l'édifice.

ISBN : 2-07-052273-3
Loi n° 49-956 du 16 juillet 1949
sur les publications destinées à la jeunesse
Dépôt légal : octobre 2003
1er dépôt légal dans la même collection : septembre 1983
N° d'édition : 127945 - N° d'impression : 65712
Imprimé en France sur les presses de la Société Nouvelle Firmin-Didot